ET L'ÉGYPTE S'ÉVEILLA

Tome 3
L'Œil du faucon

Christian JACQ

ET L'ÉGYPTE S'ÉVEILLA

Tome 3
L'Œil du faucon

roman

XO
EDITIONS

DU MÊME AUTEUR

(Voir en fin d'ouvrage)

ISBN : 978-2-84563-498-5

- 1 -

Tapi dans les hautes herbes, l'espion du chef de clan Crocodile observait la flotte de guerre de Narmer, le roi du Sud. Sans nul doute, elle se préparait à partir pour le Nord, afin de reconquérir les territoires qu'avaient envahis les Libyens.

Une soixantaine de bâtiments en bois, construits selon les techniques des Sumériens que venait de vaincre le monarque. Le navire amiral était imposant : très allongé, une grande cabine centrale, une palissade protectrice, une proue relevée, une cinquantaine de rameurs. Alliés de Crocodile, les Libyens ne possédaient que des barques de papyrus et seraient incapables de mener un combat sur le fleuve ; par bonheur, ils disposaient de la supériorité numérique et de forteresses imprenables.

Peu avant l'aube, l'espion assista au chargement des armes, des vêtements et des provisions. Les quantités l'impressionnèrent ; l'expédition avait été bien préparée, les soldats ne manqueraient de rien.

Au bord du quai, un vieillard s'agitait ; maigre, semblant fragile à tomber, il vérifiait avec soin les jarres de vin et de bière, recommandant aux porteurs de prendre mille précautions. L'espion nota la rigueur qui caractérisait la manœuvre ; chacun connaissait sa tâche, on ne se bousculait pas, la discipline régnait. Cette armée-là, correctement équipée, ne serait pas facile à terrasser.

La chance servit le prédateur.

À l'écart, une femme et son chien méditaient en contemplant le Nil. Ne s'agissait-il pas de la sorcière, coupable d'avoir échappé au guide suprême des Libyens dont la fureur ne retombait pas ? La chevelure aux reflets dorés, le visage fin, vêtue d'une robe blanche, la prêtresse, devenue l'épouse de Narmer et la reine du Sud, avait humilié le maître des envahisseurs. Quiconque la ramènerait bénéficierait d'une récompense exceptionnelle.

En rampant, l'espion gagna la berge et se glissa dans l'eau. Véritable reptile, il nageait en souplesse ; personne ne détecterait son déplacement.

Quand sa proie l'apercevrait, il serait trop tard.

*

Le chacal Geb avait guidé Narmer à travers le désert et, depuis leur retour de la ville sainte d'Abydos[1], il veillait sur Neit, charmée par la vivacité et l'intelligence du canidé au fin museau et aux longues oreilles. Au moment de quitter la forteresse de Nékhen[2], la jeune femme songeait à son étrange destin. Prêtresse de la déesse Neit, adepte d'une existence solitaire et rituelle, elle n'imaginait pas abandonner son sanctuaire du Nord lorsqu'un inconnu l'avait sauvée de la noyade. Elle était tombée amoureuse de Narmer, aujourd'hui porteur de la couronne blanche du Sud, selon la volonté des dieux.

Que de chemin parcouru, que d'épreuves subies ! Prisonnière des Libyens, vouée à devenir l'épouse et

---

1. À 500 kilomètres au sud du Caire.
2. À une vingtaine de kilomètres au nord d'Edfou. Les Grecs baptisèrent Hiérakonpolis cette très ancienne cité.

8

l'esclave de leur guide suprême, Neit avait voulu se supprimer ; nourrie de la magie de sa divine protectrice, elle
s'était extirpée de cet enfer. À présent, il fallait y
retourner, libérer son pays de l'oppression et créer un
monde nouveau.

Les chances de succès étaient minces, voire inexis-
tantes ; néanmoins, le couple royal n'avait pas le choix
et obéissait à l'Ancêtre qui imposait à Narmer cette étape
conduisant peut-être à une résurrection.

Le chacal grogna et montra les crocs.

D'instinct, Neit recula ; ce geste lui sauva la vie.

Les mâchoires du crocodile se refermèrent sur le vide,
à moins d'un pouce des jambes de sa proie.

— Non, Geb, non !

Elle interdit à son défenseur d'entreprendre une lutte
inégale.

Ce cri et les aboiements alertèrent Narmer, occupé à
régler les derniers détails de l'embarquement.

Voyant le reptile sortir du fleuve et poursuivre Neit, il
s'empara d'un arc et tira une flèche qui se ficha dans la
queue du monstre. Elle ne l'empêcha pas d'agripper la
robe de la reine et de l'entraîner vers le Nil, malgré
l'intervention désespérée de Geb.

*

Les cheveux noirs, le visage charmeur, admirablement proportionné, Scorpion était un séducteur-né. La
plupart des femmes succombaient à ses avances et,
quand on lui résistait, le jeune guerrier ne prenait que
davantage de plaisir à la conquête. La grande et racée
Sumérienne Ina, à la peau mate et au front altier, ne lui
avait pas échappé, finissant par goûter leurs joutes
amoureuses, même la nuit précédant le départ pour le
Nord. Son caractère farouche ravissait Scorpion dont la

maîtresse en titre, la délicieuse Fleur, se soumettait à tous ses désirs.

Le cri de Neit et les aboiements désespérés de Geb arrachèrent l'amant satisfait à sa torpeur. Du pont de son bateau, il aperçut le reptile traîner la reine jusqu'au fleuve. S'armant d'un poignard, il plongea.

Pendant la guerre des clans, lors de la défense de Nékhen, Scorpion avait appris à tuer un crocodile. Un seul point faible : le ventre. Il fallait éviter la gueule, les griffes et les redoutables battements de queue, passer sous le monstre et lui déchirer les entrailles.

Malgré son courage, Geb ne parvenait qu'à retarder l'inéluctable ; Narmer et des soldats accouraient, mais ils arriveraient trop tard.

Le reptile atteignit l'eau ; bientôt, sa proie ne résisterait plus. Ne redoutant pas les crocs du chacal qu'il décapiterait d'un coup de patte ou de queue, le crocodile ne vit pas survenir le nageur.

Rapide et précis, Scorpion perfora le ventre du monstre. Fou de douleur, le reptile ouvrit la gueule et relâcha la reine, évanouie ; Geb la sauva de la noyade en saisissant le haut de sa robe déchirée et en la ramenant à terre.

Le fleuve était agité de violents soubresauts ; agonisant, le crocodile tentait d'éliminer son agresseur, contraint de remonter à la surface afin de reprendre son souffle. Du sang souilla le Nil, la tête de Scorpion disparut.

Le chacal léchait le visage de Neit, Narmer la prit dans ses bras ; elle respirait !

Le cadavre du reptile flotta quelques instants, le ventre ouvert, exposé aux rayons du soleil naissant.

— Allez chercher Scorpion, ordonna le roi à ses soldats.

Ils n'eurent pas le temps de rejoindre la berge. Jaillissant au sein d'une gerbe d'eau, le vainqueur réapparut, brandissant son couteau.

Ayant encore la force de nager, Scorpion regagna la terre ferme sous les regards admiratifs de l'armée et se présenta devant le roi, son frère en esprit.

— La reine est-elle vivante ?

— Tu l'as sauvée.

Neit revenait à elle ; avec l'aide de Narmer, elle parvint à tenir debout.

— Tu n'as rien perdu de ta beauté, lui dit Scorpion, contemplant cette femme sublime, la seule qui lui soit interdite.

— Comment te remercier ? murmura-t-elle.

— En conservant ta détermination à vaincre l'ennemi. Puisse la déesse des origines, dont tu es la servante, protéger notre juste combat.

Collé contre la jambe de sa maîtresse, tirant une grande langue rose, les yeux éperdus d'affection, le chacal Geb savourait ce moment de bonheur.

— Tu es blessé, observa Narmer.

Scorpion passa la main sur son épaule gauche, ensanglantée.

— J'ai connu pire ! Les onguents de la reine me guériront vite. N'avais-tu pas annoncé que la flotte appareillerait à l'aube ?

Taciturne, d'une noblesse innée, Narmer eut un léger sourire.

— Pardonne-moi ce retard.

- 2 -

Narmer laissait derrière lui un Sud pacifié et une ville de Nékhen prospère. Dûment fortifiée, elle abritait une garnison de vétérans et servirait de refuge à la population en cas d'agression. Nommé par le roi, un gouverneur était chargé de gérer au mieux le pays de la couronne blanche en attendant l'issue de la guerre contre les Libyens.

Nul n'entretenait d'illusions : si les barbares anéantissaient l'armée de Narmer, ils envahiraient le Sud et massacreraient ses partisans. Et comment vaincre ces combattants expérimentés et cruels, qui avaient réduit les habitants du Nord en esclavage ?

Mieux valait oublier l'inévitable affrontement, contempler le fleuve et ses berges couvertes de papyrus en implorant la protection des dieux. Remise de ses émotions, la reine, avant le départ, avait présenté à Neit, la grande déesse des origines, une offrande d'onguents parfumés, puis déposé dans la vaste cabine centrale du vaisseau amiral le tissu sacré, incarnation de l'œil de lumière, à la fois féminin et masculin. Capable de transformer la mort en vie et de rendre l'âme heureuse, il demeurait toujours immaculé. Quand la jeune femme était prisonnière du guide suprême des Libyens, le tissu l'avait protégée ; connaîtrait-elle la joie de le restituer à son sanctuaire du Nord, aujourd'hui aux mains des envahisseurs ?

Malgré le caractère insensé de cette expédition, Neit avait encouragé Narmer à l'entreprendre, car, tôt ou tard, l'ennemi aurait attaqué le Sud pour conquérir la totalité du pays. Au moins, les forces de libération prenaient l'initiative, si dérisoire fût-elle.

Appartenant au corps d'élite, un monstrueux taureau brun-rouge, déterminant lors des dernières batailles, et Vent du Nord, âne sauvage devenu le confident de Narmer, appréciaient le voyage. Bien nourris et confortablement installés, eux aussi goûtaient le moment présent en occultant l'avenir. Quant aux deux lionnes qu'avait soumises le roi et qui n'obéissaient qu'à lui, elles sommeillaient à l'ombre d'une toile tendue entre des piquets.

Sa plaie recouverte d'onguents et bandée, Scorpion se reposait à la proue de son bateau, réservé aux meilleurs archers.

— Le Vieux, apporte-moi à boire !

Perclus, maigre, les pommettes saillantes, les côtes apparentes, semblant sur le point de s'éteindre, le Vieux était revenu de tout ; mais quand il s'agissait de vin, il retrouvait un dynamisme insoupçonné. Négligeant ses rhumatismes et la raideur de ses articulations, il s'était personnellement chargé de la cargaison de jarres et vérifierait chaque matin leur parfait entreposage.

Le Vieux aurait préféré rester à Nékhen et cesser enfin de guerroyer ; hélas ! son maître, l'infatigable Scorpion, ne souhaitait pas se séparer de son serviteur privilégié.

Il lui donna une coupe de vin blanc fruité.

— Le meilleur des reconstituants, affirma le Vieux ; ce soir, nous boirons un rouge puissant afin d'achever ta guérison.

— Excellent, reconnut Scorpion. Et quelle belle journée !

— Les prochaines seront moins riantes. Tu aurais dû dissuader le roi, ton frère, de nous conduire au désastre !

— Ne sois pas pessimiste, le Vieux. N'avons-nous pas remporté d'impossibles victoires ?

— Ce coup-là, on ne s'en sortira pas ! Et les rumeurs ne remontent pas le moral des troupes.

La curiosité de Scorpion fut éveillée.

— Que disent-elles, ces rumeurs ?

— Autant les négliger...

— Elles m'intéressent.

Le regard de Scorpion incita le Vieux à ne rien lui cacher.

— Les Libyens sont des fauves avides de sang, et nous ne sommes pas assez nombreux pour les écraser. Leurs forteresses sont imprenables, leurs armes supérieures aux nôtres. Pas un de nous n'en réchappera.

— L'autorité de Narmer serait-elle contestée ?

— Pas encore... Mais il serait bon de rebrousser chemin avant une probable révolte.

À la surprise du Vieux, Scorpion garda son calme.

— Remplis ma coupe.

— Volontiers !

Le jeune guerrier commençait à percevoir la folie de cette expédition, vouée à l'échec ; savourer les plaisirs de l'existence impliquait de retourner à Nékhen et d'abandonner le Nord aux Libyens. Scorpion créerait son propre clan, régnerait sur un large territoire qu'il saurait défendre contre les envieux ; entouré de domestiques dévoués, il jouirait de ses prérogatives.

Scorpion contempla le liquide doré à la saveur enchanteresse.

— Tu sais, le Vieux, je déteste la facilité et les combats gagnés d'avance, apanage des lâches et des médiocres. Ces victoires-là ne sont qu'illusions ; moi, je veux un authentique triomphe, et les Libyens m'apparaissent comme l'adversaire idéal.

Le Vieux s'étrangla.

— À force de défier la mort, elle volera ton âme!

Scorpion sourit. Ne l'avait-il pas cédée à l'animal de Seth, en échange d'une puissance capable d'anéantir n'importe quel monstre? Il s'était engagé à instaurer la règle de la violence, seul moyen de contrôler les humains.

— Je déteste aussi les déserteurs, continua-t-il d'une voix paisible, et les traîtres qui se permettraient de critiquer les décisions du roi. Puisque tu possèdes de grandes oreilles, je te donne l'ordre de me les signaler afin que je m'occupe moi-même de leur cas. Est-ce bien clair?

Consterné, le Vieux retourna à sa réserve de jarres.

*

La chaleur de l'été était intense, le Nil au plus bas, le vent inexistant; grâce au courant, la flotte de guerre continuait à progresser, au prix de constantes précautions. À la proue du bateau de tête, un officier mesurait la profondeur à l'aide d'une longue perche et dictait la manœuvre. Il fallait éviter les bancs de sable et contourner des îlots herbeux; des archers demeuraient en état d'alerte, guettant la présence d'hippopotames irascibles, capables de renverser les embarcations, ou de crocodiles chargés d'alerter le chef de leur clan.

À la tombée de la nuit, apportant un peu de fraîcheur, on faisait halte; animaux et hommes se dégourdissaient et appréciaient un repas à la belle étoile. En compagnie de Neit, Narmer ne manquait pas d'observer longuement le ciel, tentant d'y discerner des chemins.

— Ce pays est un don des dieux, confia-t-il à son épouse, et nous n'avons pas le droit de le céder à des barbares. Ils nous croient faibles et impuissants, Crocodile conforte leur opinion; sachons utiliser leur vanité.

Narmer et Neit auraient pu former un couple habituel, satisfait de son propre bonheur; mais il était le disciple de l'Ancêtre, elle la prêtresse de la déesse primordiale. Privés l'un de l'autre, ils n'auraient pas la force de poursuivre ce combat inégal. Quand ils avaient failli se perdre, leur existence s'était obscurcie; désormais, ils combattraient ensemble, et même la mort ne les séparerait pas.

En hommage à leur souverain, des Vanneaux habitant le bord du Nil lui avaient offert des poissons frais que les soldats dégustaient grillés en écoutant Scorpion, brillant orateur, leur rappeler les exploits passés. N'avaient-ils pas terrassé le clan de Lion, les redoutables Sumériens et la masse des Vanneaux révoltés? Obtenir l'appui des Âmes de Nékhen, à tête de chacal, occuper la place forte et pacifier le Sud, autant de rêves réalisés! Et ce n'était qu'une étape. Maintenant, ils allaient libérer le Nord et bâtir un pays d'une puissance et d'une richesse incomparables.

Communicatif, l'enthousiasme de Scorpion dissipait les angoisses et décuplait les énergies. Seul le Vieux, atterré, entrevoyait un carnage. Insensible au discours martial de son seigneur, il se rattacha à la réalité immédiate d'un vin liquoreux, réservé à des hommes d'expérience.

En perpétuel éveil, le chacal Geb ne s'éloignait pas de la reine, prêt à l'alerter au moindre danger; mais cette nuit-là fut paisible, si douce que certains oublièrent les affrontements à venir.

Narmer et Neit admirèrent les scintillements du fleuve, cette artère vitale qui les conduirait à un choc meurtrier; Scorpion, lui, regardait le désert. Il ressentait la présence de l'animal de Seth, le génie de la foudre et des colères célestes. Son feu animait son bras, écartant la peur; ivre de ce pouvoir-là, le jeune guerrier attendait avec impatience la confrontation décisive.

- 3 -

À l'approche de la cité sainte d'Abydos, le Nil changea de couleur et prit des teintes rougeâtres ; il commençait à charrier le limon fertiliseur provenant de la caverne du Grand Sud. Pendant quelques jours, l'eau ne serait pas potable et la navigation dangereuse. L'événement ne troubla pas Narmer qui désirait faire une halte sur ce site, à la lisière de l'au-delà.

Les villageois se mirent à la disposition du corps expéditionnaire, ravi de ce repos avant de continuer vers le nord.

— Tout est en ordre ? demanda le roi au général Gros-Sourcils, ex-adjoint du défunt chef de clan Taureau, décédé à la suite de la victoire contre les Sumériens.

— Les bateaux nous donnent entière satisfaction, Majesté. Durant notre séjour ici, je propose de mettre nos hommes à l'exercice. Un soldat ne doit pas s'engourdir.

— Bonne idée, général.

Trapu, le cou et les pouces carrés, les jambes épaisses, la voix acide, Gros-Sourcils était un militaire rugueux, souvent emporté. Nommé porte-enseigne, il était considéré comme un combattant courageux, dur au mal, et fidèle serviteur de son chef.

La vérité était fort différente. Détestant Taureau, Gros-Sourcils avait, à plusieurs reprises, tenté de le trahir, afin de s'emparer du clan et de l'armée ; et c'était lui, le parfait général, qui avait poignardé Taureau dans le dos avec une arme sumérienne, de manière à ne pas être soupçonné. Opération réussie, certes, puisque l'assassin était devenu un proche du roi ; mais stratégie décevante, car Gros-Sourcils espérait davantage en s'alliant aux ennemis de Taureau et de Narmer.

À présent, la situation était délicate ; le monarque et son frère en esprit, Scorpion, couraient au désastre en croyant pouvoir s'opposer à la domination des conquérants libyens. Le général trouverait le moyen d'éliminer Narmer ou de le vendre à l'adversaire, en échange de l'impunité et d'un statut privilégié. Excluant de mourir stupidement lors d'une lutte inégale, Gros-Sourcils utiliserait ses dons d'hypocrite et de dissimulateur pour parvenir à ses fins.

Le roi visita le bateau infirmier, domaine de la vieille cheffe de clan Cigogne. Des cheveux blanc et gris, un long visage triste, méditatif, la guérisseuse savait utiliser mille et une herbes médicinales, et préparer des onguents efficaces, s'ajoutant à ceux de la prêtresse de Neit. Naguère, lorsque la majorité des clans respectait un pacte de paix, Cigogne entendait la voix des dieux ; à la suite des conflits meurtriers qui avaient vu disparaître tant de chefs, l'esprit de la vieille dame s'était refermé, se contentant de soulager les souffrances d'un peuple en guerre.

Cigogne appréciait Narmer, son calme, sa détermination. En lui offrant la couronne blanche du Sud, la déesse vautour ne s'était pas trompée. Cette escale ne serait-elle pas l'occasion de dissiper de fausses espérances ?

— J'espère que tu ne manques de rien, dit le roi. Sinon, n'hésite pas à te plaindre, et je te donnerai satisfaction.

— Tes soldats sont en excellente santé ; juste des maux mineurs à soigner, avant de connaître l'horreur.

— Tu détestes la guerre, moi aussi ; existe-t-il un autre moyen de rétablir la paix ?

— Retournons à Nékhen, fortifions la cité.

— Ce serait fournir aux Libyens la preuve de notre renoncement. Ils nous assiégeraient, et nous finirions par succomber.

Cigogne avait offert une qualité à Narmer : séparer l'essentiel du secondaire, en s'élevant au-dessus des apparences. Maîtrisant son jugement, il évitait de parfumer la charogne et affrontait la réalité.

— Crois-tu vraiment à notre succès ?

— Peu importe, répondit Narmer. Nous n'avons pas le choix.

La vieille dame baissa la tête.

— Pourquoi les clans ont-ils refusé de s'entendre ? Nous n'aurions pas subi tant de malheurs !

— Je n'en suis pas certain, objecta le roi. Les Sumériens ont envahi le Sud, les Libyens le Nord. Nous avons vaincu les premiers, il faut expulser les seconds.

— Tu sais bien que c'est impossible !

— Le monde des clans s'éteint, Cigogne ; toi, Chacal et Crocodile êtes ses derniers représentants. Et Crocodile s'est allié aux envahisseurs. Leur supériorité paraît indéniable, mais je refuse de me soumettre.

— Alors, nous disparaîtrons, et Crocodile triomphera.

— N'a-t-il pas échoué à Nékhen ? Nous avons appris à le combattre, et nous apprendrons à combattre les Libyens. Telle est la tâche que m'a confiée l'Ancêtre, et je l'accomplirai. Et j'ai besoin de ton aide.

— Tu souhaites envoyer mes dernières messagères survoler le Nord ?

— Une mission très dangereuse, même si elles sont équipées d'amulettes protectrices ; elles risqueront leur vie, exposées aux tirs des gens de l'arc. Les renseignements obtenus seraient déterminants.

— Tu me demandes beaucoup !

— À toi de juger, Cigogne ; ne désires-tu pas revoir tes territoires du Nord ?

La vieille dame soupira.

— Que reste-t-il de mon ancien domaine ? Taureau s'en était emparé, les Libyens l'auront saccagé. Mon clan agonise, il me reste peu de temps à vivre, et je le consacre à te servir.

Narmer s'inclina.

— Ta confiance me touche et m'honore.

— Tu es l'unique disciple de l'Ancêtre, le seul être capable d'empêcher le règne de la violence et de l'injustice ; mon aide t'est acquise.

*

Les campements s'organisaient, les soldats prenaient du bon temps ; certains voulaient croire qu'après un long et tranquille séjour à Abydos, Narmer renoncerait à reconquérir le Nord et rebrousserait chemin. Les femmes des villages voisins s'intéressaient à ces hommes rudes et séduisants, sensibles à leurs avances ; au terme de repas copieux et bien arrosés, des liaisons se nouèrent, sous l'œil bienveillant de Scorpion, objet de multiples convoitises auxquelles il ne résista pas. Ina la Sumérienne dédaigna ces incartades, Fleur ne s'inquiéta pas de ces amourettes. Elle avait déjà tué deux intrigantes menaçant de lui voler l'homme de sa vie ; si l'étrangère devenait envahissante, elle s'en débarrasserait.

La crue montait de manière régulière, ni trop forte ni trop faible ; pour le roi, le temps était venu de se rendre au sanctuaire d'Abydos, territoire du chef de clan Chacal. Aussi grimpa-t-il la passerelle menant au bateau-atelier qu'occupaient le Maître du silex, compagnon de la première heure, et l'artiste sumérien Gilgamesh, rescapé du dernier conflit. Dessinateur et sculpteur de génie, il s'était intégré à sa nouvelle patrie, tentant d'oublier le pays des deux fleuves qu'avait englouti un déluge.

Barbu, corpulent et grognon, le Maître du silex fabriquait les armes ; Gilgamesh lui avait enseigné la technique du bronze, et les deux hommes s'entendaient à merveille, cherchant à améliorer leurs méthodes.

— Avez-vous terminé ? interrogea le roi.

Les artisans hochèrent la tête affirmativement, pénétrèrent dans leur atelier et en ressortirent porteurs de plusieurs palettes à fond en schiste. Elles représentaient un éléphant, une gazelle, un poisson, un crocodile, un taureau... Sur l'une des faces, un godet circulaire servant à la préparation des substances odorantes et guérisseuses. Un trou permettrait de les accrocher aux parois du sanctuaire d'Abydos, en hommage aux clans dont l'esprit devait survivre à travers la personne du souverain.

— Nous avons travaillé ensemble, déclara le Maître du silex, afin d'incarner la vision de Gilgamesh.

Inquiets, les sculpteurs attendaient le jugement de Narmer.

Fasciné, le roi découvrit une authentique création ; une vie particulière animait ces objets, et l'énergie qui en émanait aurait autant d'influence que les armes ; sans des êtres comme le Maître du silex et Gilgamesh, l'avenir ne serait qu'un champ de bataille couvert de cadavres.

— Accompagnez-moi jusqu'au sanctuaire, ordonna Narmer.

- 4 -

Les yeux orange et vifs, l'allure élancée, Chacal était le gardien du territoire sacré d'Abydos, frontière entre le visible et l'invisible. Premier des Occidentaux, il connaissait les routes de l'autre monde et rendait chaque jour hommage aux morts reconnus dignes de survivre dans l'au-delà ; privée de leur protection, la terre serait devenue stérile.

Les membres de son clan veillaient sur les chapelles et les tombes ; ils assuraient la célébration des rituels, permettant la bonne circulation de la barque du soleil. Grâce à la formulation des paroles de puissance, prononcées au moment juste, l'astre du jour continuait à vaincre les ténèbres et à dispenser la vie.

Narmer et les deux artisans offrirent les palettes à Chacal qui les accrocha aux parois du sanctuaire principal, abritant le coffre mystérieux où résidait le dieu démembré et reconstitué. Seuls Chacal et Narmer pouvaient toucher ce reliquaire sans être foudroyés ; Lion en avait fait l'amère expérience, brûlé par les flammes sanctionnant sa profanation.

Le roi se recueillit face à l'inestimable trésor, dissimulé pendant les conflits précédents ; aux pires moments, il avait fallu le déplacer. Le retour à son lieu de prédilection marquait une étape majeure, sinon décisive, de la reconquête.

Comme promis à Chacal, un bataillon résiderait en permanence autour d'Abydos, de manière à repousser toute agression : l'esprit apaisé, les ritualistes se consacreraient pleinement à leurs tâches, jusqu'à l'issue de la guerre finale qui ne tarderait pas à débuter.

— Si les Libyens nous exterminent, déclara Narmer, ils envahiront le Sud et ce bataillon n'offrira qu'une résistance dérisoire. À toi, Chacal, de mettre le reliquaire en sécurité afin qu'il ne tombe pas aux mains des barbares.

— Notre décision est prise : les membres de mon clan et moi-même ne quitterons plus Abydos, situé à l'origine et à la fin des temps. Nous creuserons un tombeau souterrain où sera déposé le coffre mystérieux, et nous en dissimulerons l'accès. Quoi qu'il arrive, son secret ne sera jamais violé.

— En cas d'invasion libyenne, ne devrais-tu pas t'enfuir ?

— Si ces destructeurs déferlent, le pays deviendra inhabitable, et le seul refuge de mon clan sera l'au-delà.

Narmer ne contredit pas Chacal. De fait, les conséquences du conflit risquaient d'être terrifiantes, et le jeune roi ressentit l'énorme poids, presque insupportable, de ses responsabilités.

— Aucun humain n'a réussi à suivre le chemin de l'Ancêtre, rappela le chef de clan ; toi, tu as franchi l'épreuve de la chouette qui t'a appris à voir dans l'obscurité, celle du scarabée, le maître des métamorphoses, et tu as soumis la masse des Vanneaux, le peuple des bords du fleuve. Personne n'aurait supposé que tu irais aussi loin et que la déesse Vautour te couronnerait roi du Sud. À présent, te voici confronté à la quatrième épreuve : vaincre les gens de l'arc, les Libyens, fils des ténèbres. De ton action dépend le destin de notre monde. Puisque l'esprit des clans survit en toi, va à leur rencontre.

Chacal invitait le roi à parcourir la nécropole d'Abydos, domaine du désert borné de falaises percées d'un oued. Au cœur de ce silence ensoleillé, à l'écart des convulsions du temps, Narmer revécut les étapes qui l'avaient conduit des marais de l'extrême-nord, territoire du clan Coquillage dont il était le seul survivant, à cette immensité baignée d'une lumière surnaturelle.

Lui apparut la petite voyante, sa protectrice, à laquelle il devait la vie ; il lui avait promis de découvrir son assassin et de le châtier. Parviendrait-il à tenir cet engagement ? Se dessina la fragile silhouette de la douce Gazelle, cheffe d'un clan désarmé, s'obstinant à défendre la paix, au prix de son existence ; les dieux avaient anéanti le criminel Lion, mais son complice, le redoutable Crocodile, s'était allié aux Libyens.

Narmer ramassa une pierre aux couleurs variées, allant du brun au rouge, et se rappela le moment magique où Gazelle lui avait appris à choisir des blocs nés du ventre des montagnes, capables de servir à la construction de monuments offerts aux dieux. Comme cet idéal paraissait inaccessible !

À l'occident se dessina l'ombre d'Éléphante, léguant à Narmer son désir de sagesse, sa capacité d'enseigner et de guider, sa force sereine ; près d'elle se dressait le fier Oryx, indomptable et brave.

Et s'approcha Taureau, le plus puissant des chefs de clan, qui s'était battu au-delà de ses forces sans connaître la joie de revoir ses terres du Nord. En confiant à Narmer la mission de les libérer, il se réincarnait en ce jeune souverain que dévorait sa fonction.

Conformément à la volonté de l'Ancêtre, l'âme des chefs de clan disparus ne s'éteignait pas et renforçait celle de Narmer, chargé de prolonger leur œuvre et de la dépasser. Il demeura longtemps dans la nécropole, ressentant la présence de ses alliés passés de l'autre côté de la vie ; ensemble, expulseraient-ils les gens de l'arc ?

*

Le Vieux buvait très peu d'eau, persuadé que le monde n'était qu'une hallucination due au manque de vin ; seule sa jarre quotidienne soulageait ses articulations usées et lui redonnait de la santé.

L'eau de la crue, précisément, le préoccupait ; le fleuve était redevenu navigable et le Vieux, comme la plupart des soldats, redoutait l'ordre de départ, au terme de cette agréable période de repos à Abydos. Assis à l'ombre d'un palmier dattier, il se régalait de ses fruits fondants et sucrés, en contemplant le lac scintillant qui recouvrait les terres.

Un rire troubla sa quiétude, celui d'une jeune fille feignant d'échapper à Scorpion ; ne quittant pas du regard son séduisant poursuivant, elle se laissa vite conquérir, et ses faux appels au secours se transformèrent en gémissements de plaisir. Si, au moins, les maîtresses de Scorpion l'incitaient à oublier la guerre...

Ses ébats terminés, le jeune guerrier apparut, imposant et sûr de lui.

— Donne-moi des dattes, le Vieux, j'ai faim !

Scorpion apprécia ce délice.

— On devrait laisser le Nord à ces sauvages de Libyens et se contenter du Sud, suggéra son serviteur. C'est bien assez vaste pour nous, non ?

— Probablement.

— Alors, tu envisagerais cette solution ?

— Je n'ai pas le temps d'y penser, car Narmer vient d'annoncer que nous appareillons demain, à l'aube. Au travail, le Vieux ! Je vérifie les armes, toi les nourritures.

L'appétit coupé, l'interpellé cracha un noyau, se releva avec peine et se dirigea d'un pas fatigué vers la berge où étaient entreposées, à l'abri du soleil, les conserves de volaille séchée et salée. La graisse d'oie entrait dans la composition de succulents gâteaux, et les pains de sel, outre leur usage alimentaire, aidaient à l'hygiène buccale.

Au lieu de goûter la douceur d'une magnifique fin d'après-midi à l'ombre des palmiers, le Vieux fut contraint de s'agiter afin d'éviter la casse et d'obtenir un rangement quasi parfait.

À la tombée de la nuit, il s'octroya enfin une rasade de blanc frais.

— Excellent travail, constata Scorpion ; il ne te reste plus qu'à préparer ma cabine.

*

À la proue du navire amiral, Narmer regardait en direction du nord, la terre de son enfance, aujourd'hui occupée. Accompagnée du chacal Geb, les oreilles dressées et le regard inquiet, Neit se porta à la hauteur du roi.

— Ne regrette rien, lui conseilla-t-elle ; c'était l'unique décision à prendre. L'Ancêtre a tracé le chemin ; à nous de construire le destin.

— Je ressens l'intensité de l'âme des clans, mais nous nous heurterons à trop forte partie.

— Peut-être les rapports des émissaires de Cigogne nous rassureront-ils.

Narmer étreignit tendrement son épouse.

— Tu sais bien que non. T'emmener à la mort me déchire le cœur, Neit ; n'accepterais-tu pas de demeurer ici et de guider la population vers le grand sud, si les Libyens déferlent après nous avoir exterminés ?

— Hors de question ; je ne me séparerai pas de toi et je dois reconquérir le sanctuaire de la déesse. Le ciel se déchire, il est temps de partir.

Narmer se saisit d'une énorme rame, servant de gouvernail. Il entendit la voix de l'Ancêtre lui révéler son nom : Maât, la rectitude permettant de mener le navire à bon port en illuminant les ténèbres.

- 5 -

Précédant de loin la flotte, l'émissaire de Cigogne survolait le Nil, bordé de roseaux et de papyrus ; il tentait de repérer l'ennemi et de déceler un traquenard. Mais le pays semblait vide de toute présence hostile.

L'observatrice croisa des bécasses, des flamants roses, des grues, des ibis, assista aux plongeons des martins-pêcheurs et aux repas des pélicans, prit garde d'éviter les rapaces. Alors qu'elle s'apprêtait à retourner vers les bateaux, l'amulette qu'elle portait au cou se détacha et tomba au milieu d'un îlot herbeux.

Désireuse de la récupérer, la cigogne commit l'erreur de croire que l'endroit ne présentait pas de danger. Au moment où elle se posait, un crocodile sortit de son apparente léthargie. Jaillissant hors de l'eau, il attaqua par-derrière, à une telle vitesse que la malheureuse n'eut pas le temps de s'envoler. Les énormes mâchoires broyèrent les pattes, un coup de queue fracassa la tête de la messagère, et le prédateur déchiqueta sa proie en tournant sur lui-même.

L'espion de Crocodile détenait une nouvelle importante : la présence de cette cigogne, une éclaireuse, annonçait l'arrivée imminente de l'ennemi.

*

Le nez proéminent, le front bas et la peau calleuse, Crocodile changeait chaque jour de résidence; d'une méfiance maladive, il était entouré d'une garde rapprochée, formée de guerriers expérimentés et de monstrueux reptiles. Semblant assoupi, le chef de clan savait frapper de manière foudroyante, inspectait ses troupes à l'improviste et entretenait un réseau d'espions capables de l'informer en permanence.

De nombreuses naissances avaient renforcé ses bataillons; rescapé de la guerre des clans, Crocodile respectait une alliance momentanée avec les Libyens. Si Narmer était assez fou pour les affronter, la modeste armée du roi serait détruite, après avoir causé quelques dommages à l'occupant.

Surviendrait alors le moment du triomphe de Crocodile dont les sujets ne cessaient de s'implanter au nord, en grand secret; profitant du relâchement des Libyens ivres de leur victoire, il massacrerait dirigeants et officiers, provoquerait une débandade et imposerait sa loi.

Oryx, Éléphante, Lion, Taureau... Tous ces valeureux combattants avaient disparu. Seul subsistait Crocodile, maître d'un clan qui s'emparerait bientôt du Double Pays.

Sommeillant à l'ombre d'un saule, il reçut l'espion posté le plus au sud, dans l'attente d'une éventuelle attaque de Narmer. Le chef écouta attentivement le rapport détaillé et prit les mesures nécessaires afin d'en savoir davantage. Ensuite, il se rendrait à la forteresse où résidait Ouâsh, le guide suprême des Libyens.

*

Quadragénaire, chauve, les joues gonflées et virant au rouge s'il était contrarié, Piti, le bras droit du guide suprême, courait en direction de la tour crénelée de la place forte. À cause de l'incurie d'une bande de paysans stupides, son maître risquait de manquer de lait de chèvre, et Piti ne tenait pas à en être victime.

Par bonheur, le géant nubien Ikesh, chargé de la sécurité des nouveaux territoires libyens, n'était pas encore parti en mission.

— J'ai besoin de tes services !

Le colosse noir contempla le petit rougeaud d'un regard dédaigneux.

— De sérieux ennuis, mon pauvre Piti ?

Le Libyen se haussa du col. Voilà longtemps qu'il détestait cet étranger à la peau sombre et qu'il tentait, en vain, de l'éliminer. Obstiné et patient, il finirait par réussir, à condition de ne pas contrarier le guide suprême. Étant donné les circonstances, il adoptait un profil bas.

— Je n'ai pas reçu le lait de chèvre promis.

Ikesh ne prit pas cette révélation à la légère. Certes, Piti était le principal responsable du parfait bien-être d'Ouâsh, mais sa fureur toucherait d'autres dignitaires, et le Nubien ne serait peut-être pas épargné. Aussi choisit-il d'intervenir avec sa brutalité coutumière.

— Je m'en occupe, promit-il. Notre seigneur aura sa boisson favorite.

— Ma gratitude t'est acquise, assura Piti.

Le scepticisme du Nubien ne troubla pas le petit rougeaud, heureux d'obtenir ce qu'il souhaitait.

Depuis qu'ils contrôlaient le Nord, les Libyens tyrannisaient la population, composée de pêcheurs et de paysans appartenant naguère au clan de Taureau. Ceux qui s'étaient plaints de sa rigueur déploraient à présent sa disparition.

Exécutant les ordres du guide suprême, Ikesh et Piti exigeaient la quasi-totalité des récoltes, de la cueillette, de la chasse et de la pêche. Ils n'accordaient à leurs esclaves que le minimum vital et se débarrassaient des incapables ; travailler dur était la seule chance d'échapper au châtiment. Et la moindre désobéissance conduisait à une exécution publique.

À la tête d'une cinquantaine d'archers, Ikesh sortit de la place forte et marcha d'un pas irrité jusqu'au village situé à proximité. Étroitement surveillés par des fantassins, les paysans étaient chargés d'approvisionner en produits frais le nouveau centre de l'Empire libyen.

À la vue du géant noir, des garçonnets détalèrent, et leurs parents se rassemblèrent au centre du bourg.

— Nos chèvres sont malades, indiqua un éleveur, et...

De son poing fermé, Ikesh fracassa le crâne de l'insolent.

— J'exige sur-le-champ du lait frais. Sinon, vous serez tous massacrés.

— Il faudrait nous emparer du troupeau appartenant au village voisin, précisa un moustachu.

— Tes explications ne m'intéressent pas. Dépêche-toi.

Les paysans s'éparpillèrent comme une nuée de moineaux et, sous les yeux amusés du Nubien, agressèrent leurs congénères afin de lui donner satisfaction. L'empoignade fut sévère, les Libyens achevèrent les blessés et firent remplir les jarres du lait des chèvres. Pour l'exemple, Ikesh trancha la gorge d'une jeune mère de famille qui avait eu le tort de lui adresser un regard mauvais.

À vive allure, une procession s'organisa en direction de la place forte ; le guide suprême risquait de s'impatienter. En lui procurant sa boisson préférée, le Nubien lui prouverait, une nouvelle fois, sa compétence et sa fidélité, au détriment de Piti.

Mais un inquiétant spectacle brisa son optimisme ; des fantassins sortaient en grappe de l'unique porte d'accès, tels des frelons de leur nid. Et la panique semblait gagner l'ensemble de la garnison, Piti compris.

Ikesh l'agrippa.

— Que se passe-t-il ?

— Une sentinelle croit avoir vu un inconnu armé !
Impossible de le retrouver. J'ai fait doubler la garde
autour du guide suprême, il ne risque rien.

La voix cassante du Nubien mit fin à l'agitation,
chacun retourna à son poste, guettant l'apparition d'un
éventuel agresseur.

Ikesh interrogea la sentinelle qui persista dans ses
déclarations : un intrus avait bel et bien réussi à s'intro-
duire au cœur de la place forte.

— Décris-le-moi !

— Sûrement une créature des ténèbres ! En tout cas,
elle n'avait pas une peau comparable à la nôtre. Et
quelle vitesse de déplacement !

Intrigué, le Nubien explora lui-même les recoins de la
forteresse, poignard en main. Combattre un spectre ne
l'effrayait pas.

Ses investigations furent vaines.

Assoiffé, il se dirigea vers le puits. À l'instant où il
s'apprêtait à boire, le visage de Crocodile le figea d'effroi.

— Mesures de sécurité insuffisantes, jugea le chef de
clan en sortant de l'eau. Pour mes fidèles, ces murailles
ne sont qu'une protection illusoire.

Se reprenant, Ikesh brandit son arme.

— Ne sommes-nous pas alliés ? s'étonna le maître des
reptiles.

— Tu aurais dû t'annoncer !

— Ce n'est pas à un subalterne de me dicter
ma conduite, jugea Crocodile dont les yeux mi-clos
devinrent menaçants. Conduis-moi immédiatement
auprès de ton seigneur.

Estimant qu'un spectre était moins dangereux que ce
monstre-là, le Nubien obéit. Quatre à quatre, il grimpa
l'escalier menant au domaine réservé du guide suprême,
situé au sommet de la tour principale.

- 6 -

Grand, la tête carrée et disproportionnée par rapport au reste de son corps, les yeux noirs et le menton dédaigneux, Ouâsh, le guide suprême des conquérants libyens, commençait à s'impatienter. Installé sur des coussins, à l'intérieur de sa tente dressée au sommet de la tour crénelée, il avait envie de lait de chèvre frais et détestait attendre.

Ses hommes lui vouaient un véritable culte. N'avait-il pas réussi l'impossible, fédérer les tribus des coureurs des sables, les plier à une discipline, et mener l'armée des gens de l'arc à la conquête de l'Égypte ? Grâce à lui, ces rustres jouissaient d'agréables conditions d'existence, bénéficiant des services de milliers d'esclaves, incapables de se révolter.

En imposant un régime militaire et en semant la terreur parmi la population, Ouâsh exerçait un pouvoir absolu qu'il espérait étendre bientôt au Sud ; mais prudence et patience s'imposaient, car le guide suprême ne connaissait pas le terrain et avait encore besoin d'alliés. Il ne frapperait qu'à coup sûr, après avoir éliminé les obstacles majeurs. Alors, le Double Pays lui appartiendrait.

Porteur d'une jarre de lait, Ikesh s'inclina.

— Seigneur, le chef de clan Crocodile souhaite vous voir.

Ouâsh sourcilla.

— Crocodile, ici ?

Le maître des reptiles s'avança.

— Il conviendra de renforcer les mesures de sécurité, déclara-t-il, de sa voix rauque et sourde. En ces temps troublés, survivre implique de prendre certaines précautions.

— Te vanterais-tu d'avoir trompé la vigilance de mes gardes ?

— Ils ne connaissent pas les capacités de mon clan.

Ikesh aurait préféré se trouver ailleurs ; ne serait-il pas jugé coupable de cet incident ?

Le guide suprême se gratta le menton.

— Ta démarche signifie que tu as des informations importantes à me communiquer.

— En effet, approuva Crocodile, à condition de te parler seul à seul.

Le Nubien s'interposa.

— Trop dangereux, seigneur !

— Qui commande, demanda Crocodile, toi ou tes subordonnés ?

Ouâsh se redressa.

— Donne-moi mon lait, Ikesh, et sors de ma tente.

Le Nubien s'exécuta.

N'attendant pas d'y être invité, Crocodile s'assit sur un coussin et observa le Libyen si intensément qu'il le mit mal à l'aise. Énervé, le guide suprême but goulûment sa jarre. S'essuyant les lèvres d'un revers de main, il dévisagea son étrange allié.

Son calme, sa violence contenue, sa manière d'observer l'adversaire sans manifester d'impatience... Crocodile était un être redoutable, le seul chef de clan qui avait survécu à des luttes fratricides. Néanmoins, son armée de reptiles et de guerriers expérimentés, aussi cruels que les Libyens, n'était pas en mesure de s'imposer et de conquérir le Nord.

Crocodile aiderait les envahisseurs à vaincre les résistants du Sud, mais comment se comporterait-il ensuite ? Habitué à n'accorder sa confiance à personne, le guide suprême devrait prévoir avec précision le moment où il se débarrasserait de ce faux ami, devenu encombrant, en évitant d'éveiller sa méfiance.

— Désires-tu boire ?

— Je n'ai jamais soif.

— De quelle façon as-tu percé mes défenses ?

— Dans le Nord, l'eau est partout, et mon clan connaît chacun de ses chemins.

L'avertissement était à peine voilé. Habitués aux sables du désert, les gens de l'arc ne maîtrisaient pas leur nouveau domaine, et l'appui de Crocodile se révélait indispensable.

— Ta présence signifie qu'un événement important vient de se produire, avança Ouâsh.

Crocodile parut s'assoupir, ses yeux se réduisirent à une fente.

— Au péril de leur vie, mes espions ont bien travaillé, affirma la voix rauque.

Privé d'informations précises, le guide suprême éprouverait des difficultés à peaufiner une stratégie efficace ; à cet instant précis, Crocodile le tenait. Un jour, il lui ferait payer cette humiliation.

— Qu'as-tu à m'apprendre ?

— Nous approchons de la confrontation décisive. Taureau disparu, il ne reste, à part moi, que deux chefs de clan : Chacal et Cigogne. Le premier ne quittera plus Abydos qu'il sera facile de conquérir au terme de notre triomphe ; la seconde ne tardera pas à s'éteindre, et mes guetteurs élimineront ses derniers émissaires.

— La guerre des clans serait donc terminée !

— En effet, mais un autre conflit est en cours. Nommé roi du Sud par les dieux, Narmer ne se cantonne pas à son territoire. Après avoir terrassé les envahisseurs sumériens, il désire libérer le Nord.

— Simple vanité ou entreprise raisonnée ? s'inquiéta le guide suprême.

Crocodile hésita.

— Narmer a épousé la prêtresse de Neit, une magicienne redoutable.

Ouâsh s'empourpra, brisa la jarre de lait et jeta au loin les morceaux.

— Cette femme m'appartient. Elle a osé me défier, et je veux la voir sangloter à mes pieds !

— Il faudra d'abord supprimer le roi du Sud.

— De quelles forces dispose-t-il ?

— Narmer n'est pas un adversaire négligeable, estima Crocodile. Assisté de Scorpion, un jeune guerrier au tempérament de feu, il commande une troupe déterminée, équipée d'armes redoutables.

— Tenterais-tu de m'effrayer ?

— Le défunt Lion et moi-même avons eu le tort de mésestimer ces parasites ; commettre une seconde fois cette erreur serait fatal. Face aux Sumériens, Narmer et Scorpion paraissaient condamnés ; pourtant, ils se sont montrés supérieurs.

— La magicienne ne leur offre-t-elle pas une puissance surnaturelle ?

— Probable, mais ils possèdent le sens du combat et leur volonté de vaincre semble indestructible.

Puisqu'ils émanaient de Crocodile, de tels propos méritaient attention ; Ouâsh se félicita de n'avoir pas ordonné une expédition hasardeuse.

— Des armes redoutables, disais-tu ; surpasseraient-elles les miennes ?

— Je le crains ; Narmer a beaucoup appris des techniques sumériennes.

— Au point de me menacer ?

Crocodile hocha la tête affirmativement.

— Tu en sais davantage ! s'irrita le guide suprême. Puisque nous sommes alliés, ne me cache rien !

— Sauras-tu tirer les conséquences de mes informations ?

— Me prendrais-tu pour un incapable ?

Crocodile garda son calme.

— Tu as conquis le Nord sans lutter, parce que Taureau et son armée l'avaient quitté afin de guerroyer dans le Sud ; demain, il faudra combattre des hommes courageux, prêts à mourir.

Le guide suprême leva le menton.

— Mes soldats ne redoutent personne !

— Ils ont peut-être tort et toi, tu oublies la leçon que je viens de te donner. Ta ligne de forteresses semble impressionnante, mais tu ne maîtrises pas les chemins d'eau.

— Et Narmer... si ?

— S'inspirant de l'exemple sumérien, il a fait construire des bateaux en bois et dispose d'une flottille de guerre.

— En bois ! répéta Ouâsh, étonné.

— Et toi, tu ne possèdes que de médiocres barques de papyrus, incapables de résister aux navires de Narmer.

— Osera-t-il... m'attaquer ?

— L'un de mes espions a capturé une cigogne envoyée en éclaireuse ; l'ennemi approche et ne tardera pas à atteindre ta frontière.

— Mes troupes le décimeront !

— Détrompe-toi. À l'abri sur leurs bateaux, les archers adverses seront presque invulnérables.

— Que préconises-tu, Crocodile ?

— Éviter à tout prix le choc frontal ; et voici comment.

La stratégie proposée reçut l'approbation du guide suprême.

- 7 -

Le Vieux appréciait les délicieuses journées de navigation au cours desquelles il buvait de l'excellent vin
et dégustait du poisson pêché au petit matin. Mulots,
perches et tilapias étaient au menu de cette promenade
de santé, sous un chaud soleil qu'atténuait le doux vent
du nord. La guerre n'avait pas que du mauvais. Le soir,
il se régalait d'une cuisse de canard rôtie, accompagnée
d'une purée de fèves, avant de sombrer dans un profond sommeil. Le nombre de guetteurs, attentifs au
moindre danger de jour comme de nuit, avait de quoi
rassurer les équipages.

Cependant, à l'approche du delta et de la frontière du
Nord, l'atmosphère devint pesante.

Et la réunion du conseil de guerre n'atténua pas les
inquiétudes.

— Mon émissaire n'est pas revenu, déclara Cigogne,
très sombre. L'ennemi l'a intercepté et tué.

Nul ne contesta la vision de la vieille dame.

— En conséquence, estima Scorpion, l'ennemi est
prévenu de notre arrivée et nous prépare une réception
musclée.

— Nous n'avons pas repéré les membres du clan Crocodile, déplora Narmer, mais eux nous épient en
permanence, sans oser nous attaquer.

— Ils se réservent pour un choc frontal, prédit le général Gros-Sourcils. Libyens et reptiles nous agresseront en masse, et nous ne parviendrons pas à les repousser.

— Subir, c'est déjà être vaincu ! s'emporta Scorpion ; à nous de surprendre l'adversaire.

— Notre flottille n'a rien de discret, rappela le général, et nous abordons l'ancien territoire de Taureau, aujourd'hui aux mains des Libyens.

— Alors, n'allons pas plus loin ! En compagnie d'une escouade de volontaires, je débusquerai les cloportes. Quand nous connaîtrons leurs positions, nous pourrons déjouer les embuscades et préparer une offensive.

— C'est extrêmement dangereux, jugea Cigogne. Te perdre serait un désastre.

Fier, majestueux, Scorpion se campa face à son frère.

— Il n'existe pas d'autre solution ; que le roi m'autorise à tenter l'aventure.

Narmer s'inclina.

*

Scorpion caressa le visage de la grande et belle Sumérienne. D'abord rétive, elle ne put rester insensible à l'empressement de cet amant tantôt fougueux, tantôt fascinant, capable de susciter des désirs inavoués. Au terme d'une lutte qu'elle aurait voulue farouche, Ina s'abandonna. Scorpion s'étendit sur elle, prenant possession de ce corps sublime qu'il ne reverrait peut-être jamais.

Il ressentit un regard hostile.

En se retournant, il agrippa un poignard et découvrit Fleur qui se tassa contre la paroi de la cabine.

— Tu nous observais… Pourquoi ne pas te joindre à nous ?

Redoutant un châtiment, la maîtresse en titre de Scorpion n'osait espérer une telle invitation. Ôtant son pagne, elle s'approcha.

La Sumérienne tenta de se relever, Scorpion lui serra la gorge.

— Tu restes et tu continues à jouir de mes jeux.

Le regard n'était plus celui d'un amoureux, mais d'un tueur; malgré sa répulsion, Ina sentit qu'il ne fallait pas lui résister. Et lorsque Fleur s'allongea près d'elle en touchant la pointe de ses seins, elle éprouva des sensations inédites qui l'enivrèrent.

*

Les bateaux s'étaient immobilisés à la pointe du delta, limite méridionale de l'ancien domaine de Taureau; solidement amarrés, ils bénéficiaient de l'abri de tamaris hauts et abondants. Un cordon de sécurité briserait une attaque-surprise, permettant à la flotte de s'enfuir.

Sortant de sa cabine où il avait passé des heures de plaisir extrême, Scorpion contempla le soleil levant. Affamé et assoiffé, il appela le Vieux.

Réveillé en sursaut, le serviteur apporta à son maître du pain, du lait et de la viande séchée. Scorpion dévora son petit déjeuner, absorbant des bouchées gigantesques.

— La journée s'annonce magnifique, et nous menons la plus passionnante des vies! Te rends-tu compte, le Vieux? Grâce à ce conflit, nous allons créer un monde!

— Cette histoire de patrouille en territoire ennemi, c'est une blague?

— Désapprouves-tu mon initiative?

— Même la folie a ses limites; as-tu tellement hâte de mourir?

— Au contraire, le Vieux, au contraire ! Et je compte exterminer les frelons au nid.

— Les Libyens sont des guerriers terrifiants.

— Les Sumériens ne l'étaient-ils pas, n'avons-nous pas détruit le clan de Lion ?

— Ne force pas ta chance, Scorpion.

— Soit elle m'obéit, soit je lui brise le cou !

Le Vieux s'assit, accablé.

— Pourquoi te jeter dans la gueule du fauve ?

— Afin de disloquer ses mâchoires.

— Il est encore temps de regagner le Sud et de fortifier notre capitale ; les Libyens resteront chez eux, et nous chez nous.

— Cesse de rabâcher, le Vieux ! Et prépare-toi.

— Me préparer… À quoi ?

— Croyais-tu rester ici, à l'abri ? Mon serviteur privilégié me suit partout et assure ma protection.

— À mon âge, avec mes douleurs, je…

— Dans l'action, on oublie la souffrance. Nous partirons à la nuit tombée.

Il ne restait au Vieux qu'à étancher une soif brutale et à remplir de vin des outres en peau de chèvre. Cette fois, ce serait son dernier voyage.

*

Les soldats n'étaient pas les seuls à monter la garde. Les deux lionnes de Narmer, Vent du Nord et ses ânes, le chacal Geb et l'oie du Nil, tout en appréciant la terre ferme, demeuraient vigilants. Depuis l'amarrage, aucun incident à signaler ; l'ennemi se tenait à distance, attendant que la flotte reprît sa progression.

À quel endroit le piège était-il tendu ? Scorpion et son commando le découvriraient. Sinon, l'expédition serait un désastre.

Une trentaine de volontaires s'étaient présentés, il en avait retenu dix. Ces gaillards-là ne céderaient pas à la panique et, face au danger, sauraient s'adapter. Équipés de poignards et de lacets de cuir, ils se déplaceraient rapidement. Et chacun savait que Scorpion ne laisserait pas de blessés derrière lui.

La journée avait été splendide, et l'on se prenait à rêver d'un pays paisible où la violence n'aurait plus cours. Quand le soleil commença à décliner, Neit présenta à Scorpion plusieurs pots de terre cuite.

— Ils contiennent un onguent qui vous protégera des insectes et vous rendra presque invisibles.

Le jeune guerrier héla l'un de ses hommes. La prêtresse le couvrit entièrement d'onguent, et sa peau prit une teinte verte. Au milieu des roseaux et des grandes herbes, ce camouflage serait fort utile.

— Remarquable, constata Narmer. Néanmoins, les risques demeurent considérables. Les as-tu bien pesés, Scorpion ?

— Ne m'as-tu pas donné ton accord ?

— Je ne souhaitais pas te désavouer devant autrui ; si tu renonces, je m'attribuerai cette décision. Te perdre nous condamnerait à la défaite.

— Impossible d'envoyer une nouvelle cigogne, les gens de l'arc l'abattraient ; sans informations concernant les positions de l'ennemi, notre défaite est assurée. J'ai donc l'obligation de réussir.

— Je t'accompagne, Scorpion.

— Les dieux t'ont désigné roi du Sud, Narmer, et tu dois maintenir la cohésion de nos troupes. Naguère, nous aurions tenté ensemble cette démarche insensée ; aujourd'hui, ta fonction prime. C'est ainsi, et il ne faut pas qu'il en soit autrement.

Les deux frères s'étreignirent.

Puis Scorpion rassembla les volontaires, et chacun fut enduit de l'onguent protecteur. Un seul manquait à l'appel.

D'un coup de pied dans les côtes, Scorpion réveilla le Vieux.

— Ta sieste est terminée ; nous partons.

- 8 -

Tous les sens en éveil, Scorpion longea la berge, hantée de prédateurs; mais il possédait une qualité essentielle : son instinct de chasseur. Au moindre danger, il éprouvait une sensation violente, presque agréable, précédant une traque éventuelle; en cas de menace, il éliminerait l'adversaire.

Un serpent sortit des roseaux et se glissa dans le fleuve. Indifférent, Scorpion trouva ce qu'il cherchait : un passage prouvant une présence humaine. À pas très lents, en silence, le commando traversa un épais massif et atteignit un espace dégagé, entouré de tamaris.

Sur un signe de Scorpion, ses hommes s'accroupirent.

— Une odeur de gibier, murmura le Vieux.

Il ne se trompait pas.

Les soldats se disposèrent en demi-cercle et entamèrent une patiente progression. Profitant de cette nuit de nouvelle lune et de leur camouflage, ils espéraient découvrir la première position ennemie.

Et leur espoir ne fut pas déçu.

Cinq Libyens, le menton orné d'une barbichette, faisaient rôtir un lièvre; échangeant des plaisanteries, ils paraissaient détendus. À côté d'eux, des arcs et des flèches.

Coordonnée, l'attaque fut fulgurante.

Utilisant leurs lacets de cuir, Scorpion et ses fantassins étranglèrent les Libyens. Et le Vieux en profita pour dévorer un morceau de viande.

Cet avant-poste était-il éloigné d'une concentration de troupes ? Scorpion emprunta le sentier qu'avaient tracé les cinq ennemis éliminés ; serpentant à travers de hautes herbes, il revint en direction de la berge.

Au loin, des bruits de voix.

De nouveau, une approche lente et prudente ; à combien de Libyens le commando se heurterait-il ? Fermant la marche, le Vieux s'assurait qu'on ne les suivait pas.

Scorpion fut le premier à distinguer un campement de Vanneaux réunis au bord du fleuve : deux jeunes hommes, trois femmes, quatre enfants. Ils mâchonnaient des morceaux de souchet sucrés.

— Inutile de les abattre, préconisa le Vieux, ils ne sont pas dangereux.

— J'ai une meilleure idée : on s'en empare.

L'opération fut rondement menée ; l'une des femmes tenta de s'enfuir, un fantassin la rattrapa et l'étrangla. Épouvantés, ses congénères se tassèrent les uns contre les autres.

Scorpion s'approcha.

— Ou vous me fournissez des renseignements utiles, ou vous mourez.

— Nous... Nous ne possédons rien ! protesta l'un des deux mâles, affligé d'une balafre.

— Es-tu l'esclave des Libyens ?

— Ils nous oppriment, on leur procure des poissons.

— Sont-ils proches d'ici ?

— Leur premier camp se trouve à trois cents pas.

— Conduis-moi.

— Non, je...

Scorpion posa la lame de son poignard sur le cou d'un des enfants.

— Conduis-moi immédiatement, sinon...

Le Vanneau se releva.

— Si tu tentes de m'abuser, les tiens seront exécutés.

Terrifié, le balafré guida Scorpion, lequel eut la surprise de découvrir un petit fortin. À son sommet, des archers; gardant son unique accès, des sentinelles armées de piques.

— En existe-t-il beaucoup comme celui-ci?

— Moi, je l'ignore; mon frère aîné en sait davantage.

*

Hommes, femmes et enfants contemplaient avec effarement les bateaux en bois. Scorpion avait décidé de retourner à sa base, jugeant nécessaire d'interroger les Vanneaux et d'obtenir un maximum de renseignements afin de préparer une offensive.

Il décrivit le fortin à Narmer, heureux de revoir son frère sain et sauf, mais inquiet en écoutant ses révélations. Les Libyens avaient-ils implanté un système de défense impénétrable?

Le balafré et son aîné, un rouquin, n'en menaient pas large; mains et pieds liés, ils redoutaient le pire.

— Avez-vous soif? demanda Scorpion, apaisant.

Les Vanneaux hochèrent la tête, le Vieux leur offrit de l'eau.

— Toi, le rouquin, dis-nous ce que tu sais.

— Les gens de l'arc m'ont emmené comme esclave, loin vers le nord. Ils ont bâti des dizaines de fortins, à proximité de villages qui travaillent pour eux. Les paysans crèvent de faim, les contestataires sont exécutés.

— As-tu pénétré dans l'un de ces fortins?

— Non, j'étais juste chargé de porter les paniers remplis de terre. Quand la construction était terminée, on m'envoyait ailleurs.

— Les Libyens possèdent-ils des bateaux ?

— Seulement des barques en papyrus.

— As-tu rencontré leur chef ?

— Non, mais on prétend qu'il est plus puissant qu'un démon des ténèbres. Ses soldats, innombrables, lui obéissent au doigt et à l'œil ! Nous, les Vanneaux, sommes peu à peu exterminés.

Silencieux, Narmer recueillait ces informations, à la fois précieuses et inquiétantes. Quelle que soit la valeur de son corps expéditionnaire, comment espérer vaincre les envahisseurs ?

— On a faim, gémit le balafré.

Scorpion autorisa le Vieux à donner une galette aux prisonniers ; ces pauvres bougres n'avaient rien d'autre à lui apprendre.

En mastiquant, le rouquin eut un regard étrange ; une sorte de lueur moqueuse, ne correspondant pas à son état d'abattement. Et puis on ne lui voyait pas les côtes ; lui et le balafré avaient plutôt l'allure de gaillards bien nourris et en bonne santé.

— As-tu vraiment tout dit ? demanda Scorpion d'un ton égal.

— Oh oui, seigneur !

La gifle fut si violente qu'elle renversa le rouquin entravé.

— Tu n'es pas un esclave des Libyens, mais l'un de leurs espions, et tu trahis ton peuple. Toi et ta petite famille, vous m'écœurez et vous méritez la mort.

Le rouquin sanglota.

— Je ne t'ai pas menti, seigneur !

Le balafré s'effondra aux pieds de Scorpion.

— Si on t'avoue la vérité, nous épargneras-tu ?

— Ça dépendra de l'ampleur de cette vérité.

— Les Libyens sont prévenus de votre arrivée. Les guetteurs de Crocodile vous ont observés, le piège est préparé.

— Quel piège?

— Quand vous recommencerez à progresser, des barques libyennes vous attaqueront. En raison de votre supériorité, elles prendront la fuite. Vous les poursuivrez, elles se réfugieront dans un petit port aménagé à l'extrémité d'un bras d'eau. Des archers tenteront de résister, vous les éliminerez et vous vous emparerez des huttes de la garnison et du village voisin, vous croyant en sécurité. Alors, les mâchoires du fauve se refermeront; surgissant de partout, les troupes libyennes vous encercleront. Et vous n'aurez aucune possibilité de fuir.

— Intéressant, reconnut Scorpion.

— Seigneur... tu nous épargnes?

— Qu'en penses-tu, le Vieux?

— La racaille, vaut mieux l'éliminer.

— J'ai encore une meilleure idée; on mettra cette bande de vendus sur une barque à l'avant de la flotte et à portée de nos archers. Ce seront d'excellents éclaireurs.

Narmer se demandait comment procéder pour éviter le traquenard des Libyens et retourner la situation en sa faveur.

- 9 -

Reliée à une longue corde, la barque des Vanneaux restait sous la menace permanente des archers postés à la proue du navire amiral, ornée de deux grandes flèches signifiant la présence de la déesse Neit. Le vent étant tombé, les rameurs faisaient progresser les bateaux à une allure lente et régulière ; des guetteurs observaient le paysage composé de massifs de roseaux, de roselières et de fourrés impénétrables.

Narmer maniait la barre, le regard fixé vers le nord ; à sa droite, son épouse. Vêtue d'une tunique blanche, coiffée avec soin, elle restait d'une sérénité rassurante. Ses pouvoirs magiques ne protégeraient-ils pas l'armée du roi du Sud ?

Un hôte inattendu attira l'attention : au sommet du mât se posa un milan noir. Servirait-il de guide ?

— Les dieux nous ouvrent la voie, estima Neit.

— Le nom de ce rapace est « Celui qui enserre », précisa Narmer. Ne nous annonce-t-il pas la fin de notre destinée terrestre ?

— Le milan noir incarne l'une des paroles de puissance que t'a révélées l'Ancêtre, rappela la reine. Elles ne sauraient nous conduire à l'échec.

— Ces Vanneaux ont-ils menti ?

— Nous le saurons bientôt ; tiens ferme le gouvernail.

Gilgamesh, l'artiste sumérien prisonnier, était éperdu d'admiration. Le fleuve, les terres du Nord où régnaient l'eau et une végétation abondante, la clarté du ciel… Il en oubliait l'inévitable affrontement à venir et ne cessait de dessiner sur des tessons de poterie.

— Tu es vraiment doué, constata le Vieux, et tu aurais mérité de vivre pour décorer nos habitations.

— Aurais-tu l'intention… de m'abattre ?

— Pas moi, garçon, mais les gens de l'arc ! On y passera tous.

Gilgamesh aurait dû mourir d'angoisse ; il y avait tant à voir et à ressentir qu'il se remit à dessiner. Sa main touchait au cœur des plantes et des oiseaux, en déchiffrait l'âme et en restituait des formes sublimées.

Scorpion avait d'autres préoccupations. En compagnie du Maître du silex, fidèle compagnon d'aventure, il vérifiait les armes. Né chez les Vanneaux, l'artisan barbu et grognon avait offert son génie à Narmer et à Scorpion : sans lui, leurs soldats auraient été écrasés depuis longtemps. Pourtant, soupçonné à tort de traîtrise, il avait dû prouver son innocence et dissiper les doutes infondés.

— Tout est en ordre, constata le Maître du silex. Chacun de nos équipages pourra aussi bien attaquer que se défendre. La difficulté consistera à coordonner nos actions.

— J'ai mis au point un système de signaux, révéla Scorpion. Grâce à des gestes précis, les ordres seront rapidement transmis.

— Nous livrerons une belle dernière bataille, conclut l'artisan.

— Pourquoi ce pessimisme ?

— Malgré la détermination de Narmer et ta vaillance, pas un brave ne croit à la victoire.

— Nous leur démontrerons qu'ils se trompent ! D'abord, nous déjouerons le piège qu'ont tendu les Libyens ; ensuite, nous les piétinerons.

À entendre Scorpion, à percevoir le feu qui l'animait, le Maître du silex reprit presque espoir; le jeune guerrier n'avait-il pas terrassé quantité d'ennemis semblant invincibles?

Le visage fermé, le général Gros-Sourcils s'apprêtait à combattre, avec une seule idée en tête : sortir vivant de ce guêpier. Commandant un bateau chargé de fantassins, il ne subirait pas la vigilance de Scorpion et s'échapperait à la première occasion. Et s'il fallait vendre ses hommes ou, mieux encore, Narmer et Neit, il n'hésiterait pas un instant. En indiquant aux Libyens comment s'emparer du Sud, il occuperait une position privilégiée parmi les conquérants et coulerait enfin des jours tranquilles.

Bien des incertitudes demeuraient, mais la chance ne servait-elle pas Gros-Sourcils? Personne ne connaissant ses véritables intentions, il parvenait à donner le change, lui, l'assassin de Taureau! Son expérience de militaire rugueux et courageux plaidant en sa faveur, il gardait la confiance de Narmer et saurait utiliser cet avantage.

*

Assise à la poupe du navire amiral, Cigogne contemplait sa terre natale. La vieille dame songeait aux temps heureux où les clans respectaient un semblant de paix, redoutant la puissance de Taureau. Chacun préservait farouchement son territoire, se méfiait d'autrui et ne se souciait que de ses intérêts propres; courte vue, certes, équilibre précaire, mais absence de conflit direct. Massacres, monceaux de cadavres, blessés graves, souffrances ineffaçables... Cigogne avait horreur de la guerre. Et celle-là ne mènerait qu'au chaos.

— Nous n'avions pas le choix, murmura Neit en s'asseyant auprès de la cheffe de clan; nous n'aurions préservé qu'une fausse trêve dont les Libyens auraient tiré profit.

— Un monde nouveau… Je n'y crois pas. Nos forces sont dérisoires, la barbarie envahira ce pays.

— La grande déesse ne nous abandonnera pas ; elle, qui a créé la lumière de l'origine, animera nos pensées et nos bras.

— Même si la mort me guette, avoua la vieille dame, je suis heureuse de revoir cette immensité où la terre, l'eau et les végétaux vivent en harmonie. En se déchirant, les clans ont tué l'avenir.

— Non, Cigogne ; nous le construirons ensemble.

La fermeté de la jeune reine réconforta la cheffe ; sans envisager un impossible succès, elle se résolut à lutter jusqu'au terme de cette expédition suicidaire.

— J'ai préparé de nombreux pots d'onguent, précisat-elle ; ils guériront les pires plaies.

*

Le ciel s'ennuagea, le courant s'accentua, de petits tourbillons rendirent la navigation difficile. Narmer ordonna aux rameurs de ralentir l'allure ; la barque qu'occupaient les Vanneaux fut secouée, l'inquiétude grandit parmi les équipages, une rumeur se répandit : les Libyens attaquaient !

Affolés, des archers tirèrent au hasard ; furieux, Scorpion les renversa en arrachant leurs armes.

— Je n'ai donné aucun ordre ! Bande d'imbéciles, vous mériteriez de passer par-dessus bord !

La colère de Scorpion ramena le calme. Au moins, l'incident inciterait au strict respect de la discipline.

Gilgamesh réveilla le Vieux.

— Regarde !

Il se frotta les yeux.

— Que faut-il voir ?

— Le milan noir... Il s'est envolé !

— Mauvais signe ! Il se met en sécurité, lui.

Narmer n'avait pas manqué de remarquer la disparition du rapace. N'annonçait-elle pas l'imminence de l'affrontement ?

— Là-bas, ils arrivent ! cria une vigie.

Se précipitant à la proue, Scorpion aperçut plusieurs barques en papyrus, chargées d'archers portant une barbiche.

Ainsi, les Vanneaux n'avaient pas menti.

Affolés, ceux-ci faisaient de grands gestes. Scorpion coupa la corde qui reliait leur embarcation au navire amiral ; partant à la dérive, elle fut bientôt à la portée des tirs des Libyens. Précis, ils abattirent hommes, femmes et enfants avant de lancer leur première salve en direction du vaisseau de Narmer.

Une flèche siffla à l'oreille de Scorpion.

— Visez bien ! ordonna-t-il à ses archers.

Le résultat fut satisfaisant : une trentaine de Libyens tués ou blessés. Effectuant un demi-tour, les survivants s'enfuirent.

Les rameurs entrèrent en fonction, évitant de forcer l'allure et de rattraper l'ennemi.

Apparut un embranchement : à droite, le petit bras d'eau annoncé, menant à un port où les Libyens attendaient l'armée de Narmer ; à gauche, un chenal bordé d'herbes folles. Au dernier moment, le roi changea de direction pour l'emprunter, suivi des autres bateaux. En contournant un massif végétal, il espérait prendre l'adversaire à revers.

Éliminés par leurs commanditaires, les Vanneaux n'avaient menti que sur un point : l'emplacement du piège, à savoir le chenal et non le petit bras d'eau

- 10 -

Scorpion piaffait d'impatience ; les rameurs pressèrent l'allure, et la flotte entière s'engagea dans le chenal, croyant échapper au traquenard des Libyens. Habile, la manœuvre surprendrait l'adversaire ; s'emparer du port serait la première victoire et fournirait une base solide à l'armée de libération.

Narmer ne s'était pas trompé : il suffisait de longer un îlot et d'accoster l'arrière de la position libyenne. Scorpion avait hâte de débarquer et de lancer l'assaut.

Au moment où le dernier navire, celui de Gros-Sourcils, franchissait l'entrée du chenal, le véritable piège se referma. Surgissant des fourrés, une vingtaine de barques en bloquèrent l'accès ; tapis au sein des hautes herbes, les archers du guide suprême se redressèrent et visèrent leurs cibles, à distance idéale.

Leur tir fut meurtrier.

Quantité de soldats de Narmer s'effondrèrent, les uns foudroyés, les autres l'épaule, le bras, la hanche ou la jambe transpercés ; les rescapés s'aplatirent, étonnés d'être encore vivants. La main gauche éraflée, Scorpion fut le premier à riposter ; expédiant flèche sur flèche, il décima une rangée entière de Libyens. Narmer ne se montra pas moins efficace, et le Maître du silex, remarquable manieur de fronde, contribua à réveiller l'ardeur des équipages.

L'effet de surprise passé, la résistance s'organisa à bord de chaque bateau ; se répartissant à bâbord et à tribord, les archers du roi prouvèrent leurs qualités. Contraints de s'abriter, les Libyens ne parvinrent pas à freiner la progression de la flotte.

Alors qu'elle sortait de la nasse, elle se heurta à un barrage formé de papyrus ligaturés ; malgré son élan, le vaisseau amiral ne réussit qu'à l'entamer. En se regroupant, les barbares viendraient à bout de leurs adversaires, immobilisés au milieu du chenal.

Au mépris du danger, Neit se présenta à la proue et, levant les bras, toucha les deux flèches croisées de la déesse. Se déployèrent de longues flammes qui incendièrent la barrière végétale avant d'atteindre les cachettes des Libyens. En jaillirent des torches humaines s'effondrant les unes après les autres.

Le navire amiral accosta ; Scorpion sauta à terre, suivi d'une meute de guerriers déchaînés. À la peur de succomber succédait une rage dévastatrice qu'aucun adversaire ne saurait arrêter.

Désorganisés, les gens de l'arc n'opposèrent qu'une résistance sporadique ; chacun revoyait le feu de la grande déesse, protectrice des libérateurs.

Scorpion s'empara du petit port, pendant que les bateaux de Narmer pourchassaient et coulaient la quasi-totalité des barques de papyrus ; les rescapés s'enfuirent vers le nord.

Enfin, la fureur retomba, et l'on entendit à nouveau des chants d'oiseaux.

*

Même le Vieux, pourtant habitué à des spectacles de désolation, restait hébété, tant le combat avait été long et âpre. Tout danger écarté, les vainqueurs s'occupaient des blessés, rassemblés dans les huttes libyennes bordant le port.

Narmer avait perdu le quart de ses effectifs ; la réputation des gens de l'arc n'était pas surfaite. Les bateaux, en revanche, n'avaient subi que de légers dommages.

— Notre premier succès, estima Scorpion.

— Simple escarmouche, rectifia Narmer. Les Libyens n'avaient engagé qu'un nombre restreint de soldats. Soit le piège tendu par les Vanneaux nous condamnait, soit il nous affaiblissait au point de briser nos capacités offensives ; dans les deux cas, nous étions perdants.

Irrité, Scorpion frappa la paume de sa main gauche de son poing droit.

— Maudits Vanneaux, ils nous ont trompés ! Et moi, dernier des imbéciles, j'ai eu la faiblesse de les écouter. Comment commettre une telle stupidité ? Nos morts, j'en suis responsable.

— Non, mon frère ; le seul responsable, c'est moi. Ma crédulité a failli nous conduire au désastre, et j'ai prouvé mon incapacité à gouverner. Aussi me paraît-il indispensable de tirer les conséquences de cette erreur impardonnable.

Scorpion prit Narmer par les épaules.

— Explique-toi !

— Je restitue aux dieux la couronne du Sud. Qu'ils choisissent un meilleur roi.

— Tu n'as pas le droit de renoncer ! Puisqu'ils t'ont désigné, impossible de déposer ta charge.

— J'ai échoué, Scorpion.

— Tu te trompes ! Nos bateaux sont intacts et nos hommes ont constaté que les Libyens ne sont pas invincibles. Ta conduite fut irréprochable, tu dois continuer à exercer ta fonction.

— Je m'en juge indigne.

— Est-ce vraiment à toi de trancher ? J'en appelle à la reine Neit ! Sans les flèches de la déesse, qui ont rendu ta stratégie déterminante, nous aurions été massacrés.

D'un pas rapide, Scorpion se rendit à la hutte principale du port où Neit et Cigogne soignaient les soldats les plus atteints. Oubliant son âge et sa lassitude, la vieille cheffe de clan appliquait ses onguents sur les plaies et de l'argile aux propriétés anti-inflammatoires ; elle évitait les suppurations et favorisait la cicatrisation. Neit utilisait des roseaux qu'elle humectait avec du lait fermenté ; après les avoir enroulés autour de sa main gauche de manière à façonner sept nœuds, elle les portait à la bouche des blessés dont les souffrances s'atténuaient.

Quant au Vieux, il remettait en place les membres disloqués et confectionnait de solides attelles végétales afin de réduire les fractures ; sa débauche d'énergie, vivement appréciée, lui épargnait de songer à l'avenir.

— On meurt de soif, se plaignit-il à l'arrivée de Scorpion. Qu'on nous apporte au moins de la bière !

— Je m'en occupe.

— La plupart de ces braves guériront, assura Neit. Ils repartiront au combat.

— Narmer souhaite déposer la couronne blanche, révéla Scorpion.

Le sourire de la jeune femme s'estompa.

— Pour quelle raison ?

— Il s'estime incapable de nous conduire à la victoire ; approuves-tu sa décision ?

— Nul ne saurait remettre en cause la volonté des dieux, sinon eux-mêmes ; les flèches de la déesse nous ont permis d'échapper au pire, Narmer n'a pas été atteint. Il continuera donc à nous guider.

Scorpion ne cacha pas sa joie.

— Merci, ma reine !

*

Survivants et blessés, anxieux, attendaient l'issue du conseil de guerre. Ina et Fleur préparaient le repas; Gilgamesh dessinait le paysage, tentant de percevoir l'esprit du vent; le Maître du silex réparait les armes abîmées.

Contraint d'accepter le jugement de Neit, Narmer présidait ce conseil décisif. Seule représentante des clans, Cigogne avait choisi de se rallier à l'avis du roi du Sud; enflammé, Scorpion prônait la poursuite de la reconquête, quels que soient les risques. Selon lui, les Libyens venaient d'essuyer un échec retentissant dont il fallait tirer profit au plus vite.

Le général Gros-Sourcils s'insurgea.

— Cessons de rêver! Étant donné nos pertes et le nombre de nos blessés, nous sommes incapables de continuer cette guerre. La solution s'impose : quitter ce territoire hostile, retourner à Nékhen et fortifier la cité au maximum. Peut-être les Libyens renonceront-ils à s'en emparer.

— Ce discours défaitiste est une aberration! affirma Scorpion.

— J'admire ton courage, reconnut le général, mais il ne sera pas suffisant. Et tu en es conscient.

— La déesse s'est manifestée, rappela Neit. Ce signe ne suffit-il pas?

— Non, répondit Gros-Sourcils, car il n'a concerné que le guet-apens auquel nous avons échappé; au contraire, il nous incite à battre en retraite.

Un formidable mugissement fit sursauter les membres du conseil ; inquiets, ils sortirent de la hutte et virent le taureau brun-rouge marteler le sol en secouant la tête.

Apercevant Narmer, il pointa ses longues cornes dans sa direction.

Le roi du Sud ne pouvait se soustraire à ce duel; mais comment imaginer qu'il y survivrait?

Le monstre gratta la terre de la patte gauche, ses yeux irrités fixèrent sa proie; et Narmer soutint ce regard d'une absolue férocité.

Un bourdonnement brisa le silence; après avoir décrit des spirales, l'abeille de la déesse Neit se posa sur le front du taureau. Apaisé, il s'agenouilla.

— Ce nouveau signe te suffit-il, général? demanda la reine.

- 11 -

En buvant son lait de chèvre, Ouâsh écoutait le rapport d'un officier qui avait échappé à la ruée de Scorpion et de Narmer. Tapi dans un angle de la tour où résidait le guide suprême des Libyens, Crocodile était, lui aussi, attentif.

Grièvement blessé à la poitrine, le rescapé fit un récit fidèle et détaillé des événements. Soulignant l'incroyable capacité de réaction de l'adversaire et l'intervention décisive de deux gigantesques flèches de feu, il déplora la perte du port fluvial et l'anéantissement d'un bataillon entier. À bout de souffle, il présenta ses regrets à son maître.

Vu son état, Ouâsh ne donna pas l'ordre d'exécuter cet incapable qui s'éteindrait avant le coucher du soleil.

On emmena l'officier.

— Un désastre ! rugit le guide suprême. Ton piège n'a pas fonctionné !

— Tes oreilles seraient-elles bouchées ? Tu n'as perdu qu'un petit nombre d'hommes, Narmer au moins le quart de son armée. S'il était raisonnable, il regagnerait le Sud.

— Tu n'y crois pas ?

— Il sait que nous ne le laisserons jamais en paix. S'il se réfugiait à Nékhen, nous assiégerions la cité et finirions par nous en emparer. Seule solution : continuer à progresser, avec ses maigres forces, en espérant un miracle.

— Ne s'est-il pas produit ? Ces flèches de feu lui ont donné la victoire !

Crocodile hocha la tête.

— Terme ô combien excessif ! Persuadé de la supériorité de tes archers, tu as refusé l'intervention de mes reptiles dont l'habileté aurait désorganisé l'adversaire.

Vexé, Ouâsh se renfrogna.

— Ce n'est que partie remise, reprit Crocodile. À présent, nous allons collaborer de façon efficace. Narmer tentera d'attaquer ton premier fortin en utilisant son arme majeure : ses bateaux en bois. Les voies d'eau sont mon domaine, mes guerriers lui causeront des dommages irréparables.

— Les dieux ne le protègent-ils pas ?

— Ne crois-tu pas qu'en toi, guide suprême ?

— Ces flèches de feu…

— La prêtresse de Neit sait les animer, et leur efficacité s'avère redoutable.

— Il me faut cette femme, Crocodile ! N'est-elle pas plus dangereuse que Narmer ? Privé d'elle, il ne sera qu'un combattant ordinaire.

Le chef de clan gratta sa peau calleuse.

— Tu n'as sans doute pas tort… Nous disposons d'un allié non négligeable : le général Gros-Sourcils. Je suis persuadé qu'il ne songe qu'à trahir Narmer afin d'obtenir l'impunité et des avantages matériels.

— Comment l'utiliser ?

Le rictus de Crocodile impressionna le guide suprême.

— Je m'en charge.

*

À plat ventre, en compagnie du Vieux, Scorpion observait le fortin, bâti sur une butte, à l'extrémité d'un bras d'eau. Grâce aux onguents de Cigogne, les deux hommes n'étaient pas dévorés par les insectes.

— Belle bâtisse, murmura le Vieux, et belle garnison. La tour est garnie d'archers, une bonne centaine de fantassins montent la garde. Si tu veux mon avis, on évite.

— Ta vue baisse ; regarde mieux les berges.

Le Vieux se concentra.

— Saloperie de saloperie... Des dizaines de crocodiles à l'affût !

— Enfin, les voilà !

— Ça te manquait ?

— Ils auraient dû intervenir, lors du guet-apens.

— Les Libyens s'estiment supérieurs !

— Peut-être une dissension entre leur chef et Crocodile.

— Vu la présence de ces monstres, elle est effacée ! Et nous, on devrait déguerpir.

— Cette rengaine me fatigue, le Vieux.

— On ne va pas les attraper à deux ?

Scorpion sourit.

— Ça ne me déplairait pas... Mais j'aimerais avertir Narmer pour qu'il célèbre notre exploit.

*

Scorpion ne tenta pas d'abuser le conseil de guerre. Précis, il décrivit le fortin et le système défensif des Libyens qu'appuyaient les reptiles de Crocodile, capables de rester immobiles des journées entières. Il ne dissimula pas l'inégalité du rapport des forces et vanta l'excellent dispositif de l'ennemi.

— La conclusion s'impose d'elle-même, déclara le général Gros-Sourcils. Nous ne sommes pas en mesure de vaincre.

— Reculer nous condamnera, estima Neit. Trouvons le moyen d'avancer.

— Le feu de la déesse se déclenchera-t-il à nouveau?

— Je l'ignore, avoua la reine.

— Nous avons échappé à un traquenard, rappela Cigogne, et nous déplorons beaucoup de morts et de blessés; Scorpion en personne n'hésite-t-il pas à lancer l'assaut?

— Exact, reconnut le jeune homme. Cette fois, il ne s'agit pas d'un piège, mais du premier obstacle à franchir afin de pénétrer en territoire libyen. Et la démonstration de puissance des gens de l'arc paraît dissuasive.

— Tu reviens à la raison! s'exclama Gros-Sourcils.

— Détrompe-toi, je n'ai pas l'intention de renoncer. Puisque nous avons pris conscience des difficultés, nous réussirons à les résoudre.

— De quelle façon?

— Demain, à l'aube, je le saurai.

Narmer comprit que son frère comptait faire appel au génie de la nuit qui, lors des combats, l'animait d'une énergie effrayante au point de repousser la mort.

— Scorpion...

— Mon roi?

— N'existe-t-il pas des frontières infranchissables?

— Pas pour moi.

*

Malgré l'obscurité, la chaleur ne retombait pas; la gorge sèche, le Vieux demeurait éveillé. Les nerfs tendus, les soldats attendaient la décision de Narmer; retourneraient-ils au sud, ou livreraient-ils une guerre perdue d'avance?

Le Vieux vit Scorpion sortir de sa hutte et s'éloigner du campement.

Impossible de le suivre sur le chemin des ténèbres.

70

L'ŒIL DU FAUCON

*

Les serpents partaient en chasse, les fauves se glissaient à travers les forêts de roseaux ; Scorpion ne les redoutait pas, tant son esprit était orienté vers la nécessaire rencontre avec l'animal de Seth auquel il avait vendu son âme. Mais quitterait-il le désert pour apparaître dans ce fouillis végétal entrecoupé d'innombrables voies d'eau ?

Scorpion ne reculerait pas. Cependant, Gros-Sourcils avait raison : pas la moindre chance de terrasser les Libyens. Seule la bête aux yeux rouges, si elle tenait sa promesse, permettrait à son disciple de renverser la situation.

Quand un nuage voila le croissant de la lune montante, Scorpion sentit qu'il avait pris la bonne direction ; et l'éclair qui sillonna le ciel le remplit d'ardeur. Écartant les derniers roseaux, il atteignit une clairière dont le sol était brûlé.

Au centre, l'animal de Seth se tenait debout, la tête couronnée d'un halo de feu. Ses grandes oreilles dressées, son museau agressif d'une longueur impossible, sa queue de canidé se terminant en fourche et son regard menaçant auraient terrifié un brave entre les braves. Scorpion, lui, se réjouissait de cette entrevue.

Piétinant l'herbe calcinée, il avança et soutint l'éclat des yeux rouges.

— Quoi qu'il advienne, je poursuivrai cette guerre ! Mais elle risque de s'interrompre brutalement, dès la prochaine bataille qui m'opposera aux Libyens et à leurs alliés, les reptiles. À toi de m'aider !

— Sache te procurer des alliés, toi aussi ; crois-tu que ma puissance soit absente du fleuve ? Maîtrise-la et montre-toi digne de ton destin.

- 12 -

Cette aube était étrange ; le ciel paraissait ensanglanté, portant les traces d'un furieux combat entre le soleil et les ténèbres. Après une nuit d'insomnie, le général Gros-Sourcils ne doutait pas de la décision de Narmer ; il attaquerait le fortin libyen, et son armée entière périrait. Seule manière de survivre : s'enfuir.

Gros-Sourcils quitta son bateau et, profitant de l'ombre des saules, se dirigea vers la berge qu'il comptait longer afin de s'éloigner au plus vite du futur champ de bataille.

Un clapotis l'alerta.

Jaillissant de l'eau, un énorme crocodile lui barra le chemin ; en se retournant, le général se heurta à un second monstre.

Affolé, il se tétanisa.

Apparut le chef de clan, Crocodile, dont les yeux mi-clos fixèrent le lâche.

— Écoute-moi bien, Gros-Sourcils ; tu es un profiteur et un traître, mais il me convient d'utiliser tes services. Si tu me donnes satisfaction, tu auras la vie sauve et couleras des jours heureux sur mon territoire. Cet accord te plaît-il ?

Le général eut à peine la force de hocher la tête. Les deux reptiles ouvraient la gueule, laissant apparaître d'interminables rangées de dents.

— Notre coopération sera fructueuse, promit Crocodile. Tu participeras à cette superbe bataille, et voici comment tu te comporteras, de manière à nous procurer la victoire.

Ce qu'exigea Crocodile était ignoble.

Gros-Sourcils ne manquerait pas de lui obéir.

*

Malgré sa migraine due à un léger abus de vin blanc trop doux, le Vieux s'échinait à retrouver Scorpion. Ni Fleur ni la Sumérienne ne l'avaient revu, et pas un garde ne signalait son retour au campement. L'exploration des bateaux se révéla stérile, de même que celle des huttes.

Il fallait se rendre à l'évidence : cette fois, Scorpion ne reviendrait pas du fond de l'obscurité.

Le Vieux alerta Narmer qui s'entretenait avec le Maître du silex, dressant l'état de l'armement.

— Scorpion a disparu !

— Non, affirma le roi. Il est en chasse.

*

Puisque la férocité de l'animal de Seth n'était pas absente des innombrables bras d'eau du Nord, Scorpion devait l'utiliser contre l'ennemi. Quel autre monstre, habité d'une colère dévastatrice, était devenu le serviteur de la bête aux yeux rouges ?

Posté au sommet d'un monticule dominant un entre-croisement de chenaux, Scorpion s'apprêtait à plonger, afin de percer le mystère de ces ondes scintillant au soleil, lorsque deux énormes gueules, armées de longues canines, en jaillirent.

Deux hippopotames mâles s'affrontaient avec une rare sauvagerie, décidés à obtenir la domination du troupeau ; sortant de leur torpeur habituelle, ceux que les pêcheurs appelaient « les rouges » en raison de la teinte de leur sueur s'infligeaient de graves blessures pouvant entraîner la mort du plus faible.

Quand il avait harponné un hippopotame afin de sauver Narmer, Scorpion ignorait l'appartenance du mastodonte à la sphère de Seth ; en contemplant ce duel, il découvrait une force nouvelle à conquérir.

Le vaincu disparut sous la surface, le vainqueur poussa un hurlement qui provoqua l'envol de roitelets, de pluviers, de sarcelles et de becs-en-sabot.

— À nous deux, mon gaillard !

*

Le Vieux mastiquait une cuisse de canard séchée et conservée dans la graisse d'oie ; à quelle chasse insensée s'adonnait Scorpion ? Il était assez fou pour tenter de pénétrer seul à l'intérieur du fortin et défier la garnison ! Non, sa lucidité lui interdisait de commettre cette stupidité. Sans lui, l'armée perdrait tout espoir de victoire, même si la solidité de Narmer et la magie de Neit permettaient de croire à l'impossible.

À bord du vaisseau amiral, le roi scrutait le paysage ; Neit posa la tête sur son épaule.

— Je suis certain que Scorpion reviendra, murmura-t-il.

— En son absence, renoncerais-tu à combattre ?

— Sa vaillance nous est indispensable.

— Si nous ne libérons pas le sanctuaire de Neit, la déesse nous abandonnera. Alors, la mort sera un moindre mal.

— Attendons jusqu'à l'aube suivante ; ensuite, nous attaquerons.

Le feu des flèches de Neit jaillirait-il de nouveau, les bateaux résisteraient-ils aux reptiles, le tir des archers de Narmer surpasserait-il celui des Libyens ? Ces questions, le roi voulut les oublier. Il caressa les cheveux de son épouse, l'unique femme de sa vie qu'il avait tant désirée ; à ce bonheur, les dieux ajoutaient une charge d'un poids écrasant. Et rien, pas même la magie de Neit, ne l'en délivrerait. En s'engageant à franchir les étapes imposées par l'Ancêtre, Narmer s'était dépouillé de son existence pour tenter de bâtir un pays et un peuple.

*

Ina, la belle Sumérienne, s'accordait un moment de repos après avoir distribué des centaines de galettes ; les jambes repliées, elle s'endormit à l'ombre d'un tamaris.

Fleur observa sa rivale ; n'était-ce pas l'occasion de se débarrasser d'elle ? La maîtresse en titre de Scorpion avait déjà tué afin de garder son amant, quand l'une de ses multiples aventures devenait trop sérieuse. La première fois, elle avait révélé la vérité à Scorpion qui s'en était amusé ; la seconde, elle s'était tue.

Ina représentait-elle un réel danger ? Hautaine, dédaigneuse, elle subissait les ardeurs de Scorpion, voire celles de Fleur, sans s'attacher ; souffrant de son exil et de sa soumission forcée, ne songeait-elle pas à s'échapper et à regagner Sumer ? Ses charmes ne suffisaient pas à Scorpion, puisqu'il continuait à jouir de Fleur, la seule femme capable de participer à ses jeux les plus brûlants.

Elle accorda un sursis à la Sumérienne.

*

— Le voilà ! hurla le Vieux, les bras levés.

Il se précipita à la rencontre de Scorpion, visiblement mal en point et peinant à marcher. Du sang coulait de sa hanche gauche, entaillée en profondeur.

— Ne me dis pas que tu as conquis le fortin à toi seul !

— Nous le prendrons ensemble, le Vieux.

— En tout cas, tu n'as pas rencontré des amis.

— Détrompe-toi ; la discussion fut un peu rude, mais nous avons trouvé un terrain d'entente.

Cigogne examina la plaie.

— J'atténuerai la souffrance, mes onguents éviteront des séquelles. Plusieurs jours de repos s'imposent.

— Pas le temps.

La vieille dame soupira.

— Au moins, allonge-toi.

Scorpion s'étendit sur une natte. Alors que Cigogne commençait à le soigner, Narmer s'agenouilla auprès de son frère, et leurs mains se serrèrent.

— Des Libyens ?

— Non, une dent d'hippopotame ! Un énorme mâle qui refusait de m'obéir. J'ai dû le chevaucher un long moment ; et ce râleur est parvenu à me renverser avec la ferme intention de m'éventrer. Quand je l'ai atteint au nez et à la bouche, il a reconnu ma supériorité. Maintenant, le maître de son troupeau, c'est moi.

Le Vieux se frappa le front ; jamais il n'avait entendu pareille histoire !

— Compterais-tu utiliser ces mastodontes ?

— Ils contrôlent un bras d'eau parallèle à celui qu'il nous faudra emprunter pour atteindre le fortin. À mon ordre, ils nous précéderont.

Le Vieux en resta bouche bée ; Scorpion n'avait-il pas perdu la tête ?

— Tu as soumis les hippopotames, déclara Neit, et leur hargne sera précieuse ; néanmoins, ils sont imprévisibles et pourraient se retourner contre nous.

— Comment l'éviter ? questionna Narmer.

— La réponse se trouve au cœur de l'onde, affirma la reine.

- 13 -

Sous l'œil inquiet du Vieux, Scorpion tint à accompagner Neit et Narmer au bord du fleuve. Les onguents de Cigogne apaisaient la douleur, mais il éprouvait encore des difficultés à se déplacer.

La prêtresse entra lentement dans l'eau.

— Viens à moi, pria-t-elle, toi qui écartes les forces nocives et dissipes les ombres mortes ! Nous avons besoin de ta force.

Des cercles ridèrent la surface, puis un sillon se traça en direction de la berge. Apparut la tête d'une énorme perche, le poisson de la déesse Neit. Son regard agressif fixa la reine.

— Toi, le Combattant, guide notre flotte et déclenche la fureur du courant ! À ton signal, nous te suivrons.

La perche bondit et s'éloigna.

— Tenons-nous prêts, ordonna Neit.

— Tu n'es pas en état de combattre, dit le roi à son frère. Tu te contenteras de commander ton bateau et tes archers.

— Je me sens déjà beaucoup mieux, mentit Scorpion, et je suis persuadé que Cigogne possède un remède puissant, capable de me rendre toute mon énergie.

La vieille dame ne pouvait prétendre le contraire, et Scorpion se hâta d'absorber une potion composée d'une douzaine de plantes dangereuses dont la guérisseuse avait extrait et dilué le suc.

Narmer mit la flotte entière en alerte, attendant le signal de la perche.

Soudain, un tourbillon se forma à l'avant du navire amiral, et le courant se renforça ; le poisson de la déesse jaillit d'une gerbe d'eau et traça le chemin.

À l'embranchement des chenaux, Scorpion plongea ; effarés, les soldats le virent grimper sur le dos d'un hippopotame. Réveillé, le monstre ouvrit la gueule et grogna. Obéissant à son nouveau maître qui en appelait à l'animal de Seth, le mastodonte réunit son troupeau, quitta son domaine et pénétra dans le chenal menant au fortin des Libyens.

D'apparence si balourde, les hippopotames étaient d'excellents nageurs, et ils ne tardèrent pas à repérer leurs ennemis mortels, les crocodiles, encore assoupis près des rives.

Pendant que Scorpion remontait à son bord, aidé du Vieux et d'un archer, une furieuse mêlée s'engagea. Le mâle dominant réussit à surprendre un reptile, et les deux énormes canines le perforèrent de part en part ; d'abord affolés, les crocodiles reprirent contenance et refermèrent leurs mâchoires sur les pattes des hippopotames. Très vite, le chenal s'ensanglanta.

Sortant de sa cachette, un essaim de canots libyens agressa le vaisseau amiral. La riposte fut immédiate, et le bateau de Scorpion se porta à la hauteur de celui du roi afin de le soutenir.

Conformément au plan de Crocodile, Gros-Sourcils vint à tribord, de manière à protéger son souverain.

Et ce fut le choc frontal.

Comptant sur l'efficacité des reptiles, aptes à provoquer des avaries fatales aux bateaux de Narmer, les Libyens partirent à l'abordage.

Percevant le danger, Scorpion plaça ses meilleurs archers à la proue ; préparés à une situation critique, ils firent preuve d'une rapidité et d'une précision exceptionnelles.

— Je t'en prie, recommanda Narmer à son épouse, mets-toi à l'abri !

— Non, je dois toucher les flèches de la déesse et déclencher leur feu.

— Trop risqué, les tireurs ennemis t'abattraient ! Et la situation semble tourner en notre faveur.

Hippopotames et crocodiles se neutralisaient ; privés de l'appui des reptiles, les Libyens subissaient de lourdes pertes.

Gros-Sourcils vit Neit revenir vers la cabine centrale.

Le moment espéré.

À l'aide d'une pointe de silex acérée, il perça la nuque de plusieurs archers et jeta leurs cadavres dans le chenal d'où surgirent deux reptiles qui agrippèrent la robe de la reine.

— Attention, Majesté ! hurla le général, feignant de se porter au secours de Neit.

Déséquilibrée, la reine bascula ; admirable de courage, Gros-Sourcils plongea et tenta de l'arracher à ses prédateurs. Comme prévu, l'un d'eux lui laboura le bras droit.

*

Dérivant au fil de l'eau, des dépouilles de crocodiles, d'hippopotames et d'humains se mêlaient aux débris des barques libyennes.

Peu de victimes chez les soldats de Narmer, une dizaine de blessés graves dont s'occupait Cigogne. Et pas le moindre signe de joie, en dépit de ce semblant de victoire ; le fortin continuait à narguer l'assaillant et, surtout, Neit avait disparu.

Effondré, Narmer essayait de rester digne.

Pâle, le bras bandé, le regard perdu, le général Gros-Sourcils s'agenouilla devant son roi.

— Pardonnez-moi, je n'ai pas réussi à sauver la reine Neit.

— Personne ne t'adresse de reproches ; décris-moi ce qui s'est passé.

— Un commando libyen nous a attaqués dans le dos, plusieurs braves ont été tués sans pouvoir se défendre ; nous avons repoussé les lâches, mais j'ai compris trop tard qu'il s'agissait d'une opération de diversion, destinée à faciliter la tâche des deux crocodiles chargés de s'emparer de la reine. Ils ont agrippé le bas de sa robe et l'ont entraînée au sein du chenal.

— Était-elle blessée ?

— Je l'ignore et je vous jure que j'ai tenté de l'arracher aux prédateurs ; hélas ! j'ai échoué.

— Tu as risqué ta vie, Gros-Sourcils, et je t'en remercie.

Le Vieux accourut.

— La reine a survécu ! proclama-t-il.

— Comment le sais-tu ?

— J'ai vu les deux reptiles la sortir de l'eau, non loin du fortin ! Elle se débattait, elle marchait.

— Où l'ont-ils emmenée ?

— À l'intérieur de la place forte.

Neit vivante… Narmer pouvait continuer à lutter !

— Nous la délivrerons, assura Scorpion.

Le Vieux ne partageait pas cet optimisme. Certes, la flotte des libérateurs était intacte ; mais elle n'avait remporté qu'une bataille fluviale et le bastion libyen demeurait imprenable.

*

L'armée de Narmer reprenait son souffle, consciente qu'elle n'était pas parvenue à briser le verrou bloquant l'accès aux territoires du Nord, occupés par les envahisseurs. Et le rapt de la reine Neit interdisait à son époux de lancer un assaut aveugle.

Narmer s'était adressé à chacun de ses soldats, heureux de rester aussi proches de leur commandant en chef, à la fois chaleureux et autoritaire. Atteint au plus profond de lui-même, il gardait sa dignité et refusait de céder à l'adversité.

Un doux museau lui toucha la main.

— Vent du Nord... Tu perçois mon angoisse ?

L'oreille droite de l'âne se leva.

— Je dois libérer Neit sans compromettre notre progression... Et cette tâche me paraît impossible.

L'oreille gauche nia cette affirmation.

Ainsi, il existait une issue ! Narmer n'eut pas le loisir d'y réfléchir, car Cigogne interrompit sa méditation.

La vieille dame paraissait embarrassée.

— Mauvaise nouvelle ? s'inquiéta le roi du Sud.

— Une démarche inattendue.

— De la part de qui ?

— De Crocodile.

Narmer se leva.

— T'aurait-il... contactée ?

— Je lavais des linges souillés dans le chenal lorsqu'il est apparu. Il m'a saluée, je lui ai rendu la politesse, et j'ai cru ma dernière heure arrivée ; mais il ne souhaitait pas me dévorer.

— Que voulait-il ?

— Me demander de servir d'ambassadrice ; Crocodile désire te rencontrer au bord du fleuve, à la tombée du jour. Et je te déconseille de lui donner satisfaction ; en exigeant de te voir seul, ne te tend-il pas un piège mortel ?

- 14 -

Certain que Crocodile ne se montrerait pas s'il aper-
cevait une escorte, Narmer avait décidé de se plier
aux conditions du redoutable prédateur. Néanmoins,
Cigogne l'accompagnait ; ne représentant aucun danger,
elle espérait jouer un rôle apaisant et convaincre le
maître des reptiles de ne pas recourir à la violence. Entre
chefs de clan, ne se devaient-ils pas le respect ?

La soirée était douce, le vent léger, incitant à une
promenade au bord du chenal et à la contemplation du
coucher du soleil, teintant d'orangé les feuillages des
saules, l'abri préféré des crocodiles.

À l'endroit prévu, une mince langue de terre longeant
un massif de papyrus, hors de la vue des archers.

— C'est ici, dit la vieille dame ; sachons patienter.

Narmer pensait à Neit, se demandant si elle était
blessée ; Crocodile comptait-il lui parler de sa prisonnière ou se débarrasser de son principal adversaire ? La
fragile Cigogne ne serait qu'un témoin impuissant.

Le soleil disparut, des bruits inquiétants animèrent les
fourrés ; et l'eau elle-même parut hostile.

L'invitation de Crocodile n'était qu'un leurre ; ses rep-
tiles et des soldats libyens ne tarderaient pas à encercler
Narmer en lui ôtant toute possibilité de s'échapper.
Avaient-ils reçu l'ordre de le capturer ou de l'abattre ?

— Je suis derrière vous, annonça une voix rauque.

Narmer se retourna lentement.

Pour la première fois, il était face à face avec le chef du dernier clan guerrier qui avait survécu à ses défaites et gardait sa puissance. Impossible de saisir le regard de cet être étrange, massif, à la peau calleuse.

— Tu n'es pas seul, se plaignit-il.

— Toi et moi, rappela Cigogne, sommes les derniers représentants des clans ; si un accord est conclu, je m'en porterai garante.

— Détiens-tu mon épouse ? demanda Narmer, redoutant l'intervention des sbires de Crocodile.

— Rassure-toi, j'ai l'intention de négocier, non de te détruire… À moins que tu ne m'y obliges.

— Neit est-elle indemne ?

— Cette prêtresse a commis une faute impardonnable : humilier le guide suprême de mes alliés libyens. Ses forces sont dix fois supérieures aux tiennes, et tu ne sortiras pas vainqueur de ce conflit. Cependant, tu possèdes une capacité de nuisance qu'il convient d'annihiler. Mon ami Ouâsh a une obsession : s'emparer de Neit et lui faire payer son crime. À présent, elle est entre mes mains, et je pourrais la lui remettre.

— Qu'exiges-tu en échange de sa libération ?

— Le retrait immédiat et total de ton armée.

— Si nous nous retirons à Nékhen, les Libyens et vous nous assiégerez.

— Qui t'a parlé de Nékhen ? Tu dois quitter ce pays, à jamais. Sinon, le guide suprême s'occupera de ton épouse. Je t'accorde une journée de réflexion. En cas d'approbation, saborde la totalité de tes bateaux et dépose tes armes. Ensuite, au lever du soleil, toi et ta bande de gueux prendrez la direction du désert de l'Est où vous apprendrez à survivre comme nomades.

Narmer aurait souhaité argumenter, mais Crocodile avait déjà disparu.

— Rentrons au campement, exigea Cigogne.

*

Lors de la réunion du conseil de guerre, Narmer demanda à la vieille cheffe de clan de relater en détail leur entrevue avec Crocodile. Elle s'exprima posément, sans atténuer les propos du maître des reptiles.

— C'est intolérable! protesta Scorpion. Comment accepter une telle défaite?

— La vie de la reine Neit est en jeu, rappela le général Gros-Sourcils. En refusant, nous la condamnons à mort.

— Toi, un soldat d'élite, tu te résignerais à courber la tête?

— Je n'ai qu'une envie : exterminer l'ennemi. Pourtant je me rallierai à la décision de notre roi.

— Le projet de Crocodile me paraît limpide, affirma Scorpion. Nous exterminer, tous! Il ne nous permettra pas d'atteindre le désert de l'Est; et ses hordes, alliées aux Libyens, n'auront aucune peine à massacrer des hommes désarmés.

— Précieuse lucidité, approuva Narmer; en nous inclinant, nous ne sauverons pas Neit.

Connaissant l'amour que son frère éprouvait pour une femme exceptionnelle, Scorpion admira son abnégation, preuve de sa capacité à gouverner.

— La cruauté de Crocodile est sans bornes, déplora Cigogne. Je crains qu'il n'ait déjà exécuté Neit.

Narmer avait tenté de chasser cette pensée de son esprit et refusait d'envisager cette réalité-là.

— Pourquoi se priverait-il d'un otage si précieux? intervint Scorpion. Il ne touchera pas à la reine!

— Sauf si nous attaquons le fortin où, selon le Vieux, elle est enfermée.

— À moins qu'elle n'ait été transférée dans une autre place forte, objecta le général Gros-Sourcils.

— Je ne le crois pas, dit Scorpion, car le guide suprême des Libyens serait averti et réclamerait sa proie. Crocodile vise un but précis : nous anéantir et récolter les fruits de son éclatante victoire.

— Je partage ton avis, déclara Narmer ; c'est pourquoi ma décision est prise : nous devons nous emparer de ce fortin afin d'ouvrir la route du Nord.

La voix de Cigogne trembla.

— Crocodile tuera Neit !

— Céder à ses exigences reviendrait à nous condamner tous. Si je pouvais la sauver en offrant ma vie, je n'hésiterais pas un instant. Demain, à l'aube, je marcherai à la tête de mon armée.

*

Une profonde tristesse s'était emparée des soldats. Chacun comprenait que Narmer renonçait à revoir la reine vivante et qu'il souhaitait périr pendant le combat. Le roi disparu, et malgré les qualités de Scorpion, comment continuer la lutte, même en cas de victoire ? Vu l'infériorité numérique des libérateurs, les pouvoirs magiques de la prêtresse étaient indispensables ; dépourvus de la protection de la déesse, les soldats ne résisteraient pas longtemps à une offensive libyenne.

Le Vieux subissait cette désespérance ; à quoi bon poursuivre une guerre perdue ? Neit était l'âme de la petite armée, elle l'avait préservée du désastre en sollicitant l'intervention de la déesse des origines. Face aux Libyens, la bravoure ne suffirait pas.

Les libérateurs aimaient et admiraient leur reine. À sa beauté s'ajoutait une autorité naturelle, nourrie d'un charme surnaturel ; en l'enlevant, Crocodile ne s'était pas trompé de cible.

Le Vieux salua Gros-Sourcils qui préparait l'assaut du lendemain ; l'allure déterminée, le général songeait à la manière de supprimer Narmer et de désorganiser ses troupes. Le plan de Crocodile se déroulait comme prévu, et Gros-Sourcils jouirait bientôt de sa trahison, au service des nouveaux maîtres du pays. Encore un coup de poignard dans le dos, à l'abri des regards, et il aurait atteint son but.

*

D'épais nuages noirs rendaient la nuit obscure. Résolu à profiter de ses dernières heures, le Vieux se dirigeait vers sa réserve de jarres à vin lorsqu'une main ferme crocheta son épaule.

— Scorpion ! Tu veux boire, toi aussi ?

— Nous deux, on reste sobres.

Le Vieux remarqua les deux longues cordes à nœuds que tenait le jeune guerrier.

— C'est pour consolider un mât ?

— Pas exactement.

Le vétéran n'osa formuler ce qu'il entrevoyait.

— Tu ne vas quand même pas…

— Tu m'as compris, vieil ivrogne !

— Non, Scorpion, non !

— Il faut tenter de sauver Neit, de déjouer les plans de Crocodile et de nous rendre maîtres de ce fortin.

— Toi… et moi ?

— En route, le Vieux ; la nuit nous est favorable.

- 15 -

Entraînée sous l'eau par deux crocodiles, puis tirée jusqu'à la berge, Neit s'était vainement débattue avant de perdre conscience. Revenant à elle, elle avait découvert une pièce nue qu'éclairait une meurtrière. Sa robe déchirée, elle n'éprouvait cependant pas de douleur et ne souffrait d'aucune blessure. À ses pieds, un bol d'eau et du pain.

Nulle possibilité de s'échapper.

Les heures lui parurent interminables jusqu'à ce que s'ouvrît la lourde porte de bois fermant sa cellule.

Apparut un être étrange, tout en longueur, à la peau calleuse.

— Je suis le chef de clan Crocodile, indiqua-t-il d'une voix rauque et sourde. Tu es très belle, prêtresse de Neit.

Il décrivit lentement un demi-cercle, admirant les formes de sa prisonnière qui soutint le regard de son geôlier.

— Ignorerais-tu la peur ?

— Si tu as l'intention de me tuer, ne te répands pas en discours.

— Mon allié, le guide suprême des Libyens, aimerait beaucoup te revoir.

Le sang de Neit se glaça. Afin d'éviter d'abominables tortures, elle devrait trouver le moyen de se suicider.

— Cette éventualité ne semble pas te réjouir, constata Crocodile. Rassure-toi, Ouâsh ignore que je t'ai capturée. Si Narmer se montre raisonnable et saborde sa flotte, je me contenterai de t'égorger ; en revanche, s'il commet l'erreur fatale de poursuivre la guerre, tu seras conduite auprès du guide suprême.

L'œil de Crocodile devint égrillard ; une femme séduisante, à sa portée…

Craignant d'être violée, Neit se replia sur elle-même.

— Défense dérisoire… Tu n'es qu'une faible créature, bien décevante. Te supprimer sera un plaisir.

— Pardonne-moi ce moment de faiblesse, Crocodile ; je ne t'en offrirai pas d'autre.

Neit se releva, la tête haute et les bras le long du corps.

Le chef de clan émit une sorte de râle, tourna les talons et sortit de la cellule.

*

Neit en était persuadée : Narmer ne rendrait pas les armes, conscient de la duplicité de Crocodile. Lucide, le roi ne se laisserait pas abuser ; sachant son épouse condamnée, il continuerait à se battre. Au moment de rendre l'âme, elle la transmettrait à son époux de manière à renforcer son action. Inséparables sur terre, ils le seraient dans l'au-delà.

Neit se remémora les moments de bonheur vécus en compagnie de Narmer, depuis leur première rencontre, à proximité du sanctuaire de la déesse, quand il l'avait sauvée de la noyade. Effrayée à l'idée de tomber amoureuse de cet inconnu et désireuse de remplir au mieux sa fonction, elle lui avait ordonné de ne pas la revoir. Heureusement, il ne s'était pas incliné ! Le chemin avait été long et périlleux, mais ils s'étaient unis pour ne plus jamais se quitter.

Et voici que Crocodile rompait le lien sacré qu'avaient tissé les dieux ! Neit et Narmer s'étaient promis de libérer leur pays et de consacrer leur vie à sa renaissance. Elle s'imaginait lutter à son côté, non succomber sous le poids de la solitude ; si proche de Narmer, Neit s'en trouvait séparée par une muraille infranchissable.

Connaîtrait-elle l'ultime joie d'entendre le fracas de l'assaut, peut-être la voix de Narmer encourageant ses braves ? La jeune femme ferma les yeux et implora la déesse de protéger le roi.

*

À l'arrière du fortin, les trois gardes, postés tous les vingt pas, s'ennuyaient ferme. L'un sommeillait ; son compagnon s'était assis, le dos contre le mur de la tour crénelée ; le dernier massait son ventre douloureux.

Il fut la première victime de Scorpion qui lui brisa la nuque d'un geste vif et précis pendant que le Vieux, excellent connaisseur de l'anatomie humaine, plantait la lame en silex de son couteau dans la nuque du dormeur. Le troisième n'eut pas le temps de se relever, ni de crier ; fonçant sur lui, Scorpion lui fracassa le crâne de ses poings réunis.

Levant les yeux, il repéra des aspérités, enroula une corde autour de sa taille et commença à grimper. D'un signe de la main, le Vieux indiqua qu'il ne l'imiterait pas et préférait faire le guet.

L'ascension fut rapide, Scorpion enjamba un créneau et y attacha la corde. Du haut de la tour, il distingua le passage menant à un poste d'observation où se tenaient deux archers.

Ils avaient le tort de lui tourner le dos, et la mort les frappa en un instant.

Scorpion descendit un escalier étroit, aboutissant à un palier. D'un côté, une porte que fermait un verrou en bois; de l'autre, une salle d'armes qu'occupaient des soldats de Crocodile.

La porte de la prison de Neit? La chance servit Scorpion : un maigrichon apportait de l'eau et du poisson séché. Il ôta le verrou et pénétra dans la cellule.

*

Neit sursauta.

La porte s'ouvrait, on venait la chercher. Crocodile avait-il décidé de la livrer au guide suprême des Libyens?

La gorge serrée, elle vit s'avancer un maigrichon porteur d'une petite jarre et d'une écuelle.

Une poigne puissante l'étrangla, et le geôlier s'effondra.

— Scorpion! C'est toi... C'est bien toi?

— Vite, sortons d'ici!

Ils passèrent en courant devant la salle d'armes et grimpèrent au sommet du fortin.

Un fantassin donna l'alerte.

Neit utilisa la corde pour se laisser glisser jusqu'au sol, Scorpion la suivit. Surgissant aux créneaux, des archers tirèrent à l'aveugle, et leurs flèches ratèrent de peu les fuyards.

Le Vieux avait retrouvé ses jambes de vingt ans et choisit le bon chemin à travers des roseaux protecteurs; oubliant la faiblesse de ses poumons et ses genoux douloureux, il soutint une belle allure jusqu'au campement de Narmer.

*

Narmer et Neit s'enlacèrent. Ce moment de plénitude, ils le considéraient comme un miracle auquel ils ne croyaient plus et qu'il fallait savourer avec un maximum d'intensité.

Mais ils n'avaient pas le droit de goûter davantage ce bonheur, à la veille d'un combat décisif.

— Tu dois te reposer, murmura Narmer. À l'aube, nous attaquerons.

— C'est Crocodile qui tient cette place forte ; ne perdons pas de temps, tentons de le capturer. Réveillons nos hommes et lançons l'assaut !

Rêvant d'une longue nuit de sommeil, le Vieux fut consterné quand Scorpion le chargea de propager la consigne.

Alors que l'armée se mettait sur le pied de guerre, Narmer s'adressa à son frère :

— Tu as pris d'énormes risques. En cas d'échec, Neit et toi auriez péri.

— Ai-je l'habitude d'échouer ?

— Tu n'aurais pas dû intervenir sans mon ordre.

Scorpion se crispa.

— Des reproches ?

— Tu n'imagines pas à quel point je te suis reconnaissant ; pourtant, cette initiative aurait pu être désastreuse. Respecte mon autorité Scorpion, et consulte-moi avant d'agir. Sinon, nous perdrons toute cohérence et nous serons vaincus.

Les deux frères se défièrent du regard.

— Tu as raison, concéda Scorpion, et je te sais gré de me parler ainsi. En toi, la fonction commence à dévorer l'homme, et seule une reine de la trempe de Neit saura te supporter. L'homme d'une seule femme... Tu ne te trompais pas.

— Jamais je ne te cacherai mes pensées, affirma Narmer.

— Il en sera de même pour moi ; n'est-ce pas l'apanage de frères authentiques ?

Leur accolade fut chaleureuse.

— La reine nous a recommandé de ne pas tarder, rappela Scorpion. Puisque je connais une partie de ce fortin, m'autorises-tu à y pénétrer le premier ?

— À une condition : reste en vie !

- 16 -

Entouré de sa garde personnelle, composée de monstrueux reptiles et de combattants aguerris, Crocodile
dormait à bonne distance du fortin où résidaient ses
miliciens. Le chef de clan ne supportait pas d'avoir un
toit au-dessus de sa tête et changeait de résidence
chaque soir.

Au milieu de la nuit, son aide de camp osa le réveiller.

— Une mauvaise nouvelle… Très mauvaise.

— Je t'écoute, ne me cache rien !

— La magicienne Neit s'est échappée.

Les yeux de Crocodile se plissèrent.

— De quelle façon ?

— Un petit groupe d'ennemis s'est introduit dans la
tour et a trompé la vigilance de la garnison.

— Que les responsables se présentent immédiatement devant moi.

— Il y a plus grave, seigneur ; les bateaux de Narmer
s'approchent, comme s'ils se préparaient à lancer
l'assaut.

— Avant l'aube… J'aurais dû y songer ! Donne
l'alerte générale.

Narmer n'imaginait pas l'ampleur de la résistance à
laquelle il se heurterait. Sa petite armée serait décimée.

*

Poussée par le courant, la flotte des libérateurs serait bientôt à portée des archers de Crocodile. Et ceux de Narmer étaient prêts à riposter.

Neit fut la première à remarquer, près de la citadelle, des remous anormaux. Perçant les nuages, un rayon de lune dissipa ses doutes.

— Une cohorte de crocodiles, dit-elle au roi. Ils rendent impossible tout accostage.

— Prononçons ensemble la formule de puissance.

À la proue du navire amiral, le couple s'adressa aux reptiles dont la tête affleurait à peine.

— Monstres, ordonnèrent les souverains, soyez aveugles ! Nous, nous possédons une vue excellente.

D'abord, les crocodiles restèrent immobiles ; ensuite, ils sortirent de l'eau, battirent de la queue, ouvrirent leur gueule et s'entre-déchirèrent.

Fasciné, le Vieux admirait l'incroyable spectacle ; le déclenchement des tirs le contraignit à s'abriter derrière un mât. La tour et les fortifications étant mieux éclairées que la berge par le soleil de la nuit, les archers de Narmer bénéficièrent d'un net avantage. Imitant Scorpion, à la précision remarquable, ils prirent l'avantage.

Et ce fut l'accostage.

Scorpion sauta à terre le premier, piétina un reptile agonisant et se rua en direction du portail de la place forte, indifférent à une pluie de flèches. Les fantassins percèrent le ventre des crocodiles offrant encore une résistance, et les manieurs de fronde, sous la conduite du Maître du silex, brisèrent une contre-offensive provenant d'un massif de roseaux. Gros-Sourcils en affronta une seconde, non moins sournoise, et prouva, une fois de plus, ses capacités d'officier supérieur.

La nuit commençait à se dissiper, une lueur rouge illuminait l'orient.

Malgré l'acharnement de Scorpion et de son avant-garde, la porte du fortin résistait toujours. Au sommet de la tour, de nouveaux archers, qui, grâce au début du jour, distingueraient aisément leurs cibles.

L'espoir de victoire risquait de se transformer en désastre.

C'est alors que Narmer ressentit l'âme des clans disparus dont il était l'héritier. S'imposant à son esprit, la puissance des anciens chefs lui dicta sa conduite. Au moment où il quittait le vaisseau amiral, un mugissement d'une incroyable intensité figea de stupeur les combattants des deux camps.

Les naseaux dilatés, l'écume aux lèvres, le taureau brun-rouge exigeait de fouler de ses sabots le pays du Nord.

Narmer mit lui-même en place une passerelle et toucha les cornes du monstre; résolus, leurs regards s'associèrent.

Aussitôt, Scorpion perçut une force nouvelle. Le visage de Narmer s'était modifié, il ressemblait à ceux des défunts chefs Lion et Taureau, empreints d'une rage de vaincre. Stupéfaits, les archers ennemis cessèrent de tirer. À l'évidence, il ne s'agissait pas d'un simple affrontement, et les dieux avaient décidé d'intervenir.

Après avoir labouré le sol, le taureau s'élança; à pleine vitesse, il percuta le bas de la tour. Arrachant ses cornes, qui avaient provoqué de profondes lézardes, il recula, reprit de l'élan et recommença son travail de sape. Au cinquième heurt, l'édifice vacilla.

Armé d'une massue, Narmer marcha jusqu'au portail; ses soldats s'écartèrent, osant à peine le regarder.

Le roi ne frappa qu'un seul coup; le bois se fendit, du haut en bas, et la porte s'effondra.

En hurlant, l'armée de libération se rua à l'intérieur du fortin.

*

Oubliant le danger, Gilgamesh avait dessiné le portrait de Narmer se dirigeant vers la bâtisse, à présent écroulée. Le roi et le taureau ne s'étaient dissociés qu'en apparence ; en réalité, Narmer animait le taureau brun-rouge, lequel enflammait son cœur et son bras. Entre eux existait une identité de nature. À Sumer, patrie guerrière, l'artiste n'avait vu aucun dirigeant déployer une telle puissance.

Les libérateurs n'avaient perdu qu'une dizaine d'hommes, Cigogne et ses servantes soignaient les blessés à bord des bateaux. Narmer, Neit et Scorpion contemplaient les ruines de l'orgueilleux fortin dont la dislocation avait provoqué la mort de nombreux ennemis.

La route du Nord semblait ouverte.

Pourtant, Scorpion demeurait sombre ; certes, l'exploit de Narmer reléguait sa propre vaillance au second plan, mais il admirait son frère, devenu un authentique conquérant. Dotés d'un tel chef, ses hommes le suivraient au-delà du possible, et cette guerre prendrait des proportions qui raviraient l'animal de Seth. Et le retour de Neit, la magicienne, réconfortait les pessimistes ; en échappant au pire, ne prouvait-elle pas son aptitude à dévier les mauvais coups du destin ?

Narmer perçut le trouble de Scorpion.

— Pourquoi es-tu préoccupé ?

— Nous n'avons pas retrouvé le cadavre de Crocodile ; peut-être gît-il sous les décombres ?

— Malheureusement non, affirma la reine. Il ne s'est pas mêlé au combat. Non content de s'échapper, Crocodile a bâti un autre fortin, invisible, afin de nous barrer le chemin.

Scorpion comprenait la raison de son inquiétude.

— Crocodile a envoûté les environs, révéla Neit; s'y aventurer serait désastreux.

— Parviendras-tu à rompre ce maléfice?

— J'ai besoin d'un assistant.

*

Calme, le taureau brun-rouge broutait en compagnie de Vent du Nord, non loin des deux lionnes, assoupies à l'ombre d'un sycomore, mais toujours prêtes à bondir sur quiconque agresserait le roi. Cette vigilance gênait le général Gros-Sourcils, atterré par la brillante victoire de Narmer. Épisode mineur, en vérité, car le gros des troupes libyennes n'était pas intervenu; et des places fortes, ô combien plus massives, stopperaient la progression de la petite armée. Néanmoins, le roi du Sud prenait une certaine envergure; en le supprimant, Gros-Sourcils mettrait un terme au conflit et obtiendrait la reconnaissance du guide suprême.

Le général vit Neit, accompagnée de Geb, contourner les ruines. Le chacal traversa une étendue herbeuse et s'immobilisa à proximité d'un cercle rouge tracé autour d'un bosquet formé de végétaux grisâtres, aux formes torturées. Le flair du canidé lui avait permis de repérer la source de l'envoûtement.

À la prêtresse de le briser sans être victime des conséquences de son intervention. Elle forma un second cercle, composé de branches d'acacia enveloppant le premier, et planta un bâton fourchu au centre du bosquet; enfin, elle y mit le feu et prononça la formule : « Écoule-toi, venin, disparais dans le sol! »

Jaillissant du brasier, un serpent à tête de crocodile ouvrit la gueule et projeta à grande distance un liquide jaunâtre et visqueux qui brûla l'herbe. Neit et Geb s'étaient écartés à temps. La créature de cauchemar se tordit en tous sens avant de se désagréger.

La route du Nord était libre.

- 17 -

Implantée au milieu du delta, la forteresse du guide suprême était inexpugnable. Du haut de la tour crénelée, Ouâsh contemplait son immense domaine qu'entretenaient des troupeaux d'esclaves, à jamais soumis. Ses deux exécutants majeurs, Piti l'administrateur et Ikesh le tortionnaire, encadraient à merveille une population servile, chargée d'assurer aux Libyens d'agréables conditions d'existence.

Ce triomphe n'atténuait pas la méfiance du guide suprême à l'égard de Crocodile, son allié de circonstance, lequel venait de le convier à une rencontre. Lieu choisi : l'emplacement de la capitale détruite de Taureau.

À l'issue de la victoire définitive sur la médiocre armée de Narmer, qui, du Libyen ou du maître des reptiles, frapperait le premier afin d'anéantir l'autre ? Obsédés par cette pensée, les deux « amis » feignaient de l'ignorer, guettant le moment propice.

Et l'erreur serait fatale.

Entouré de gardes d'élite que commandait le géant noir Ikesh, nerveux, Ouâsh contempla un paysage désolé, une vaste steppe entrecoupée de cours d'eau. Les herbes folles avaient pris possession des ruines, un monde ancien qui disparaissait.

— Je déteste cet endroit, confia le Nubien; et pas trace de Crocodile!

— Tu connais son goût de la discrétion. Il nous observe; lorsqu'il sera rassuré, il apparaîtra.

— J'aimerais tant lui tordre le cou!

— Patience, mon ami, patience; nous avons encore besoin de lui.

Sortant de l'amas de décombres, Crocodile s'avança. Il semblait seul, mais Ouâsh savait que la moindre mare abritait l'un de ses reptiles et qu'un signe de leur chef déclencherait une attaque massive. Ce dispositif de dissuasion ne visait qu'à maintenir une bonne entente en précisant les capacités de chacun. Aussi le guide suprême quitta-t-il son bataillon pour dialoguer, en terrain dégagé, avec le redoutable prédateur. Ouâsh ne s'habituait pas à sa peau calleuse et à son regard mi-clos, indéchiffrable.

— Notre fortin a-t-il repoussé l'assaillant?

— Il s'est effondré, avoua Crocodile.

Ouâsh n'en crut pas ses oreilles.

— Tu... Tu n'exagères pas?

— Le courage de nos soldats n'est pas en cause. En utilisant la fureur dévastatrice d'un taureau sauvage, Narmer est devenu lui-même ce monstre, capable de saper les fondations d'une tour. Son épouse, la magicienne Neit, lui permet d'utiliser la force des dieux.

— La garnison...

— Anéantie, ainsi qu'un bataillon de mes reptiles, contraints de s'entre-déchirer.

Ouâsh bouillait de rage.

— Cette sorcière... J'aurais dû la couper en morceaux!

Crocodile n'évoqua pas le déplorable épisode de l'évasion.

— J'ai tenté de leur barrer la route grâce à un maléfice, mais elle l'a déjoué.

Le guide suprême se crispa.

— Autrement dit, Narmer marche sur nous !

— Il se montre d'une extrême prudence, et ses bateaux progressent lentement.

— Le considères-tu comme… un véritable danger ?

— Il vient de prouver que ses pouvoirs, joints à ceux de Neit, ne sont pas négligeables. Et je n'oublie pas Scorpion, à la vaillance exemplaire.

— Nous leur sommes largement supérieurs ! éructa le guide suprême.

— Un petit nombre de guerriers, très unis et correctement commandés, peut causer de graves dégâts.

— Que préconises-tu ?

— Un changement de stratégie, répondit Crocodile.

— Je refuse de déclencher une attaque frontale. L'ennemi doit venir à moi, croire qu'il gagne du terrain et s'enivrer de fausses victoires. Alors, je refermerai la nasse.

— J'ai peut-être mieux à te proposer.

Le guide suprême fut intrigué.

— Après la destruction du fortin, reprit le chef du clan, Narmer s'estime en capacité de te terrasser ; et toi, tu n'imaginais pas pareil désastre. Maintenant, tu as perçu la nature de ton adversaire et tu adoptes la seule solution raisonnable : te soumettre.

Ouâsh faillit s'emporter. Retenant sa colère, il suivit la pensée de son interlocuteur.

— Je propose donc une négociation qui évitera quantité de morts…

— Tu reconnais la souveraineté de Narmer sur le Sud et le Nord, à condition qu'il t'attribue des territoires et te nomme général en chef de son armée.

— Jamais il n'acceptera !

— La proposition mérite discussion. Vu la faiblesse de ses effectifs, Narmer sera heureux de mettre fin au conflit ; et sa vanité le poussera à se sentir capable de te contrôler.

— Il sait que les Libyens sont des guerriers indomptables !

Crocodile eut un sourire narquois.

— Ne te mens pas à toi-même, Ouâsh ; tu as su fédérer des tribus de coureurs des sables, mais quels combats as-tu livrés ? Quand tu as envahi le Nord, les troupes de Taureau se trouvaient au sud. Tes adversaires ? Des paysans désarmés. Narmer, lui, a vaincu Lion et les Sumériens.

Ouâsh fut presque désemparé.

— Me conseilles-tu… de prêter allégeance à cet aventurier ?

— Certes pas ! Utilisons à notre profit l'avantage qu'il a obtenu, envoie auprès de lui un ambassadeur qui lui proposera une entrevue. Lui et toi déciderez d'éteindre cette guerre et d'œuvrer ensemble à la prospérité du pays. De tels propos n'ébranleront-ils pas Narmer ? Au moins, il les prendra en considération et souhaitera te rencontrer. Pourquoi, conscient de tes faiblesses, n'envisagerais-tu pas de coopérer en préservant certaines prérogatives ? Naguère, les clans se comportaient ainsi.

Le discours de Crocodile était envoûtant, et le guide suprême se surprenait à trop l'écouter !

— Cette entrevue… comment la conçois-tu ?

— Puisque Narmer se méfiera, il conviendra d'accepter ses exigences.

— Et si elles nous empêchent d'agir ?

— Lorsqu'on se croit en sécurité, affirma Crocodile, on est en grand danger. Surtout, désigne un ambassadeur convaincant.

*

Ikesh achevait de besogner une jeune paysanne rétive quand l'un de ses subordonnés lui transmit une convocation d'urgence à la place forte du guide suprême; insensible aux pleurs de la gamine, le Nubien se hâta. Ce genre d'incident ne présageait rien de bon.

Au passage, il vérifia que les mesures de sécurité étaient strictement appliquées et qu'aucun des soldats préposés à la garde de son maître ne se montrait défaillant. Inquiet, le géant noir gravit quatre à quatre les marches de l'escalier menant au domaine d'Ouâsh. Devant sa porte, deux fantassins à la carrure impressionnante, armés de lances.

Affalé sur des coussins, le guide suprême buvait du jus de caroube, délicieusement sucré; debout, à sa droite, un Piti crispé.

— Approche, mon brave Ikesh, j'ai une décision importante à prendre, et je sollicite ton avis.

Le Nubien avala sa salive. Se tromper ou mécontenter Ouâsh risquait d'entraîner une disgrâce.

— Je compte proposer une négociation à Narmer pour lui laisser supposer une entente cordiale et la fin des hostilités; le convaincre d'accepter la discussion ne sera pas facile, il me faut un excellent diplomate. Quel serait ton choix?

— Seigneur, je sais me battre et faire régner l'ordre, mais j'ignore tout de l'art de parlementer!

— Belle lucidité, mon ami; et parmi tes officiers?

— Ils me paraissent incapables de mener à bien cette mission. En revanche…

— Je t'écoute!

— Piti ne serait-il pas l'homme de la situation? C'est un beau parleur qui exécutera vos directives à la perfection et se montrera convaincant.

Si le regard de Piti avait pu tuer, le géant noir se serait effondré.

— Ikesh se trompe, protesta-t-il, je...

— Ne perdons pas de temps, trancha le guide suprême, et préparons ton ambassade. À toi, mon fidèle conseiller, de m'amener Narmer.

- 18 -

Piti se l'était promis : s'il revenait vivant de ce voyage insensé, il supprimerait Ikesh. Le maudit Nubien avait sauté sur l'occasion de se débarrasser de son rival et, malheureusement, le guide suprême considérait son conseiller comme un parfait ambassadeur !

Afin de prouver ses intentions pacifiques, Piti n'était accompagné que d'une dizaine de fantassins désarmés. Se relayant, des espions de Crocodile les avaient guidés jusqu'au chenal où mouillait la flotte de Narmer.

Une vigie ne manqua pas de les repérer et lança aussitôt l'alerte générale. Impressionné, Piti constata l'efficacité des mesures défensives de Narmer; en quelques instants, des soldats entourèrent le petit groupe d'intrus. Tous se plaquèrent au sol, les bras écartés.

— Je suis l'ambassadeur du guide suprême des Libyens, proclama Piti, et je viens présenter sa soumission au roi Narmer !

Intrigué, le gradé responsable jugea nécessaire de prévenir son roi; suspicieux, il ordonna de ligoter les poignets de cet étrange solliciteur et de son escorte.

*

Poussé dans le dos, Piti grimpa la passerelle menant à la poupe d'un des navires en bois dont la taille le stupéfia ; tremblant, il était persuadé de connaître ses dernières heures. Sa seule chance de survivre consistait à surmonter sa panique en persuadant Narmer de l'écouter.

Le roi se tenait debout, les bras croisés ; l'intensité de son regard pétrifia le conseiller d'Ouâsh. À sa droite, la reine Neit, la magicienne aux pouvoirs redoutables ; à sa gauche, Scorpion, à la violence contenue.

Piti était au bord du malaise ; ne parvenant pas à trouver les mots justes, il s'agenouilla, les yeux embués de larmes.

— Es-tu vraiment un Libyen ? s'étonna Scorpion. Je les croyais lâches, mais pas à ce point-là !

— Je... Je suis Piti, le conseiller d'Ouâsh, notre guide suprême, et je dois vous transmettre un message important de la part de mon maître.

S'étonnant d'avoir réussi à formuler ces premières phrases, le visage rougi et les joues gonflées, l'ambassadeur tourna de l'œil.

Scorpion l'aspergea d'eau.

— Réveille-toi, Libyen, et parle sans crainte ! Si tu t'es vanté, je m'occuperai personnellement de ton cas.

Pantelant, Piti réussit néanmoins à recouvrer ses esprits.

— Mon maître désire se soumettre au roi Narmer, je le jure !

— Invraisemblable, estima Scorpion.

— Le fortin interdisant la route du Nord a été détruit, votre flotte possède une puissance inégalée, nous redoutons d'être anéantis ! C'est pourquoi le guide suprême souhaite rencontrer votre chef et conclure une paix profitable à tous.

— Quel serait son intérêt ? demanda Narmer.

— En échange de cet accord, obtenir des territoires et le commandement de l'armée qui empêchera toute révolte au nord comme au sud. Mon maître sait que cette guerre sera très destructrice et qu'il ne la gagnera pas ; aussi tente-t-il d'aboutir à un pacte équitable.

Même Scorpion fut interloqué. Les défaites de Lion, des Sumériens et de Crocodile n'incitaient-elles pas le chef libyen à reconsidérer ses positions en redoutant la supériorité de l'adversaire ?

— Où le guide suprême compte-t-il rencontrer Narmer ? questionna Neit.

— Il se pliera à ses exigences.

Épuisé, Piti était incapable de développer des arguments ; soit on le croyait, soit on l'exécutait.

Le tirant par la peau du dos, Scorpion le releva.

— Tu vas te reposer, boire et manger ; ensuite, le roi t'annoncera sa décision.

*

La cheffe de clan Cigogne et le général Gros-Sourcils écoutèrent Scorpion leur relater les déclarations de l'ambassadeur Piti. En présence de Narmer et de Neit, ils étaient appelés à se prononcer.

— La perte de son fortin a déstabilisé Crocodile, estima la vieille dame ; c'est lui qui a convaincu le guide suprême de renoncer à la conquête du pays entier. Ne s'agit-il pas d'une véritable chance de paix ?

— Sûrement pas ! s'exclama Scorpion. À la réflexion, un piège grossier !

— Un piège, un piège, grommela Gros-Sourcils, ce n'est pas certain ! Le Libyen ne fixe pas de conditions préalables, et c'est au roi qu'il appartient de choisir le lieu et le moment de l'entretien. Ces envahisseurs sont des peureux ; si j'avais été présent à la tête de l'armée de Taureau quand ils ont violé notre territoire, je les aurais taillés en pièces ! Aujourd'hui, si nombreux qu'ils soient, ces froussards nous redoutent, et leur chef ne songe qu'à survivre.

— Il souhaite davantage, rappela Neit : devenir le général en chef de nos troupes.

— Hors de question ! rugit Gros-Sourcils.

— Tu le constates, observa Scorpion, cette transaction est impossible.

— La paix ne mérite-t-elle pas des sacrifices ? interrogea Cigogne. Sans céder aux prétentions du guide suprême, n'excluons pas un arrangement. Ouâsh doit réellement se soumettre, et ses soldats rendre leurs armes.

— Nous n'avons pas le droit de rêver, précisa Scorpion. Crocodile et ce Libyen cherchent à nous détruire, et cette démarche ne vise qu'à nous tromper. N'écoutons pas ce Piti et renvoyons son cadavre à son maître.

— Refuserais-tu toute possibilité de paix ? s'inquiéta Cigogne.

— L'heure est à la guerre, et seulement à la guerre ; ne pas le comprendre serait offrir la victoire aux envahisseurs et nous condamner au néant.

Chacun attendit la décision de Narmer ; mais le roi se leva et descendit sur la berge.

Scorpion eut envie de le suivre ; du regard, il consulta Neit qui lui donna son approbation.

*

Narmer peinait à se remettre de l'assaut mené contre le fortin. Lui, l'héritier de l'âme des clans, n'avait pas encore été animé d'une telle fureur, capable de renverser des obstacles semblant indestructibles. En s'assimilant au Taureau, il avait perçu la puissance à son apogée, accompagnée du feu de Lion, de la fureur d'Éléphante et du courage d'Oryx. Comme la douceur de

Gazelle paraissait lointaine, presque inaccessible ! Cependant, en mourant pour la paix, elle en avait inculqué le goût à Narmer, et la vieille Cigogne prolongeait son idéal.

— Ne te laisse pas abuser, recommanda Scorpion. Le Libyen et son allié, Crocodile, te tendent un superbe traquenard !

— Et si la peur contraignait le guide suprême à négocier ?

— La peur... Peut-être la ressent-il, en effet ! Alors, il n'a qu'une idée en tête : supprimer la cause de ses angoisses, donc nous exterminer. Au lieu d'un choc frontal, il préfère la ruse. S'il parvient à te tuer en t'attirant dans un piège, il perdra un minimum de soldats et détruira le moral de nos troupes.

— Je partage ta vision.

Scorpion se détendit.

— M'autorises-tu à renvoyer au guide suprême la dépouille de son ambassadeur ?

— Impossible, puisqu'il me conduira à l'endroit où je rencontrerai Ouâsh.

— Je ne te comprends plus, Narmer !

— Nous choisirons ce lieu, nous prendrons les précautions nécessaires et, néanmoins, un piège mortel m'attendra.

— Pourquoi courir autant de risques ?

— D'une part, nous pouvons nous tromper en refusant de croire à la sincérité du Libyen ; d'autre part, en déjouant sa probable tentative d'assassinat, nous troublerons sa pensée au point de lui faire commettre des erreurs.

— À condition de survivre !

— Tu as perçu, n'est-ce pas, ce qui s'était produit lors de la destruction du fortin ?

Scorpion scruta l'esprit de son frère.

Et il comprit sa stratégie !

— Tu adoptes la meilleure décision, jugea-t-il, enthousiaste.

Narmer, lui, demeurait d'une surprenante froideur.

— Mon plan comporte une faiblesse...

— Laquelle ?

— Il me faudrait un ambassadeur à la fois habile et téméraire.

Scorpion eut un sourire éclatant.

— Oserais-tu prétendre que tu ne l'as pas trouvé ?

- 19 -

— Debout, Piti! exigea Scorpion.

Plaçant les mains devant ses yeux, le Libyen se tassa contre la paroi de la cabine où il avait été enfermé.

— À quoi bon me tuer? Je suis venu sans armes, juste pour négocier!

— Conseiller du guide suprême… Tu n'es pas n'importe qui.

Les joues de Piti gonflèrent et s'empourprèrent. Ce superbe jeune homme aux yeux fascinants allait le torturer afin de lui extirper un maximum de renseignements.

— Nous avons édifié une ligne de fortins comparables à celui que ton roi a détruit, avoua-t-il. Ouâsh réside dans une place forte imprenable.

— Il n'a donc pas envie de s'incliner.

— Si, oh si! Vos succès l'ont désorienté, il admire la puissance; et la vôtre semble supérieure à la sienne. Ne tirerons-nous pas avantage de la paix?

— Telle est la conviction de Narmer.

Piti poussa un long soupir de soulagement; sa mission était réussie!

— Je serai ton homologue, annonça Scorpion. Tu me montreras divers lieux de rencontre possibles, j'en choisirai un et j'y amènerai Narmer.

ET L'ÉGYPTE S'ÉVEILLA

*

Le Vieux remâchait son mécontentement ; à son âge, être contraint de participer à cette expédition insensée qui se terminerait forcément par un bain de sang ! Seule satisfaction : le déplacement s'effectuait en bateau. À bord de ce bâtiment plus léger que les navires de guerre, une dizaine de rameurs, quelques archers, Scorpion, Piti et Ina, la belle Sumérienne. En la voyant embarquer, Fleur avait piqué une crise de nerfs, tout en redoutant de ne pas revoir son amant, proie tentante pour les Libyens.

Le Vieux partageait ses craintes. Déçus de ne pas mettre la main sur Narmer, les envahisseurs se contenteraient d'abattre Scorpion et son escorte ! Se jeter ainsi dans la gueule du fauve... Quelle folie !

La nourriture était abondante, le vin fruité, la navigation paisible, le paysage enchanteur. Le Vieux savourait chaque instant, pressentant une interruption brutale de sa longue existence. Insatiable, Scorpion faisait l'amour à la Sumérienne qui se voulait indifférente mais se laissait emporter au cœur d'un tourbillon de plaisirs.

Le Vieux détestait Piti. Veule, sournois et lâche, il transmettait les mensonges de son maître, avec l'espoir de ne pas en être la victime.

— Nous approchons de notre ligne de défense, déclara-t-il, et nos archers vont tirer ! Avertis ton seigneur, cessons d'avancer !

Redoutant une flèche perdue, le Vieux osa déranger Scorpion, lequel prit l'avertissement au sérieux. Les cheveux défaits, la Sumérienne garda sa dignité.

La voile fut amenée, le bateau accosta, on jeta une ancre formée d'une corde épaisse et d'une grosse pierre.

— Voici un excellent endroit pour la rencontre, estima Piti.

Scorpion regarda autour de lui.

Des roselières, des forêts de papyrus, des acacias, des saules, des sycomores... Reptiles et Libyens pouvaient s'y cacher aisément.

— Excellent... de ton point de vue.

Le ton de Scorpion inquiéta Piti.

— Ce n'était qu'une proposition !

— Cette formidable ligne de défense... montre-la-moi.

— Tu ne seras pas en sécurité, tu...

— Aurais-tu organisé un guet-apens ?

— Non, bien sûr que non !

— Alors, guide-moi.

— Toi et moi, seuls ?

— Aurais-tu peur ?

— Cette végétation cache tant de prédateurs !

— Je ne les crains pas et je te protégerai.

Vaguement rassuré, Piti jugea préférable d'obtempérer. Il regrettait son escorte, retenue prisonnière au campement de Narmer, et se hâta de progresser en direction du territoire que contrôlait Ouâsh. Piti jugeait Scorpion particulièrement dangereux et ne se sentait pas de taille à le semer : aussi le conduisit-il à l'orée des hautes herbes d'où il découvrit le premier des fortins formant la frontière libyenne.

Tour crénelée, murailles élevées, guetteurs, espace dégagé devant le portail d'accès par des fantassins armés de lances.

— Voici l'endroit parfait, estima Scorpion, à la surprise de Piti. Dis à ton maître que Narmer le rencontrera ici, à la nouvelle lune.

*

Conformément aux instructions de Crocodile, ses espions s'étaient gardés d'intervenir, se contentant d'épier le bateau ennemi et de suivre Scorpion. Étonnés, ils le virent s'engager avec Piti dans un massif de roseaux et déboucher près de l'esplanade précédant le premier fortin de la ligne de défense libyenne.

Abandonnant Piti, Scorpion avait rebroussé chemin et regagné le bateau que les reptiles auraient volontiers détruit avant de déchiqueter les membres de l'équipage. Profitant du vent, il était rentré à la base militaire de Narmer, non sans faire de nombreux détours en explorant les environs.

Muni de rapports détaillés, Crocodile les avait communiqués au guide suprême à l'emplacement même du futur guet-apens ; l'examen attentif de la topographie satisfit Ouâsh.

— Ce Scorpion est un médiocre stratège, constata-t-il ; son choix déplorable condamne Narmer. Nous dissimulerons nos soldats à l'intérieur des papyrus, de manière à l'encercler, et je masserai plusieurs bataillons derrière le fortin. Quand ils attaqueront, Narmer et son escorte seront pris au piège.

— Pourquoi une telle erreur ? s'inquiéta Crocodile. D'après Piti, Scorpion est un personnage redoutable.

— Ses capacités de guerrier ne le rendent pas toujours lucide ; ce terrain dégagé lui apparaît plus sûr que le fouillis végétal. En cas de danger, il pense pouvoir revenir rapidement au bateau qui aura transporté Narmer, à condition de longer les massifs de roseaux et d'emprunter la berge où seront postés tes reptiles. Réflexion faite, à la place de Scorpion, je n'aurais pas trouvé de meilleur endroit.

— Que t'a appris Piti ?

— La flotte ennemie l'a beaucoup impressionné, Narmer également. Autoritaire, observateur, silencieux... et assisté de cette maudite magicienne ! J'ai hâte de la tenir entre mes mains. Jamais personne n'a souffert comme elle souffrira.

*

La nuit prochaine naîtrait la nouvelle lune; en partant à l'aube, Narmer atteindrait au couchant l'endroit où il rencontrerait Ouâsh, le guide suprême, afin de recevoir sa soumission.

Encore vibrante des moments d'amour intense qu'ils venaient de partager, Neit se lova contre son époux.

— Impossible de croire à la sincérité du Libyen, murmura-t-elle. Grâce aux conseils de Crocodile, ce menteur veut t'attirer dans un traquenard mortel!

— Je n'en doute pas, mais Scorpion a pris les précautions nécessaires.

— Seront-elles suffisantes?

— Je ne saurais te mentir...

— Soit tu renonces, soit je t'accompagne!

— Nous devons mener cette guerre jusqu'à un terme, victoire ou défaite; échapper à ce guet-apens marquera une étape décisive. Si j'échoue, tu commanderas notre armée et tu poursuivras le combat.

Narmer étreignit son épouse, leurs lèvres s'unirent comme s'il s'agissait de leur dernier baiser.

Puis il la contempla, les yeux remplis d'admiration.

— La déesse des origines t'a élevée au rang suprême de prêtresse, et tu m'as offert ton amour; quel autre homme, depuis la naissance de ce monde, a bénéficié d'un tel honneur? Je n'étais qu'un petit pêcheur, habitué à survivre dans les marais du Nord; la magie de notre union m'a dévoilé un horizon insoupçonné, la création d'un pays nouveau où régnera la loi du gouvernail.

— La déesse m'a guidée vers toi, et nous accomplirons ensemble sa volonté.

— Je partirai en tête, annonça Narmer, suivi d'un second bateau; toi, tu commanderas le reste de la flotte et tu te tiendras à bonne distance, en attendant mon signal. Seule la mort m'empêchera de te l'envoyer.

- 20 -

Le Vieux ne comprendrait jamais Scorpion. Les cheveux au vent, la tête haute, l'allure tranquille, il ne donnait pas l'impression d'un condamné à mort. Pourtant, ni lui ni les membres de son escorte n'avaient la moindre chance de sortir vivants de ce traquenard. Le navire amiral et celui de Scorpion avaient connu une navigation tranquille avant d'accoster, non loin du lieu de rencontre prévu. Et l'ambassadeur allait au-devant afin de préciser, avec son homologue, les modalités du protocole.

« Protocole, pensait le Vieux, plutôt une boucherie ! »

— Ne penses-tu pas que nous sommes épiés ? demanda-t-il à Scorpion.

— Les espions de Crocodile ne nous lâchent pas des yeux.

— Et ça ne te contrarie pas ?

— Narmer prononcera la formule qui les aveuglera.

— Et les Libyens… Existe-t-il une formule capable de les repousser ?

— Bien sûr.

— Laquelle ?

Scorpion brandit sa massue.

— C'est ce que je craignais ! Tu rêves d'abattre des dizaines de fantassins armés jusqu'aux dents.

— M'en croirais-tu incapable ?

— Le chef de ces barbares n'a pas l'intention de négocier, et...

— Tu ne m'apprends rien, le Vieux.

— Alors, sois raisonnable et battons en retraite !

— Je déteste ce mot-là, il a l'odeur de la charogne ; la vraie joie ne consiste-t-elle pas à repousser sans cesse ses limites ? En affrontant les envahisseurs, nous découvrirons notre propre valeur. N'est-ce pas exaltant ?

Le Vieux préféra se taire. À chaque pas, il redoutait une attaque-surprise ; en écartant les roseaux, ne découvrirait-il pas la lance d'un Libyen ?

Nul incident ne se produisit et, à la dernière heure du jour, Scorpion et sa modeste troupe atteignirent l'orée des hautes herbes, face au fortin. Quantité de soldats étaient massés devant son accès ; aux créneaux, des archers.

Entouré de solides gaillards, Piti vint à la rencontre de son homologue.

La mine réjouie, le Libyen ne ressemblait plus au détenu apeuré, frôlant l'évanouissement en présence de Narmer.

— Content de te revoir, Scorpion ; as-tu amené ton roi ?

— Je n'ai qu'une parole ; Ouâsh est-il prêt à se soumettre ?

— La parole du guide suprême ne varie pas !

— Demande-lui de s'avancer.

— Je ne vois pas Narmer...

— Il se trouve derrière moi, juste après la première rangée de roseaux. Lui et ton maître s'entretiendront à l'abri des yeux et des oreilles. Pendant ce temps, nous pourrions nous désaltérer.

— Bonne idée ! Je vais chercher à boire et prier le guide suprême de rejoindre Narmer.

En retournant au fortin, Piti reçut des informations rassurantes ; l'encerclement prévu était en cours, et les reptiles de Crocodile se disposaient pour empêcher toute tentative de fuite.

La vanité de Narmer et l'arrogance de Scorpion avaient endormi leur méfiance · cédant à l'illusion de leur première victoire, ils croyaient à la reddition d'Ouâsh !

À la vue des porteurs de jarres de vin, le Vieux se détendit ; au moins, il ne périrait pas le gosier sec.

— Fêtons la paix ! souhaita Piti.

— Ne serait-ce pas prématuré ? questionna Scorpion.

— Nos deux souverains parviendront à un accord, j'en suis persuadé ! Buvons à leur entente.

Le Vieux acquiesça et goûta un cru médiocre ; décidément, cette aventure tournait mal.

— Pourquoi ton maître tarde-t-il ? s'étonna Scorpion.

— Le voici !

Encadré de porteurs de lances, Ouâsh sortit du fortin et progressa lentement en direction de la limite des hautes herbes où se tenait la délégation de Narmer. Le front ceint d'une étoffe, vêtu d'une longue robe, le guide suprême se figea à deux pas de Scorpion.

— Es-tu Narmer ?

— Non, son serviteur. Toi, es-tu le guide suprême des Libyens ?

L'interpellé eut un haut-le-corps.

— Comment oses-tu en douter ?

Scorpion planta son poignard dans le ventre de l'enturbanné et le Vieux, rapide et précis, trancha les jarrets des fantassins.

Piti détala, appelant à la rescousse le bataillon proche du fortin.

— Décampons, proposa le Vieux, alors que Scorpion achevait les membres de l'escorte du faux guide suprême.

— Garde ton sang-froid.

À la tête d'une centaine de soldats, Piti s'étonna de voir un si petit groupe lui tenir tête. Écartant les bras, le conseiller d'Ouâsh stoppa la ruée.

— Pourquoi cet assassinat ?

— Parce que ce simulateur n'était pas ton chef. Soigneusement à l'abri, il a tenté de m'abuser.

— Qui te l'a appris ?

— En tendant ce piège, un lâche ne pouvait pas s'exposer. Mon roi, lui, a tenu parole.

Piti eut un rictus de satisfaction.

— Il va mourir, Scorpion, et toi aussi !

La meute libyenne s'ébranla, tellement certaine de sa supériorité qu'il était inutile de se hâter.

Scorpion recula, jusqu'à heurter les roseaux qu'il écarta d'un geste ample.

— Regarde mon roi, Piti.

Apparut le taureau brun-rouge, flanqué des deux lionnes. Le premier grattait le sol de ses sabots, les fauves feulaient.

Stupéfaits, les agresseurs hésitèrent, et Piti fut incapable de donner un ordre clair. Ressentant le trouble de l'adversaire, le taureau fonça, ses longues cornes en avant, et les lionnes bondirent. Scorpion et son escouade se joignirent à eux, le Vieux compris, ravi de massacrer du fuyard.

Alertés, les Libyens dissimulés dans la végétation tentèrent d'en jaillir, mais Narmer et ses archers les guettaient. Grâce à la précision de leurs tirs et malgré leur infériorité numérique, ils semèrent une véritable panique ; désemparés, leurs adversaires refluèrent vers le fortin.

Le roi ordonna à l'émissaire de Cigogne de s'envoler et de fournir à Neit le signal prévu.

Lorsque Scorpion et Narmer établirent leur jonction, un seul regard leur suffit pour continuer l'offensive, à un contre dix. Outre les ravages causés, le taureau et les lionnes, à la rage inépuisable, provoquaient la terreur.

Aux créneaux, les archers libyens ne pouvaient tirer, craignant de toucher les leurs ; et Piti, dès qu'il franchit le portail, le fit aussitôt refermer, abandonnant une partie de ses troupes à leurs poursuivants.

Déchaîné, Scorpion progressait à coups de massue, fracassant crânes ou poitrines, et le Vieux suivait son sillage sanglant.

— Revenez tous auprès de moi ! exigea Narmer, inquiet de la rapidité de cette percée.

Un second piège n'avait-il pas été tendu ?

Le taureau et les lionnes furent les premiers à obéir ; le Vieux dut héler Scorpion à plusieurs reprises, alors qu'il s'approchait du portail. Reprenant enfin son souffle, le jeune guerrier obtempéra et rejoignit son frère.

— J'étais sur le point de les exterminer, protesta-t-il, et le taureau aurait défoncé les murs !

— Ce bataillon-là n'était qu'un leurre, destiné à nous attirer au plus près du fortin.

Semblables à une nuée de fourmis, les renforts massés derrière la tour se déployèrent en occupant l'esplanade.

Le taureau meugla, Narmer le caressa ; soucieuses, les deux lionnes se collèrent à leur maître. De dépit, le Vieux cracha.

— Une marée de peigne-culs... Avant de crever, on va en défriser le maximum.

- 21 -

Du haut de la tour, Piti se réjouissait du spectacle; le guet-apens organisé par Crocodile et le guide suprême était un franc succès. En croyant à une victoire facile, Narmer et ses acolytes avaient eu le tort de dévoiler leurs maigres effectifs.

Archers et lanciers libyens attendaient l'ordre d'assaut; ils viseraient en priorité les bêtes, le roi et Scorpion.

Savourant son triomphe, Piti prenait son temps. Transis de peur, les condamnés constataient leur défaite; Narmer perdait à la fois le Nord, le Sud et la vie. Empalé, son cadavre serait présenté aux troupes libyennes, qui acclameraient le guide suprême, et aux villageois, à jamais soumis.

Une cigogne survola le massif de roseaux, décrivit un cercle au-dessus du roi et s'éloigna, hors de portée des flèches ennemies.

— Nous attaquons les premiers, décida Narmer.

L'ouïe fragile, le Vieux pensa avoir mal entendu : en voyant Scorpion s'élancer, il fut contraint d'accompagner son maître afin de le protéger.

Et le galop furieux du taureau brun-rouge fit trembler le sol.

Déconcertés, les Libyens attendaient les ordres; les uns refluèrent, les autres tentèrent de résister à la charge de leurs adversaires. Plusieurs flèches atteignirent leur cible, sans briser l'élan du taureau, des lionnes et de Scorpion, blessé au flanc; Narmer maintenait la cohésion de ses hommes, s'évertuant à protéger leur souverain.

Mais le nombre ne tarderait pas à l'emporter sur le courage. Et personne n'aperçut un archer libyen viser la tête de Narmer.

À l'instant où il allait relâcher la corde, un long silex pointu se ficha dans son front. Provenant de l'ouest, le gros de l'armée, sous le commandement de la reine Neit qu'avait alertée la messagère de Cigogne, rééquilibrait les forces en présence.

S'apprêtant à baisser les bras, le Vieux eut de nouveau envie de vaincre; et Scorpion, ignorant la douleur, bondit jusqu'au portail que percutaient les cornes du taureau, couvert de sang.

La puissance de son coup de massue stupéfia les ennemis qui l'entouraient. Ils eurent le tort de baisser la garde, les griffes des lionnes les lacérèrent. Ensemble, Narmer, Scorpion et le taureau ouvrirent une large brèche.

Piti comprit que la partie était perdue. Utilisant une échelle de corde, il quitta la tour crénelée et, en compagnie d'une vingtaine de fantassins, s'enfuit en direction de la résidence du guide suprême.

*

Cigogne et ses assistantes ne savaient plus où donner de la tête; la victoire, mais à quel prix! Couché sur le flanc, le taureau brun-rouge était sérieusement touché, et les deux lionnes souffraient de nombreuses blessures; Scorpion grimaçait quand le Vieux désinfectait ses plaies à l'alcool de dattes.

Neutralisant les reptiles grâce à la formule de puissance, Neit n'avait pu éviter l'intervention d'éléments isolés qui avaient tenté de barrer la route à l'armée de secours. Le long des berges, aux abords des papyrus et devant le fortin, nombre de braves étaient tombés.

La tunique de Neit était déchirée, une profonde estafilade sillonnait la poitrine de Narmer.

— Rien de grave, affirma-t-il.

— Un onguent te guérira.

Il la serra dans ses bras.

— Tu t'es trop exposée !

— C'était nécessaire ; ta stratégie s'est révélée excellente.

— Jamais le guide suprême ne se soumettra ; Piti, son conseiller, s'est enfui.

— Il lui décrira le combat et parlera de notre détermination !

— Hélas ! Ouâsh aura le temps nécessaire pour préparer une contre-offensive ; serons-nous capables de l'entraver ?

Narmer et Neit félicitèrent chaque soldat, et le Vieux fut chargé d'organiser un banquet avec les provisions de la garnison libyenne. Le vin coula à flots et, le temps de ces réjouissances, on tenta d'oublier la guerre.

*

Des bateaux intacts, un armement supérieur à celui de l'ennemi, des succès inattendus, un courage inébranlable… Narmer disposait de forces inestimables, mais elles s'épuisaient au fur et à mesure de cet impitoyable conflit. Déjà tant de morts et tant de souffrances ! Fallait-il aller au-delà, en sachant que le monstre libyen était à peine égratigné ?

Le roi du Sud ne devait montrer ni doute ni faiblesse ; pourtant, il éprouvait l'un et l'autre. Comment ne pas douter d'une vraie victoire, si lointaine, si improbable ? Comment ignorer la supériorité d'un adversaire qui saurait se reprendre et ne céderait plus un pouce de terrain ?

En s'entre-déchirant, les clans avaient détruit un monde imparfait où régnait cependant une relative harmonie ; lui succédait une barbarie sans limites à laquelle il était peut-être vain de s'opposer.

Narmer ne regrettait pas d'avoir entrepris la reconquête du Nord, mais refusait de s'assoupir en cédant à l'illusion de succès durement acquis. Ce fortin ne marquait-il pas une limite infranchissable ?

Les bateaux étaient bien gardés, des sentinelles disposées aux abords de la bâtisse, des archers postés aux créneaux de la tour et les relèves fréquentes ; à tour de rôle, les combattants goûtaient un repos indispensable. Le roi, lui, ne parvenait pas à dormir, ignorant ce qu'il leur dirait le lendemain.

Délégué du chef de clan Chacal, Geb avait secondé Narmer et Neit lors de l'inhumation des soldats tombés au combat. Ouvreur des chemins de l'autre monde, il incarnait à lui seul les formules de connaissance permettant aux âmes des justes de ne pas s'égarer, et sa présence réconfortait les braves, certains d'être accompagnés pendant le redoutable passage.

Le doux museau de Vent du Nord flatta la main de Narmer ; dans ses grands yeux attentifs, le roi perçut sa compréhension de l'épreuve décisive qu'il traversait. À la tête de son troupeau, l'âne exerçait une rigoureuse discipline et rendait d'inestimables services. Portant armes, provisions et vêtements, les quadrupèdes étaient devenus des auxiliaires indispensables de l'armée de libération. Si un nouveau monde prenait forme, ils seraient associés à sa construction et joueraient un rôle déterminant.

Un curieux bruit alerta Narmer.

Se retournant, il vit Scorpion qui se déplaçait péniblement à l'aide de béquilles.

— Ne devrais-tu pas te reposer?

— D'abord, mes blessures sont presque guéries; ensuite, tu as besoin d'aide. À moi, tu ne peux rien cacher; et je te sens prêt à renoncer.

— Tu ne te trompes pas.

Narmer aida son frère à s'asseoir.

— Je te comprends, avoua Scorpion, et je sais, comme toi, que nos récents exploits ne sont pas décisifs. Nous sommes diminués, et le plus difficile débute, sans grand espoir de parvenir à nos fins.

— Envisagerais-tu d'établir ici une base solide et d'abandonner le reste du Nord au guide suprême?

— Le guet-apens qu'a tendu Ouâsh nous offre une information précieuse : le chef des Libyens n'a pas de parole, et nul accord ne saurait être conclu avec lui. Son pouvoir repose sur le mensonge et la terreur qu'il inspire, dispositif à la fois oppressant et fragile. Jamais le guide suprême ne nous laissera en paix; si nous lui cédons un pouce de terrain, il nous détruira.

Scorpion formulait ce que Narmer redoutait d'entendre.

— Cette guerre ne peut pas s'arrêter, tu l'as dit toi-même. Ou nous vaincrons, ou nous périrons.

— Et vaincre paraît impossible…

— L'ennemi ne se découvre pas, estima Scorpion; il a choisi de nous attendre en nous attirant vers lui. Peu lui importe de perdre plusieurs fortins; lors de chaque assaut, nos forces s'épuiseront. Quand nous serons suffisamment affaiblis, le guide suprême nous achèvera.

— Je refuse de condamner notre armée au néant.

— Qui t'y contraindrait ? Puisqu'une attaque frontale serait suicidaire et que notre stratégie actuelle nous conduit à l'échec, il faut en changer. Souviens-toi ; pour affronter Taureau, nous n'étions que deux, mais animés d'une conviction : frapper à la tête. Ce guide suprême, nous devons le débusquer.

— De quelle manière ?

— Trouvons son lieu de résidence, soyons informés de son système de défense, de ses habitudes, détectons ses points faibles ! Si nous réussissons à l'éliminer, la tyrannie s'effondrera.

— Et cela implique…

— De passer derrière les lignes ennemies.

Scorpion se releva en grimaçant.

— Tu vois, je tiens déjà debout sans béquilles, et mon énergie est intacte ! J'ai hâte de remplir cette mission.

— Mon frère…

— Merci de me la confier, mon roi ; tu ne seras pas déçu.

- 22 -

Subissant la froideur du guide suprême, le regard méprisant d'Ikesh et l'apparente indifférence de Crocodile, Piti relata le désastre. Narmer occupait à présent un fortin de belle taille dont la garnison avait été anéantie; le piège visant à l'éliminer était un échec cuisant.

— Il ne tardera pas à investir un autre fortin, estima le Nubien. Ses intentions sont claires : démanteler peu à peu notre ligne de défense.

— Impossible, objecta Piti. Ses pertes sont sévères, et son petit succès n'est qu'un leurre. Narmer panse ses plaies, soigne ses nombreux blessés et renoncera à progresser en raison de la maigreur de ses effectifs.

Le géant noir toisa le conseiller aux joues gonflées et rougies par l'émotion.

— Comment prendre en compte l'avis d'un incapable ?

— Je ne te permets pas, je...

— Je suis le seul à décider, rappela Ouâsh. Que proposes-tu, Ikesh ?

— Profitons de la courte trêve pendant laquelle Narmer reconstitue ses forces et lançons une attaque massive. Le nombre nous donnera la victoire.

— Tu oublies le taureau, les lionnes et la sorcière ! protesta Piti. Notre bataillon de renfort et la garnison auraient dû suffire à terrasser les assaillants, mais des forces divines les protègent!

Le géant noir haussa les épaules.

— Si j'avais commandé, j'aurais su les contourner et briser la nuque de l'ennemi.

— Je me méfie des ruses de Narmer, trancha le guide suprême, et je n'engagerai pas la totalité de mes troupes, au risque de les voir tomber dans un piège.

— Il existe un moyen simple de connaître les véritables capacités de ce reliquat d'armée, intervint Crocodile de sa voix rauque, et sans risquer la vie d'un seul Libyen.

Ouâsh parut surpris.

— Aurais-tu des alliés prêts à se sacrifier?

— Narmer a vaincu les Vanneaux du Sud, pas ceux du Nord, qui sont mes esclaves dociles. Je vais leur ordonner de se ruer en masse sur les bateaux en bois et de leur causer des dommages irréparables. Quantité de soldats mourront en les défendant et, même si les Vanneaux sont exterminés, il ne nous restera qu'à achever nos derniers adversaires. Et l'on peut espérer que le général Gros-Sourcils aura l'occasion d'assassiner Narmer.

*

Le Vieux toussait, les quintes le rendaient d'une humeur massacrante. Il se résolut à consulter Cigogne qui s'occupait des blessés, dont la guérison, grâce à l'efficacité des onguents, serait assez rapide. La vieille dame lui prescrivit un mélange de miel, de cumin et de coloquinte qu'il devrait absorber plusieurs fois par jour jusqu'à un complet rétablissement.

Le fortin avait été fumigé, de strictes mesures d'hygiène appliquées; les soldats reprenaient de la vigueur, appréciaient le temps de repos qu'accordait le

134

roi. Il permettait aussi un examen attentif des bateaux, en excellent état, et la réparation de certaines voiles.

Le Vieux s'apprêtait à savourer une première sieste quand Fleur, désemparée, l'apostropha :

— Où est Scorpion ?

— Parti.

— Parti… Qu'est-ce que ça signifie ?

— Je ne peux rien te dire.

— La Sumérienne a disparu ! L'a-t-il emmenée ?

— Désolé, je suis soumis au secret.

Hystérique, la jeune femme brandit un gourdin.

— Parle, vieil ivrogne, ou je te roue de coups !

La donzelle ne plaisantait pas, et le Vieux craignit d'être bastonné.

— Calme-toi, ordonna la voix posée et impérieuse de Neit.

Fleur se retourna vers la reine.

— Je veux savoir ! Qu'est-il arrivé à Scorpion ?

— Il remplit une mission particulièrement périlleuse.

Lâchant son gourdin, la jeune femme éclata en sanglots.

— Pourquoi ne m'en a-t-il pas parlé ? Et la Sumérienne… L'a-t-il emmenée ?

Neit prit Fleur par les épaules.

— Scorpion risque sa vie pour nous permettre de vaincre les Libyens. Respectons sa manière d'agir, et prions la grande déesse de le protéger.

L'excitation de Fleur retomba, mais elle se sentit humiliée comme elle ne l'avait jamais été ; c'était à cette Sumérienne que Scorpion accordait sa confiance. Si l'étrangère revenait indemne, elle la tuerait.

*

Vêtu d'un pagne libyen prélevé sur un mort, les cheveux bouclés, la barbichette en pointe, Scorpion ressemblait à un sujet du guide suprême, accompagné d'Ina, hautaine et superbe.

Lors de leur arrivée au premier village occupé, les paysans leur témoignèrent de la considération et leur offrirent à manger, craignant la colère de ce militaire, armé d'un arc et d'un poignard. Un Libyen mécontent pouvait se livrer aux pires exactions.

Scorpion s'étonnant de l'absence de soldats, on lui indiqua que le capitaine du poste de garde avait emmené ses hommes inspecter le hameau voisin.

L'endroit ne fut pas difficile à trouver, car une fumée nauséabonde en montait. Une fillette refusant de se livrer à l'officier et son père ayant tenté de la défendre, le Libyen les avait égorgés. À leurs cadavres s'étaient ajoutés ceux des membres de la famille, et le tortionnaire, sous les rires de ses subordonnés, avait mis le feu au charnier.

Scorpion et Ina s'approchèrent.

— Je ne te connais pas, toi. D'où viens-tu?

— Tournée d'inspection. Le commandant suprême veut savoir si tout est tranquille.

Le gradé arbora un large sourire.

— Constate-le, nous appliquons les consignes d'Ikesh! À la moindre tentative de révolte, je sévis.

— Pas de rebelles signalés?

— Les trois patrouilles quotidiennes n'ont rien décelé d'anormal. L'offensive adverse s'est interrompue; dès qu'elle reprendra, nous réagirons. Ikesh sera aussitôt prévenu.

— Ces bandits occupent le premier fortin de notre ligne de défense; je dois me rendre au deuxième et vérifier qu'il est bien en état d'alerte.

— Le contraire m'étonnerait!

— Moi, j'obéis aux ordres.

Le capitaine dévorait des yeux la belle Sumérienne.

— Ton épouse ?

— Prise de guerre. Elle est robuste et porte mes bagages.

— Serais-tu… prêteur ?

— Faut voir… En échange de quoi ?

— Tu te sers à volonté dans le hameau : nourriture et filles.

— J'aimerais surtout une escorte pour me rendre au deuxième fortin ; j'ai échappé de peu à des rebelles et je souhaite me sentir en sécurité.

— Pas de problème, marché conclu ! Alors… je peux en profiter ?

La Sumérienne jeta un regard méprisant au soudard qui allait la violer ; si elle parlait, Scorpion serait arrêté et exécuté. N'était-il pas responsable des sévices qu'elle devait subir, n'aurait-elle pas envie de se venger ?

Elle se laissa entraîner à l'ombre d'un sycomore et Scorpion, impassible, attendit que le Libyen prît son plaisir.

Essoufflé, il paraissait enchanté de sa conquête.

— Elle n'est pas très coopérative, mais quelle femme splendide ! Avant de partir, on va faire la fête. Nos esclaves nous serviront de l'agneau grillé et de la bière.

Sans dire un mot, Ina revêtit sa tunique et revint au côté de son maître et seigneur.

— Je n'en ai pas fini avec toi, promit le capitaine. Après avoir bien bu, tu seras plus délurée et tu m'apprécieras mieux.

Le regard d'Ina fut si méprisant qu'il réfrigéra le violeur ; contrarié, le Libyen se promit de lui infliger les pires outrages.

Indifférent, Scorpion apprécia le repas et choisit une jeune paysanne que la beauté du guerrier éblouit au point d'atténuer sa peur ; se laissant séduire, elle s'abandonna. Les ébats terminés, elle répondit aux questions de son amant et le renseigna sur la stratégie de terreur de l'occupant, les tournées d'inspection d'un géant noir nommé Ikesh, considéré comme le bras droit du guide suprême.

Les cheveux défaits, le cou marqué de morsures, chancelante, Ina vint s'allonger à côté de Scorpion.

— Rassure-toi, murmura-t-elle, je n'ai pas prononcé un seul mot.

- 23 -

Le Vieux n'était pas un adepte forcené de la baignade, du savonnage et des onguents protecteurs, mais il devait se conformer aux consignes promulguées par Cigogne, dont nul ne contestait l'efficacité. L'absence de Scorpion lui pesait ; une absence sans doute définitive, car comment imaginer que ce guerrier aux initiatives insensées reviendrait vivant de sa mission ? Fleur ne se remettait pas de son abandon, et passait ses journées à pleurer sur elle-même. Anxieux, de nombreux soldats regrettaient le départ d'un combattant hors pair capable, à lui seul, de désorganiser l'adversaire.

Sa coupe de vin blanc matinale absorbée, le Vieux longea la berge jusqu'à un passage menant au fleuve. Toujours réticent au contact avec l'eau, il se lavait le visage lorsque des bruits de voix l'alertèrent. Ils provenaient d'un épais fourré de papyrus d'où s'envolèrent une huppe et deux jeunes hérons.

Le Vieux se mit à plat ventre, écarta deux hautes tiges et tendit l'oreille.

Des Vanneaux... des dizaines de Vanneaux se préparaient à attaquer les bateaux de Narmer ! S'il bougeait, le Vieux serait repéré et tué ; s'il se pétrifiait, la masse de ces gueux profiterait de l'effet de surprise et causerait à la flotte d'irrémédiables dégâts.

Ondulant à la surface de l'eau et s'approchant du guetteur à belle vitesse, un serpent vert le contraignit à prendre une décision : déguerpir. Retrouvant ses jambes de vingt ans, le Vieux escalada la berge, redoutant d'être assommé par un bâton de jet ; mais sa promptitude lui évita tout désagrément et il parvint, essoufflé et indemne, à rejoindre le navire amiral.

— Alerte, cria-t-il, les Vanneaux attaquent !

Préparés à ce genre d'incident, les archers réagirent en quelques instants et gagnèrent leur poste de défense. Neit revêtit Narmer de la peau de lion ayant appartenu au chef de clan défunt, puis courut à la proue afin de déclencher la fureur des flèches de la déesse.

Les braiments de Vent du Nord et les aboiements de Geb réveillèrent les assoupis, et chaque soldat fut bientôt en état de lutter contre la vague de Vanneaux jaillissant de la végétation.

Précises, les flèches décimèrent les meneurs ; et la vue de Narmer, avançant vers l'ennemi, encadré de ses deux lionnes feulantes aux babines retroussées, sema la panique. Des acharnés tentèrent, en vain, de rameuter la troupe, et le manque de discipline rendit les Vanneaux inopérants. Incapables de s'approcher des bateaux, ils battirent en retraite.

Espérant se réfugier dans la forêt de papyrus, les fuyards se heurtèrent à un obstacle inattendu : sortant de l'eau, une centaine de poissons-chats monstrueux leur barrèrent le chemin.

— Piétinons-les ! préconisa un agité, se ruant à la rencontre des créatures menaçantes.

Plusieurs de ses congénères crurent assister à une scène incroyable : brandissant un bâton, le chef des silures brisa les jambes de l'agresseur [1].

---

1. D'après l'iconographie, le poisson-chat de Narmer est pourvu de bras qui manient un bâton pour frapper l'ennemi.

*

— Narmer... c'est Narmer qui a frappé! s'écria un Vanneau, grièvement blessé.

Les habitants du bord du Nil s'immobilisèrent, pris au piège. D'un côté, les soldats du roi du Sud; de l'autre, les poissons-chats, animés d'une force surnaturelle. Accablés, ils déposèrent les armes et s'agenouillèrent.

— Qui vous a ordonné d'attaquer? demanda Narmer.

— Crocodile, répondit un barbu à la voix chevrotante. Il nous avait promis une victoire facile!

— Exterminons ces imbéciles, recommanda le général Gros-Sourcils; nous en serons enfin débarrassés.

Narmer caressa ses deux lionnes, apaisées, ôta sa peau de fauve et s'approcha des Vanneaux, terrorisés et les yeux baissés. Quelle sorte de mort leur infligerait le vainqueur?

— Depuis le début de ce conflit, déclara-t-il, vous avez commis la grave erreur d'obéir aux forces de destruction; cette nouvelle défaite conduit à l'anéantissement de votre peuple.

Gros-Sourcils approuva d'un hochement de tête.

— Épargne au moins nos femmes et nos enfants! supplia le barbu.

— J'ai mieux à proposer aux Vanneaux : qu'ils s'assurent un avenir en s'enrôlant dans mon armée.

Neit sourit, le général s'étrangla.

Les Vanneaux, eux, se regardèrent d'un air stupéfait, et palabrèrent. Un bourdonnement monta de la masse des vaincus.

Patient, Narmer attendit l'issue des délibérations.

Le barbu se redressa.

— Nous acceptons, affirma-t-il, et nous devenons tes fidèles sujets.

« Narmer est fou, pensa le Vieux; ce ramassis de loques le trahira à la première occasion. »

— Comment pourrais-je croire à ta parole ? Seul mon génie protecteur me garantira son authenticité en éliminant les hypocrites.

Capable de survivre longtemps hors de l'eau, le chef des poissons-chats, aux petits yeux perçants et à l'énorme bouche armée de dents, fendit les rangs des Vanneaux. Se déplaçant de manière saccadée, il s'arrêta près d'un gaillard filiforme et planta dans ses pieds les épines venimeuses de ses nageoires pectorales. Le blessé poussa un cri de douleur, porta les mains à sa gorge, chercha de l'air, s'effondra et mourut.

Le poisson-chat dénicha un second malfaisant ; bousculant ses camarades, l'homme tenta de s'échapper, mais un archer l'abattit.

Le silure rejoignit ses semblables.

— Si l'un de vous songe à trahir, précisa Narmer, il connaît son sort.

— Nous t'obéirons ! promit le barbu.

— Pars d'ici et ramène-moi la totalité de ton peuple. Vous serez nourris et servirez sous mes ordres.

— On peut vraiment… s'en aller ?

— Hâte-toi.

Gros-Sourcils aurait volontiers supprimé cette racaille ; impossible, cependant, de s'opposer à la volonté de Narmer.

D'abord hésitants, les Vanneaux ne tardèrent pas à s'éparpiller.

*

En vidant une jarre d'un rouge charpenté, le Vieux affûtait la lame de son couteau, tandis que le Maître du silex, ronchon, vérifiait une à une des pointes de flèche. La nuit tombait sur le port qu'avaient aménagé les soldats, heureux de voir leurs bateaux intacts.

— Tu es rassuré, toi ? questionna le Vieux.

— Narmer n'a-t-il pas fait un nouveau miracle ?

— Le coup des poissons-chats, ça m'épate ! En revanche, rendre leur liberté aux Vanneaux, quelle erreur ! Ces canailles reviendront nous attaquer, accompagnées d'une horde de crocodiles.

— Tu mésestimes leur frayeur ; aucun n'oubliera l'intervention du poisson-chat. L'animal fétiche de notre chef châtiera les hypocrites.

— Et si c'était vrai ? murmura le Vieux, néanmoins convaincu que les Vanneaux resteraient des ennemis.

— Assez travaillé pour aujourd'hui, estima l'artisan. Une bonne nuit nous redonnera de l'énergie.

Avant de s'endormir, le Vieux songea à Scorpion ; était-il encore vivant, poursuivait-il sa mission suicide ? Des souvenirs de sa lointaine enfance lui remontèrent à la mémoire ; turbulent, voire insupportable, il détestait perdre au jeu et plaisait aux filles. Pourquoi avoir eu l'idée stupide de partir à l'aventure ? Malheureusement inutile, la conclusion s'imposait : on ne devrait jamais quitter son village.

*

Le Vieux déploya lentement ses membres fatigués et se mit debout avec une sage lenteur. La gorge sèche, il s'apprêtait à déguster son indispensable coupe de vin blanc matinale qui réveillait ses organes en douceur.

— Viens voir, vite ! l'apostropha un officier.

Le Vieux détestait être bousculé, surtout au petit matin ; mais le gaillard semblait si bouleversé qu'il traîna sa carcasse à la proue du bateau.

Le spectacle en valait la peine.

D'innombrables Vanneaux s'approchaient, armés de bâtons, accompagnés de leurs femmes et de leurs enfants.

Baigné des rayons du premier soleil, Narmer les attendait, immobile.

— Ils vont le massacrer, marmonna le Vieux.

Le peuple des bords du Nil s'agenouilla ; le barbu sortit des rangs.

— Les Vanneaux se placent sous ton autorité, te jurent fidélité et obéiront à tes ordres.

Estomaqué, le Vieux ne se contenterait pas d'une seule coupe.

- 24 -

Scorpion, la Sumérienne et leur escorte, composée de fantassins au visage buté, arrivèrent en vue de la deuxième forteresse libyenne, comparable à celle dont l'armée de libération s'était emparée. Cette constatation soulagea Scorpion ; l'occupant s'était contenté de reproduire un même modèle, avec sa tour crénelée et ses murs fortifiés en brique, bâtis à la hâte. Repérer ses points faibles procurerait aux assaillants un avantage peut-être décisif.

Des fantassins maniant des lances franchirent le portail et entourèrent les arrivants. Un gradé aux cheveux bouclés dévisagea la Sumérienne.

— Prisonnière ?

— Ma servante, répondit Scorpion.

— Tu es qui, toi ?

— Messager d'Ikesh, en mission d'inspection.

Intrigué, le gradé n'avait qu'une solution.

— Je t'emmène auprès du commandant.

Scorpion n'en espérait pas moins ; ainsi, il verrait l'intérieur de la bâtisse et apprécierait l'importance de la garnison. Il suivit l'officier, sans un regard à Ina, imperturbable.

Les deux hommes pénétrèrent dans une cour carrée où étaient entreposées les armes ; des ouvertures donnaient accès aux dortoirs. Puis ils empruntèrent un escalier menant à la résidence du commandant, située au-dessous de la tour crénelée.

L'officier frappa à la porte de bois, une voix grasseyante lui répondit d'entrer.

— Voici un envoyé spécial d'Ikesh.

— Laisse-nous.

Le maître des lieux était un quinquagénaire à la peau grêlée. Assis sur des coussins, il semblait en mauvaise santé.

— Quelle est ta mission?

— Inspecter les fortins, vérifier l'armement et l'état des garnisons afin de savoir si elles sont en état de repousser l'adversaire.

— Ikesh craindrait-il une attaque massive?

— Exactement.

— Ridicule, l'ennemi ne dispose pas des forces suffisantes pour s'emparer de nos forteresses!

— Je me contente d'exécuter les ordres.

— Entendu, entendu...

Le commandant savait jauger les hommes. Celui-là, Ikesh l'avait bien choisi: courageux, séduisant et dangereux. Inutile d'essayer de l'abuser.

— Bon, je vais te montrer notre arsenal; nous sommes correctement équipés, tu verras! Quant au moral de ma garnison, pas le moindre problème. Elle se sait largement supérieure à l'ennemi et dort tranquille.

Silencieux, Scorpion se laissa guider; redoublant d'amabilité, le commandant ne cacha rien de son dispositif de défense. Et il invita son hôte à déguster un alcool de dattes réservé aux officiers.

— Ton rapport, j'en suis sûr, donnera entière satisfaction à notre cher Ikesh, et il n'aura pas besoin de se déplacer.

— Comment es-tu approvisionné?

146

— De la même façon que le guide suprême! Deux villages voisins nous fournissent les vivres dont nous avons besoin. Au moindre retard, exécution d'un esclave.

— La forteresse du guide est tellement plus vaste...

— Ça, tu peux le dire! J'y suis allé à deux reprises, et j'ai été impressionné par la hauteur de la tour où réside Ouâsh. Vu le nombre de fantassins qui le surveillent en permanence, il jouit d'une parfaite sécurité.

— On ne prend jamais assez de précautions, estima Scorpion.

— Tu partages les inquiétudes de Piti, le conseiller du guide suprême! Pourtant, on murmure qu'Ikesh et lui ne s'entendent pas au mieux.

— Je n'écoute pas les ragots et je me contente d'obéir.

— Entendu, l'ami! Après un bon dîner, tu bénéficieras d'une chambre, d'une natte confortable et d'une femelle; désires-tu autre chose?

— Ton accueil est remarquable, je ne manquerai pas de le signaler. Mon esclave est à ta disposition.

Curieux, le commandant découvrit la Sumérienne; ébloui, il passa l'index sur ses lèvres grasses.

— Tu me la céderais... pour la nuit?

— Fais-en ce qu'il te plaira.

Ina connaissait sa tâche : satisfaire le commandant et lui extirper un maximum d'informations.

*

Tandis que le maître du fortin prenait son plaisir, Scorpion s'entretenait avec les gradés, les fantassins et les archers; leur servant à boire, il profitait de leur ébriété et obtenait mille et une confidences. Provenant de différentes tribus libyennes qu'avait soumises Ouâsh en assassinant leurs chefs, certains n'appréciaient ni le guide suprême ni leur séjour forcé dans le delta ; mais tous redoutaient le géant nubien Ikesh, capable de tuer un adversaire d'un seul coup de poing.

Au matin, la Sumérienne rejoignit Scorpion qui s'était contenté d'un bref repos. Pour la première fois, elle manifesta de la tendresse en lui caressant doucement le visage.

— Cette brute est bavarde, révéla-t-elle. Il existe dix fortins, et le guide suprême réside dans le dernier et le plus massif, situé au nord de la ligne de défense. Deux villages réduits en esclavage lui procurent les denrées nécessaires à son bien-être, et des troupes d'élite garantissent nuit et jour la sécurité d'Ouâsh, seul à décider de tout. Il n'accorde une confiance relative qu'à deux hommes, son conseiller Piti, rusé et détesté, et un géant noir, Ikesh, redouté en raison de sa cruauté. Selon le commandant, Ouâsh aime tendre des pièges en attirant l'ennemi sur son terrain. Son obsession : éliminer d'éventuels rivaux. Dernier détail : le commandant a le cœur fragile.

— Superbe travail, reconnut Scorpion. Nous allons examiner de près la forteresse du guide suprême et déceler ses failles.

— N'as-tu pas déjà pris trop de risques ?

— Aurais-tu peur, Ina ?

— Je ne connais qu'une crainte : te perdre.

Ses longs cheveux se répandirent sur le visage de Scorpion et ses lèvres surent éveiller son désir.

*

— Le commandant veut te voir immédiatement, déclara un gradé accompagné de deux fantassins.

Scorpion mangea un dernier morceau de galette et obtempéra ; la convocation ne le surprenait pas.

À la suite de ses excès nocturnes qui l'avaient épuisé, le maître du fortin était d'une pâleur inquiétante.

— Tu poses beaucoup de questions, estima-t-il.

Scorpion délia le cordon fermant un petit sac accroché à la ceinture de son pagne, dans son dos.

— Je remplis ma mission.

— Ta mission… au service de qui ?

— D'Ikesh, je te l'ai dit.

— Et si tu avais menti ? Si tu étais un espion aux ordres de l'ennemi ?

Scorpion sourit.

— Belle perspicacité.

— Tu… Tu avoues ?

— J'apprécie l'intelligence et tu n'en manques pas. Malheureusement, elle te condamne.

— Tu vas parler, maudit espion !

— Je m'appelle Scorpion et je sers Narmer, le roi du Sud ; grâce à toi et à tes officiers, j'ai recueilli de précieuses informations qui nous aideront à vaincre les Libyens.

— Crois-tu sortir vivant de mon fortin ?

— Sans nul doute. Toi, en revanche… Tu devrais te retourner lentement, très lentement.

Douce et persuasive, la voix incita le commandant à observer la recommandation de son prisonnier.

Sur le mur, sa corne pointée, un énorme scorpion noir, à la hauteur du visage du Libyen.

— Ne bouge pas, conseilla Scorpion. Sinon, il se sentira menacé et frappera.

Déjà affaibli, le cœur du commandant lâcha. Ses yeux se révulsèrent, une douleur atroce lui perça la poitrine, il s'effondra.

— Tu n'as même pas eu besoin d'utiliser ton venin, dit Scorpion à son allié, avant qu'il ne regagnât le sac.

Le jeune homme ouvrit la porte et appela au secours.

— Un malaise, expliqua-t-il aux officiers venus constater le décès.

Méticuleux, l'un d'eux nota l'absence de traces de lutte.

— Ce n'était pas le premier, précisa-t-il. Depuis plusieurs jours, le commandant déclinait à vue d'œil. Il faut le remplacer.

— Je me rends à la résidence du guide suprême, annonça Scorpion, afin de lui présenter mon rapport. Je lui relaterai les événements, il vous communiquera sa décision. En attendant, que le plus âgé exerce l'intérim. Et ne relâchez surtout pas votre vigilance.

- 25 -

Gros-Sourcils était stupéfait. Contrairement à ses prévisions, les Vanneaux observaient la discipline militaire, se conformaient aux instructions, se montraient endurants à l'exercice et commençaient à devenir de véritables soldats ! Narmer en personne formait des bataillons et choisissait, parmi ses nouveaux sujets, les plus doués pour commander, sans oublier d'encourager les hommes de troupe. Et quand la reine venait les féliciter, ils redoublaient d'ardeur.

Le général Gros-Sourcils s'interrogeait. Valait-il mieux trahir Narmer au profit des Libyens et de Crocodile, ou combattre au côté du roi du Sud dont la nouvelle armée, encadrée par des guerriers expérimentés, avait une chance réelle de vaincre ? Prendre une décision définitive semblait prématuré, le vent pouvant tourner. Jouissant de la confiance de Narmer, le militaire saurait tirer profit des circonstances.

Correctement abreuvé, le Vieux tentait en vain de réconforter Fleur ; persuadée que Scorpion ne reviendrait pas de sa mission suicide, elle se laissait dépérir.

— S'il te retrouve efflanquée et laide, assura-t-il, il ne voudra plus de toi.

— Il est parti avec sa Sumérienne...

— Et alors ? Il l'utilise !

Le terme parut rassurer Fleur.

— Nourris-toi, petite, et redeviens coquette; la mort ne s'est pas emparée de Scorpion.

— Tu... Tu en es sûr?

— À mon âge, on a de l'intuition.

Fleur accepta la purée de fèves, le Vieux croqua des oignons doux; de l'intuition, il n'en avait jamais eu. Au contraire, chaque fois qu'il prenait une initiative, il se fourrait dans les pires ennuis. Et il n'était sans doute pas au bout de ses peines.

Aux abords du navire amiral, on s'agitait; une délégation de Vanneaux demandait audience.

Narmer et Neit les reçurent à la proue.

Un sexagénaire s'exprima au nom de son peuple :

— Nous avons subi l'oppression, l'esclavage, les mauvais traitements et la famine, à cause de pervers aujourd'hui disparus. Les Libyens sont des barbares et des tortionnaires, nous avons décidé de les combattre en nous plaçant sous votre autorité. Quoi qu'il arrive, notre destin est désormais lié au vôtre.

Ces paroles réjouirent le roi qui, néanmoins, demeura impassible. Même si l'étape des Vanneaux était définitivement franchie, cette délégation venait exprimer des exigences.

— Deux forteresses libyennes ont été conquises, rappela le porte-parole; pourtant, les villages proches sont encore aux mains de l'occupant. Nous vous prions, Majesté, de les libérer au plus vite. Alors, notre peuple saura qu'il est bien gouverné et croira à l'avenir.

Discrètement, la main de la reine toucha celle de Narmer.

— Nous agirons dès demain, décida le monarque.

*

Impatients et déterminés, les Vanneaux avaient souhaité occuper le premier rang. Le Vieux, lui, se tenait prudemment à l'arrière, persuadé que cette bande de novices courait au massacre. Les archers libyens jouiraient d'un carnage, et l'issue de cet affrontement risquait d'être tragique.

Quand Narmer en personne prit la tête de la troupe, le Vieux s'étrangla. Pourquoi le roi s'exposait-il ainsi ? Scorpion disparu, Narmer tué, ce serait la débandade des libérateurs et le triomphe des Libyens !

Les Vanneaux acclamèrent leur souverain, accompagné du taureau brun-rouge, ravi de revoir un champ de bataille, et encadré des deux lionnes, à l'œil gourmand. Les animaux imprimèrent un rythme rapide à l'attaque, en direction du premier village.

À la vue du monstre, des fauves, du monarque et de sa vague de guerriers, les sentinelles libyennes cédèrent à la panique. Alertés, les archers s'estimèrent trop peu nombreux pour résister ; et lorsque le taureau encorna un officier qui tentait d'organiser la résistance, les gens de l'arc lâchèrent leurs armes et s'enfuirent à toutes jambes. Deux lambins furent la proie des lionnes.

Averties par leurs camarades affolés, les garnisons de trois autres villages eurent une réaction identique et se replièrent, avec l'intention de se réfugier dans le troisième fortin.

Une centaine de fois, les vainqueurs scandèrent le nom de Narmer ; des scènes de liesse s'accompagnèrent de retrouvailles entre les membres de familles dispersées, et les malades reçurent les premiers soins. Chacun osa sortir de sa hutte, et l'on proposa à Narmer de franchir le seuil de la demeure qu'occupait le responsable libyen de l'occupation.

Un tibia d'hippopotame servait de marchepied, et le roi découvrit un logement confortable, pourvu de nattes en roseau fixées aux parois, d'un lit en bois, d'une vais-selle de pierre, de jarres d'huile et de vin. S'il parvenait à chasser l'envahisseur, le monarque se promit d'offrir à chaque foyer un semblable bien-être.

Jaillissant du fond de l'habitation, un cobra se dressa, en position d'attaque.

Narmer s'immobilisa. Il était à la merci d'une morsure mortelle.

La reine Neit s'avança.

— Tu es la souveraine du Nord, affirma-t-elle, et tu nous aideras à remporter la victoire. Tes yeux sont des étoiles, sur ta langue naviguent les barques du jour et de la nuit, ton corps est couvert de papyrus verdoyants. Accepte mon offrande.

Neit déposa une coupe de lait devant le reptile.

Elle, Ouadjyt, le cobra femelle dont Narmer avait tra-versé le poitrail en sortant de la vallée des Entraves.

Satisfaite, elle regagna les profondeurs de la terre afin de les rendre fertiles.

*

Coiffé de la couronne blanche du Sud, tenant une houe, suivi de deux porte-éventails en plumes d'autruche, Narmer progressa jusqu'au bord d'un canal d'irrigation qu'il avait fait creuser pour amener l'eau du Nil aux villages libérés. Les Vanneaux ne savaient pas utiliser les richesses que la nature leur offrait; confinés au bord du fleuve, proies faciles des préda-teurs, habitant des hameaux où l'existence était trop rude, ils devaient apprendre à façonner un quotidien plus heureux.

Et ce bonheur-là dépendait d'une eau abondante et régulée. Aussi Narmer avait-il choisi l'un des signes de puissance révélés par l'Ancêtre, lorsqu'il lui avait enseigné la langue des dieux. La seconde partie de son nom, *mer*, le ciseau de menuisier, servait également à écrire les mots « houe », « canal » et « amour ». En maniant la houe, le roi creusait le canal permettant à la vie, l'amour des dieux, de circuler.

Narmer brisa la digue de boue, et le fluide régénérateur emplit son chemin ; champs et jardins seraient irrigués, et d'abondantes récoltes nourriraient la population. Même le Vieux, méfiant à l'égard de l'eau, reconnut que l'acte rituel de Narmer ouvrait une ère nouvelle.

Dévoué serviteur, Gros-Sourcils brandit bien haut l'enseigne du roi du Sud, le seul être capable de réunir les Deux Terres.

*

— Pourquoi ne trouves-tu pas le sommeil ? demanda Neit à Narmer.

— Un excès de fatigue.

— Le rituel de l'irrigation t'a redonné de la puissance, et l'adhésion des Vanneaux à la royauté conforte l'espoir de vaincre.

— Scorpion me manque.

— Nous le savons, toi et moi : il reviendra. Quelle est ta véritable préoccupation ?

Jamais Narmer ne mentirait à Neit.

— L'Ancêtre... J'ai surmonté les épreuves qu'il m'a imposées, les Vanneaux du Sud et du Nord sont soumis et deviennent notre peuple, les Libyens ne sont plus invincibles et, pourtant, il ne se manifeste pas ! M'aurait-il abandonné, m'estimerait-il incapable de franchir les sept étapes ?

— Te voilà impatient ! L'Ancêtre se moque de nos médiocres angoisses humaines, et n'observe que les résultats de nos actions; à notre mort, elles formeront un tas, au pied de la balance divine, soumis à l'appréciation des juges de l'autre monde. Certes, les Vanneaux ont choisi de lutter sous tes ordres, mais les gens de l'arc sont loin d'être vaincus; et le sanctuaire de la déesse Neit reste inaccessible. Impossible de nous contenter de nos récents succès; tant que le Nord sera occupé, ils n'auront guère d'importance.

Neit décapait l'âme. Ni faux-fuyants, ni compassion, ni illusions; elle n'accorderait pas au roi le moindre atermoiement et soulignerait la plus infime de ses faiblesses. Narmer ne se sentait pas digne de cette prêtresse au regard de feu, mais il l'aimait de tout son être.

Qu'exigeait-elle, sinon qu'il fût dévoré par sa fonction et suivît le chemin de l'Ancêtre, sans récriminations inutiles? Et cette exigence-là n'était-elle pas la preuve d'un amour absolu?

- 26 -

À l'approche de l'ultime place forte, résidence du guide suprême, Scorpion savait que son stratagème devenait inopérant. Lui, le pseudo-envoyé d'Ikesh, ne pouvait se présenter devant le géant noir !

Cinq Libyens formaient son escorte.

— Tâche d'obtenir une augmentation de notre solde, sollicita un grêlé.

— Serais-tu mécontent ?

— Piti est avare, et la vie de garnison parfois pénible.

— N'as-tu pas de la nourriture et des filles à volonté ?

— Tu oublies les risques !

— Qu'avons-nous à craindre ?

— L'ennemi a obtenu des succès… Je ne suis pas fâché d'être ici ; au moins, on sera en sécurité.

Scorpion égorgea le grêlé. Pendant qu'il mourait, ébahi, le jeune guerrier fit subir un sort identique à deux de ses camarades, trop surpris pour réagir ; le quatrième tenta de se défendre, mais sa résistance fut brève. Quant au cinquième, il eut le tort de négliger lna la Sumérienne qui lui défonça la nuque à coups de pierre.

Son bras n'avait pas tremblé, elle demeurait d'un calme exemplaire. La mine réjouie de Scorpion la combla d'aise.

— Jouons serré, recommanda-t-il. À chaque instant, nous serons en danger.

La superbe brune étreignit son amant.

*

Accroupie près de l'étable où sommeillaient ses chèvres, la vieille paysanne sursauta.

— Qui... Qui êtes-vous ?

— N'aie pas peur, murmura Scorpion ; mon épouse et moi ne te voulons aucun mal.

— Vous êtes... des Vanneaux ?

— Nous venons du sud.

— Du sud... Taureau a-t-il gagné la guerre ?

— Après sa victoire, il a transmis ses pouvoirs à un roi, Narmer ; il ne tardera pas à vous délivrer, toi et les tiens.

La paysanne haussa les épaules.

— Tu ne connais ni les gens de l'arc ni leur chef ! Personne ne parviendra à les vaincre. Nous mourrons tous en leur léchant les pieds.

— L'heure de la révolte approche, promit Scorpion ; l'armée de Narmer a conquis deux fortins libyens.

La vieille se mit à trembler.

— Tu... Tu plaisantes ?

— Il dit vrai, confirma la Sumérienne.

— Ne plus être esclave... Impossible !

— L'âme de Taureau vit en Narmer, révéla Scorpion. Une bête de combat le guide afin de conquérir le Nord et d'en chasser l'occupant.

La paysanne se sentit mal, Ina s'accroupit et lui prit la main.

— Un rêve... Ce n'est qu'un rêve.

— Tiens bon et crois-nous ! Nous avons traversé les lignes libyennes, et notre présence te prouve qu'une brèche est ouverte.

Avec l'aide de la Sumérienne, la vieille se releva.

— Avez-vous faim ?

— Je mangerais n'importe quoi, reconnut Scorpion.

— Nous sommes rationnés, mais je parviens à dissimuler du fromage et des poireaux. Si un Libyen me surprenait, je serais torturée. Pourtant...

La voix était empreinte de suspicion.

— Tu te méfies de nous !

— Vous apparaissez, vous racontez des histoires et je devrais tout avaler ! Allez-vous-en.

— Entendu, la vieille ; nous trouverons quelqu'un de plus perspicace.

Ina lâcha la main de la paysanne.

— Non, attendez ! Il faut me comprendre, j'ai peur... une peur à te vider le ventre !

— Des provocateurs à la solde des Libyens t'auraient déjà arrêtée.

Pas complètement rassurée, la paysanne sortit d'une cachette les nourritures promises ; Scorpion dévora d'un bel appétit, Ina se contentant de quelques bouchées.

— Mes chèvres sont précieuses, avoua la vieille.

— Posséderaient-elles des qualités exceptionnelles ?

— Elles fournissent le lait frais qu'aime tant le guide suprême ; je ne suis pas la seule à en livrer, mais le mien est le plus apprécié.

— Entres-tu dans la forteresse ?

— Aucun villageois n'y est admis. Aucun... à part le cueilleur d'herbes médicinales. Il est autorisé à soigner le grand chef et ses dignitaires. S'il échouait, il serait exécuté.

— Peut-on le rencontrer ? interrogea Scorpion, captivé.

— Songeons d'abord à te cacher, toi et ta femme !

La vieille les conduisit à une remise tellement encombrée qu'ils peinèrent à trouver une place ; elle leur demanda de rester silencieux jusqu'à son retour.

— Ne restons pas inactifs, préconisa Scorpion en caressant les seins de la Sumérienne.

*

La chance les servit. Un contingent de Vanneaux, provenant de bourgs voisins, était affecté au bien-être de la garnison ; Scorpion et Ina se mêlèrent aux arrivants et furent chargés de l'entretien des jarres à huile. Ils dormiraient sous un appentis, en compagnie d'autres tâcherons, et recevraient de maigres rations.

Un surveillant interpella Scorpion :

— Tu m'as l'air drôlement costaud, toi ! Tu ne volerais pas de la nourriture ?

— J'étais pêcheur, confessa le suspect en baissant la tête.

— Et tu ne te privais pas… Ici, pas de poisson frais pour nos esclaves ! Vu ta constitution, tu balaieras la grande cour de la ferme.

Scorpion acquiesça.

— Au moins, tu es obéissant. Continue comme ça, et on s'entendra à merveille, tous les deux.

Le garde-chiourme ne manqua pas de remarquer la beauté de la Sumérienne.

— Es-tu mariée ?

— Non.

— En bonne santé ?

— Excellente.

— Tu n'as pas les mains d'une paysanne !

— Mon père était propriétaire de troupeaux, je n'avais pas à travailler aux champs.

— T'aurait-il abandonnée ?

— Les tiens l'ont tué.

— Tu as du caractère, la belle !

Le dédain qu'exprimait le regard d'Ina gêna le soudard. Il aurait pu la fouetter ou la violer, mais elle était vraiment superbe et plairait peut-être au guide suprême.

En la présentant à Piti, le découvreur réclamerait une récompense.

— Occupe-toi des jarres et ne me cause pas d'ennuis; sinon, je soignerai ta jolie peau et tu garderas des traces indélébiles.

Elle ne baissa pas les yeux, il s'éloigna.

*

Le charme de Scorpion opérait sur son entourage, et ses camarades d'esclavage ne tardèrent pas à lui offrir leurs confidences. Par sa seule présence, il les rassurait et leur redonnait un semblant d'espoir. Ne venait-il pas, comme il le révéla à demi-mot en exigeant le secret, d'un territoire libéré où ne régnaient pas les Libyens? Certains ne crurent pas à ses propos, d'autres le jugèrent vantard; beaucoup, cependant, furent persuadés qu'il ne mentait pas.

Les prisonniers évoquèrent leurs familles disloquées, les mauvais traitements, la faim et les interventions redoutées du géant nubien, tortionnaire impitoyable; si personne n'avait commis de faute, il en inventait une pour justifier la torture qu'il pratiquait avec délectation. Un œil de travers, une attitude jugée malséante pouvaient conduire à une mort lente et douloureuse. Chaque matin, les rescapés s'étonnaient d'être encore en vie; peu à peu, ils perdaient tout désir de lutter, sachant qu'ils ne terrasseraient pas un occupant parfaitement organisé, dont la cruauté n'avait pas de limites.

Scorpion écoutait et observait. En un minimum de temps, il devait obtenir un maximum de renseignements et tenter de former un réseau qui, lors de l'attaque qu'il conduirait à la tête de l'armée de Narmer, lui procurerait une aide non négligeable.

- 27 -

Le Vieux se réjouissait de préparer le repas du roi et de la reine : côtes de porc rôties, aubergines grillées, laitue agrémentée d'ail, de romarin et de cerfeuil. N'éprouvant qu'une confiance limitée envers les villageois, il préférait vérifier lui-même la qualité des aliments et ne manquait pas de goûter le vin avant de le servir. Sa modeste demeure de fonction était pourvue d'une natte de première qualité et entourée de soucis ; en les contemplant, le Vieux songeait à Scorpion, passé derrière les lignes ennemies à la recherche d'informations susceptibles de modifier le cours de la guerre. En répétant chaque jour à Fleur que son amant n'était pas mort, il tentait de s'en persuader ; mais cette longue absence incitait au pessimisme et Narmer, bien qu'il ne laissât rien paraître de ses sentiments, était rongé d'inquiétude.

Au port, placés sous la responsabilité du général Gros-Sourcils, les imposants bateaux en bois étaient sévèrement gardés et entretenus avec soin ; utilisant de l'acacia et du sycomore, une équipe d'artisans, suivant les directives du Maître du silex et de son adjoint, le Sumérien Gilgamesh, procédait aux nécessaires réparations. La fréquence des inspections excluait tout sabotage.

Le soir tombait, Gros-Sourcils regagnait sa cabine.

Un léger clapotis attira son attention. Émergeant d'une zone d'ombre, près de la poupe, le museau d'un émissaire de Crocodile.

Une voix éraillée, à peine audible, formula ses exigences.

— Le chef de mon clan a décidé de supprimer Narmer. Scorpion est mort, il faut maintenant nous débarrasser du roitelet ; lui disparu, ses soldats se disperseront et les Vanneaux courberont la tête. Indique-moi l'emplacement de la résidence de Narmer et comment y parvenir.

Gros-Sourcils fournit les indications nécessaires.

*

Assisté de Vent du Nord et de son troupeau d'ânes qui lui obéissaient au moindre mouvement d'oreilles, Narmer veillait à l'apport des matériaux et des nourritures nécessaires à l'amélioration du quotidien des villages libérés. Désormais entourés de palissades efficaces contre les vents, ils abritaient de nouvelles maisons en brique sèche comportant des caves où les produits alimentaires seraient conservés dans de bonnes conditions ; des ruelles furent tracées, des placettes dégagées, des silos et des ateliers installés, et l'on élargit les aires servant au dépiquage et au vannage des céréales.

Le cuir servit à confectionner des sacs, des sandales, des cordes et des étuis pour les armes dont la production, en quantité et en qualité, ne cessait d'augmenter. Admiratifs et reconnaissants, les villageois se félicitaient de servir un monarque si attentif à leurs besoins. Nul, cependant, n'oubliait les prochains affrontements et la puissance militaire libyenne. Le bonheur futur ne serait obtenu qu'au prix de milliers de morts.

La reine avait fait édifier un petit sanctuaire à la déesse Neit où était préservé le tissu sacré, toujours immaculé, qui lui avait sauvé la vie et rendait l'âme heureuse; bénéficiant de la protection du chacal Geb, la jeune femme pensait souvent à la chapelle du Nord qu'elle espérait libérer. Avait-elle été détruite, la mangouste et les deux crocodiles veillaient-ils encore sur le lieu saint?

En l'absence de Scorpion, la situation était figée. Deux fortins conquis, des villages arrachés aux griffes de l'ennemi... Le bilan n'était pas dérisoire, et la détermination des Vanneaux à lutter sous les ordres de Narmer ouvrait un avenir. Néanmoins, les forces du guide suprême et de son allié Crocodile n'étaient guère amoindries, et l'ampleur de leur réaction, mûrement réfléchie, risquait d'être terrifiante.

Si Scorpion ne revenait pas, quantité de soldats, même aguerris, seraient démoralisés. À de multiples reprises, sa témérité leur avait permis d'échapper au désastre; au cœur des pires situations, ne trouvait-il pas une issue favorable? En dépit des affirmations du Vieux, la plupart pensaient que le jeune guerrier, malgré la force mystérieuse qui l'animait, avait péri. Et l'on attendait de Narmer qu'il ordonnât une prudente retraite.

Percevant le désarroi de ses hommes, le monarque consulta Cigogne.

— Est-il vraiment impossible d'envoyer des messagères au-dessus des forteresses libyennes?

— Du haut du ciel, elles n'apercevront pas Scorpion; et si elles descendent trop bas, les archers les abattront.

— Tu m'as légué ta capacité de méditation et de recul par rapport aux événements, rappela Narmer, mais toi seule possèdes la faculté de voyance, lorsque ton esprit voyage en compagnie des dieux.

— Je suis lasse et âgée, objecta la cheffe de clan, et je n'ai plus l'énergie nécessaire pour tenter des expériences exténuantes.

— Puis-je néanmoins t'en prier? Savoir si Scorpion est vivant ou mort m'apparaît essentiel.

— On vante son charme, mais l'on ne se méfie pas assez de ta force de persuasion! Accompagne-moi, Narmer, et demande à Neit de nous assister. Qu'elle apporte une coupe remplie d'eau.

Le trio pénétra dans le petit sanctuaire de la déesse, Narmer et Neit se disposèrent de part et d'autre de la vieille dame et lui touchèrent l'épaule. Son long visage ridé prit la forme d'un bec qui toucha le liquide, provoquant des ondulations, et ses yeux se fermèrent.

Une lumière blanche envahit la chapelle, l'esprit de Cigogne voyagea; le roi et la reine ressentirent le battement de ses ailes. Un cercle se traça à la surface de l'eau, et ils aperçurent Scorpion, debout, au centre d'une cour de ferme.

Puis sa silhouette se dissipa, la coupe se vida et la lumière disparut. Narmer et Neit soutinrent Cigogne, épuisée.

— Scorpion s'est-il manifesté de manière visible? demanda-t-elle, inquiète.

— Il est vivant, confirma Narmer.

*

À l'annonce de l'excellente nouvelle, l'armée s'était réjouie et le Vieux avait proposé d'offrir aux soldats de la bière forte. En réussissant sa mission, Scorpion procurerait à Narmer un avantage décisif et, pendant la beuverie qui dura jusqu'au milieu de la nuit, les optimistes évoquèrent la défaite des Libyens, contraints de quitter l'Égypte. Les fantassins de Taureau, le chef de clan défunt, décrivirent la beauté de leur domaine aujourd'hui occupé, et l'on partagea des souvenirs heureux.

Ayant participé à la fête, les sentinelles peinaient à lutter contre le sommeil ; quand il s'endormit, éméché, le général Gros-Sourcils avait le sourire aux lèvres. N'était-ce pas la nuit idéale pour assassiner Narmer ?

*

Le tueur aux ordres de Crocodile sortit du canal qu'avait creusé le roi, à proximité du village où il résidait. Rires et conversations bruyantes s'étaient éteints, le calme régnait.

Prudent, il observa les alentours avant d'emprunter l'itinéraire que lui avait indiqué Gros-Sourcils.

Un goulot d'étranglement : le poste de garde à l'entrée du village. D'ordinaire, cinq fonctionnaires se montraient d'une extrême vigilance. Cette nuit, deux dormaient à poings fermés, deux sommeillaient et le dernier faisait les cent pas afin de rester éveillé.

Le tueur attendit qu'il lui tournât le dos et se faufila au sein du bourg assoupi. Narmer ayant autorisé une distribution de bière aux habitants, chacun cuvait ses excès. Restaient les chiens... Gavés, eux aussi, se manifesteraient-ils ? Connaissant l'emplacement des molosses, l'envoyé de Crocodile passa au large et ne provoqua pas de réaction.

La résidence du roi du Sud se situait au centre du hameau. Une vaste hutte, deux soldats à l'entrée.

Un point faible : l'arrière de la bâtisse, dégradée, qui serait bientôt remise à neuf. Il suffirait de creuser un trou pour y pénétrer.

Satisfait, le tueur constata l'exactitude des indications de Gros-Sourcils, lequel avait d'ailleurs préparé le travail. À l'aide d'un couteau, le membre du clan Crocodile n'eut qu'à élargir la brèche et se glissa à l'intérieur de la hutte silencieuse.

Accroupi, s'habituant à la pénombre, il repéra une forme allongée, recouverte d'une étoffe.

Narmer goûtait son dernier rêve.

Brandissant son couteau, le tueur s'approcha de sa victime. Heureux de procurer satisfaction à son chef, il serait l'instrument de son triomphe.

Un étrange grognement le figea ; grave, profond, il n'émanait pas d'un humain.

Deux fauves sortirent des ténèbres. Les lionnes de Narmer encadrèrent l'intrus, tétanisé, tandis que leur maître se relevait.

Se dressant ensemble, elles plantèrent leurs griffes dans les épaules de leur proie et, indifférentes à ses hurlements, se partagèrent ce festin bienvenu.

- 28 -

En présence de Crocodile, le guide suprême des Libyens se sentait toujours aussi mal à l'aise. Ouâsh ne supportait pas la voix rauque, semblant provenir des profondeurs d'un monde inconnu, et les yeux perpétuellement mi-clos de son interlocuteur qu'il ressentait prêt à bondir; mais le redoutable chef de clan était un allié indispensable.

— Narmer est à la fois bien entouré et bien défendu, révéla Crocodile. Quoique je ne désespère pas de l'éliminer, impossible de préciser le délai. La chute de deux fortins a donné beaucoup de confiance à l'ennemi; il faut la briser.

Le géant nubien Ikesh approuva d'un signe de tête; les joues gonflées par la contrariété, le conseiller Piti tint à marquer sa différence.

— Ne surestimons ni ce regrettable incident ni l'adversaire, recommanda-t-il. Connaissant notre puissance, Narmer n'ose pas progresser. L'insuffisance de ses troupes le condamne à pourrir sur place.

— Tu déraisonnes! s'exclama Ikesh, furieux. La perte de ces fortins est un sérieux coup dur, et des milliers de Vanneaux se sont placés sous les ordres de Narmer qui prend le temps de préparer une attaque d'envergure.

— Les Vanneaux le trahiront, prédit Piti.

— Narmer a prouvé sa valeur, il est capable de les persuader qu'ils nous vaincront.

— Stupide ! Ce sont des esclaves, ils le resteront.

Le géant s'approcha du conseiller, une lueur meurtrière au fond des yeux.

— Toi, Piti, tu m'insultes !

— Il suffit ! trancha le guide suprême. Asseyez-vous, tous les deux !

À regret, le Nubien obéit ; Piti, lui, se sentit soulagé.

— Je partage l'opinion d'Ikesh, déclara Crocodile. La soumission des Vanneaux est un événement important, et sous-estimer Narmer serait une erreur fatale.

— Que préconises-tu ? demanda Ouâsh, troublé.

— Attaquons les premiers en jetant toutes nos forces dans la bataille et profitons de l'effet de surprise afin d'écraser cette racaille.

— C'est l'unique moyen d'obtenir un triomphe définitif, renchérit le géant noir. À la suite de ce massacre, plus personne n'osera se dresser contre le guide suprême.

— Telle n'est pas ma stratégie, rappela Ouâsh, embarrassé. Je préfère attirer l'ennemi sur mon terrain et l'étouffer.

— Les circonstances ne s'y prêtent pas, jugea Crocodile, et je crois que nous n'avons pas le choix.

— Le chef de clan a raison, assena Ikesh.

— Les risques sont considérables, objecta Piti, et seul compte l'avis de notre guide suprême !

— J'ai besoin de réfléchir, décida Ouâsh.

Piti avait pris une décision : supprimer Ikesh avant que le géant noir ne le détruise.

*

Chaque soir, après une journée de travail harassante, Scorpion discutait avec ses collègues d'infortune et leur redonnait espoir. Non, ils n'étaient pas condamnés à un esclavage perpétuel, car l'armée de libération bouterait les occupants hors du delta ; encore fallait-il organiser une résistance afin de lui venir en aide et d'affaiblir la réaction libyenne. Martelé, le message s'étendait à l'ensemble des villages contraints de servir le guide suprême.

En raison de sa beauté et de son apparente froideur la rendant inaccessible, Ina enflammait les sens du surveillant chargé de mater le troupeau de besogneux ; désireux de conquérir cette femelle et d'en tirer le maximum de jouissance, il se comportait à la manière d'un félin infligeant des jeux cruels à sa proie avant de la tuer. Petits sévices, privation de nourriture, menaces... Peu à peu, la superbe indifférente courberait l'échine et finirait par lécher les pieds de son nouveau maître. Domptée, elle satisferait ses pulsions les plus ignobles.

Trop excité, le surveillant avait décidé de profiter de l'aubaine et de ne pas présenter cette merveille à Piti ; le conseiller du guide suprême trouverait d'autres villageoises pour amuser son maître.

Bénéficiant d'un régime particulier, Ina n'était pas cantonnée à la principale cour de ferme et accompagnait son tortionnaire lors de ses déplacements. La Sumérienne ne pouvait rêver mieux ; elle apprenait à connaître les alentours de la forteresse, observait les allées et venues des soldats, contactait de futurs résistants.

Un soir venteux, n'y tenant plus, le soudard entraîna la captive jusqu'à son gourbi ; résolu à la forcer, il tomba dans son piège. Ne cherchant qu'à prendre un plaisir bref et brutal, il devint l'objet d'un flot de sensualité qu'il était incapable d'imaginer. À partir de cet instant, impossible de se passer d'une telle amante, aux ressources inépuisables; le surveillant lui permit de nettoyer sa cahute, d'y assurer un semblant de confort et d'y dormir après qu'elle lui eut fait l'amour en le rendant fou de désir.

Sans en être conscient, le Libyen accepta la domination de la Sumérienne, suffisamment habile pour lui laisser croire qu'il demeurait son seigneur; ainsi acquit-elle une réelle indépendance. Elle se déplaça à sa guise et n'effectua plus de travaux pénibles.

Ina croisait Scorpion de façon discrète et lui transmettait les précieux renseignements qu'elle glanait; restait un pas décisif à franchir.

*

— Pas cette nuit, trancha la Sumérienne.

— Comment, pas cette nuit? s'étonna le surveillant, nu et excité.

— Je suis souffrante.

— Toi, si vigoureuse!

— Je ressens une violente douleur au ventre, et je suis incapable de t'accueillir.

Dépité, le Libyen réfléchit.

— J'ai une solution! Le guérisseur va te rétablir très vite.

Il courut chercher le cueilleur d'herbes médicinales, un vieillard chauve au regard tendre.

— Éloigne-toi, ordonna-t-il au surveillant. Je veux rester seul avec ma patiente. Sinon, impossible de déceler la cause du mal.

Bougon, le Libyen s'inclina, espérant que les troubles de sa superbe femelle fussent passagers.

— De quoi souffres-tu? demanda le guérisseur à la Sumérienne.

— Je suis en parfaite santé.

— Mais alors… ?

— Désires-tu la liberté ?

— La liberté… Ça ne signifie rien !

— Au contraire, c'est précis : la disparition du guide suprême.

— Tu es folle !

— Si tu ne participes pas à la révolte contre ce tyran, tu seras éliminé.

Le cueilleur d'herbes recula.

— Tu… Tu oses me menacer !

— Ne songe surtout pas à me dénoncer. Je viens du pays des deux fleuves, ma magie est supérieure à la tienne, et je te tuerai avant que tu n'aies eu le temps de me trahir.

Blême, le guérisseur ne prit pas l'avertissement à la légère.

— Qu'attends-tu de moi ?

— Tu es le seul esclave admis dans la résidence du guide suprême ; dis-moi tout ce que tu sais.

Le bonhomme hésita, la Sumérienne fit un pas vers lui ; la lueur meurtrière habitant son regard le convainquit de ne pas lui résister. Cette femme magnifique était aussi dangereuse qu'un serpent.

— Ouâsh souffre de l'estomac et de troubles nerveux ; par moments, il délire, mais sans cesser de croire à sa puissance absolue. Mes soins lui permettent de dormir et de préserver ses ambitions.

— Comment sa sécurité est-elle assurée ?

— Deux gardes en permanence devant la porte de son domaine réservé, au dernier étage de la grande tour crénelée ; pour parvenir jusque-là, il faut franchir plusieurs contrôles. Le guide suprême s'aventure rarement à l'extérieur, il préfère la tranquillité de sa tente dressée à l'intérieur d'une vaste pièce. Peuplée d'un nombre incalculable de coussins, elle lui rappelle sa Libye natale. Ouâsh est très méfiant, n'espère pas l'abuser.

Ina sourit.

— Le même poison peut guérir ou tuer.

— Exigerais-tu… ?

— Tu m'as comprise et tu prépareras un remède définitif.

- 29 -

À peine le Vieux terminait-il de savourer sa coupe de vin blanc matinale qu'il éprouva une étrange sensation; des effluves de jeunesse effaçaient ses multiples maux, l'espoir prenait le pas sur l'angoisse.

En sortant de sa chambrette, il aperçut une lueur inhabituelle; un halo blanc et brillant entourait la chapelle de la déesse Neit. Intrigué, le Vieux courut prévenir la reine et se heurta au Maître du silex.

— On a tenté d'assassiner Narmer, révéla l'artisan.

— Est-il... indemne?

— Ses deux lionnes ont dévoré l'agresseur.

— La déesse appelle sa servante; à mon avis, c'est urgent!

— La reine se trouve auprès de Narmer.

Les deux hommes s'approchèrent du couple, entouré de soldats qui tentaient de justifier leur incompétence en s'accusant mutuellement d'un manque de vigilance.

Le Vieux s'interposa.

— Le sanctuaire brûle!

N'hésitant pas à franchir le seuil, Neit fut la première à y pénétrer. Au fond du petit édifice, la haute silhouette de l'Ancêtre, vêtu d'un long manteau et le visage couvert d'un masque triangulaire, pointe en haut.

La reine s'inclina et s'agenouilla.

— Connais-tu ton devoir ? interrogea une voix grave dont les vibrations ébranlèrent les murs de la chapelle.

— Restituer à la déesse son domaine sacré.

— Si tu le négligeais, Narmer serait tué ; qu'il comparaisse devant moi.

La prêtresse introduisit le roi du Sud, à la fois heureux et inquiet de revoir enfin l'Ancêtre.

— La quatrième étape de ton chemin, la reconquête du Nord et l'expulsion des envahisseurs libyens, est loin d'être terminée ; pourtant, afin d'éviter un échec mortel, il te faut atteindre la cinquième. Elle seule te procurera la force nécessaire à une éventuelle victoire.

Un instant, Narmer se sentit incapable d'ajouter un poids supplémentaire à celui qui pesait déjà sur ses épaules ; mais pouvait-il renoncer, sous quelque prétexte que ce fût ?

— Nommez-moi cette cinquième épreuve, sollicita le roi du Sud.

— La découverte de *ka*, la véritable puissance créatrice. L'âme de Taureau, le chef de clan défunt, vit en toi, mais tu n'as pas encore assumé son héritage et mis en pratique son enseignement. Libérer le Nord, son territoire, exige sa capacité de combat. Es-tu prêt à courir le risque ?

— Je le suis.

— Tente de traverser le canal des Deux Taureaux. Nul humain, jusqu'à présent, n'y est parvenu.

La figure de l'Ancêtre s'estompa, le halo de lumière blanche entourant le sanctuaire de Neit se dissipa.

*

— Qui me guidera ? demanda Narmer à Neit. Personne ne connaît l'emplacement de ce canal !

— Le dernier défenseur du clan.

Narmer se dirigea aussitôt vers l'enclos où sommeillait l'énorme taureau brun-rouge, lequel ouvrit les yeux à l'approche du roi.

Les naseaux fumants, il gratta le sol de ses sabots et secoua ses longues cornes.

— Acceptes-tu de me conduire ?

Le monstre émit une sorte de râle, Narmer le libéra. Ils avaient tant lutté, côte à côte, que leurs pensées communiquaient aisément.

L'homme suivit l'animal, fier de son rôle de guide. Ils quittèrent le village sous le regard des soldats et des civils, effrayés à la vue de la redoutable bête; encadrant Neit, le chacal Geb et l'âne Vent du Nord demeurèrent immobiles, approuvant la démarche de Narmer; quant aux deux lionnes, couchées devant la résidence de leur maître, elles n'émirent aucune protestation.

Le cœur serré, la reine n'essaya pas de retenir son époux; après avoir vu l'Ancêtre, comment s'opposer à sa volonté? Si le roi ne parvenait pas à triompher des épreuves qu'imposaient les dieux, jamais le pays ne serait libéré.

À l'orée d'une zone marécageuse, le taureau pressa l'allure, obligeant Narmer à courir. Il lui fraya un passage au sein des roseaux et l'emmena jusqu'à la berge d'un canal étroit, survolé par de nombreux ibis.

Le quadrupède contempla l'orient.

En provint une barque dont la proue avait la forme d'une tête de faucon. Sur la coque, des signes sacrés; Narmer les déchiffra : « Celui que les dieux guident ne peut pas s'égarer; mais celui qu'ils privent d'embarcation ne voguera pas de manière heureuse sur le fleuve de la vie. »

Le roi monta à bord, le gouvernail s'anima.

Des nuages menaçants obscurcirent le ciel, des tourbillons rendirent le parcours chaotique. À la proue,

Narmer maîtrisa sa peur, impatient de découvrir le terme du voyage.

Les rives se rapprochèrent ; une barrière se présenta, formée d'un long corps à deux têtes de taureau, les quatre cornes correspondant aux points cardinaux. La barque s'immobilisa.

— Qui es-tu et que désires-tu ? demanda une voix aux tonalités proches de celles de l'Ancêtre.

— Mon nom est Narmer et je souhaite vaincre cet obstacle.

— Nul mortel n'est digne d'ouvrir les portes du ciel.

— Toi, ouvre-les !

— Pourquoi t'obéirais-je ?

— Parce que je suis le serviteur de l'Ancêtre.

Le flot bouillonna, un éclair zébra le ciel, et la corne d'occident s'abaissa. Narmer s'empara du gouvernail, la barque franchit la frontière séparant le canal des Deux Taureaux d'un monde inconnu.

Au cœur d'une forêt de papyrus, un étroit passage perdu dans une brume épaisse, masquant le soleil. Narmer sauta à terre et emprunta ce sentier qui, soudain, lui rappela une rude confrontation ; à coup sûr, il se dirigeait vers Bouto, le territoire des Âmes à tête de faucon ! En le repoussant, naguère, ces redoutables gardiens avaient pourtant guidé la flotte de Taureau, partant à la conquête du Sud, et offert à Narmer la capacité de déployer son énergie. « Un jour, s'était-il promis, je dissiperai ce brouillard. »

Ce moment décisif approchait. Ou bien le roi réussirait, ou bien il serait anéanti.

Des sifflements, des hululements, des gémissements... La forêt était peuplée de créatures inquiétantes, observant l'intrus. Seul et désarmé, Narmer n'avait qu'une solution : progresser et provoquer l'apparition des Âmes.

Lorsque le chemin se resserra, il ne perdit pas espoir et parvint à atteindre l'esplanade cernée d'une végétation infranchissable.

Et les trois géants à tête de faucon émergèrent de la brume. L'un d'eux s'avança, Narmer leva les yeux.

— La barque m'a permis de traverser le canal des Deux Taureaux, et je viens chercher auprès de vous le *ka*, la véritable puissance.

Les trois Âmes s'écartèrent; face à Narmer, un sentier de lumière.

Surtout, ne pas hésiter! Oubliant ses craintes, le jeune homme s'y engagea et, au terme de son douzième pas, découvrit une vaste prairie aux mille fleurs. En son centre, un roseau d'or, fièrement dressé.

D'instinct, Narmer sut qu'il contemplait le paradis de l'Ancêtre, préexistant à l'apparition de l'espèce humaine; des tiges s'inclinèrent, libérant un accès. Ultime relique de la création primordiale, le roseau d'or émit un rayonnement intense; fasciné, le pèlerin s'approcha, et sa main osa le toucher.

Le soleil et la lune se levèrent ensemble, formant les yeux d'un immense faucon dont les ailes, assemblage de pierres précieuses, enveloppèrent Narmer qui fut élevé au ciel et survola la terre d'Égypte.

Tant de beauté, de vastitude, d'espaces vivants où soufflait l'esprit des dieux… le voyageur eût aimé se perdre dans ce rêve, mais sa vision se dissipa et il redevint un humble solliciteur, au pied du roseau d'or.

En jaillit une baguette en bois d'ébène, trempée de rosée; à l'instant où il l'empoigna, Narmer vit l'espace lointain s'ouvrir. Trente-six figures, symbolisant les décans, défilèrent devant ses yeux. L'harmonie du cosmos et sa perpétuelle régénération pénétrèrent son esprit.

Quand il sortit de Bouto, la brume se dissipa.

- 30 -

Ouâsh, guide suprême et commandant en chef de l'armée libyenne, se sentait perdu ; grâce au mensonge, au meurtre et à la violence, il avait accompli des exploits en assouvissant sa soif de pouvoir. La chance le servant, il s'était ingénié à profiter de situations tournant à son avantage, sans rencontrer d'obstacle majeur.

Cette fois, le vent tournait ; un obscur roitelet, Narmer, et son guerrier féroce, Scorpion, se dressaient contre lui et le faisaient vaciller. Même si leurs succès inattendus ne compromettaient pas la suprématie des occupants, Ouâsh hésitait sur la conduite à tenir. Son allié, Crocodile, et le géant nubien Ikesh préconisaient une offensive totale, afin d'exterminer l'opposant ; prudent, et souvent avisé, Piti préférait s'en tenir à la stratégie habituelle du guide suprême, qui consistait à attirer l'ennemi dans ses filets.

Enivré par ses premières victoires, Narmer ne songeait-il pas à progresser, certain qu'il pouvait terrasser son adversaire ? Aveuglé, il se préparait à reconquérir le Nord en s'emparant d'autres fortins. Lui en abandonner un, en sacrifiant sa garnison, persuaderait Narmer d'attaquer ; Ouâsh le laisserait s'enfoncer au-delà de ses lignes et refermerait ses mâchoires pour broyer l'imprudent.

Le conseiller Piti avait raison : changer de méthode serait une erreur.

*

Le cueilleur d'herbes médicinales ne dormait plus; après avoir préparé une potion mortelle destinée au guide suprême, il s'estimait incapable de lui apporter ce poison. Ouâsh devinerait ses intentions et lui infligerait les pires supplices. Mais si le spécialiste n'agissait pas, la sculpturale femme brune le tuerait.

Comment se débarrasser d'elle? D'après ses menaces, elle bénéficiait de complicités; en la dénonçant, il déclencherait la colère de ses compagnons et subirait leur vengeance. Pris au piège, le guérisseur était contraint de s'enfuir.

Enfournant des herbes séchées dans une sacoche en cuir, les mains tremblantes, il attendit la tombée de la nuit avant de franchir le seuil de sa hutte.

— Une cueillette nocturne? demanda la voix mielleuse de Piti.

Glacé, le spécialiste demeura muet.

— Où comptais-tu aller, mon ami?

— Je... Examiner des souchets odorants et...

— Tu mens très mal. Souhaiterais-tu nous quitter?

— Je... J'avais peur.

— Explique-toi, mon ami.

— On... On voulait m'obliger à... m'obliger à...

— À empoisonner le guide suprême? Je m'y attendais. Le nom du coupable?

— Une bande d'esclaves révoltés.

— Tu te trompes.

Décomposé, le cueilleur s'apprêtait à tout avouer; Piti le devança.

— Le coupable, c'est Ikesh. Il t'a ordonné d'assassiner notre guide suprême et tu as été contraint de préparer une potion mortelle. Voilà l'unique vérité, n'est-ce pas?

Malgré lui, le spécialiste hocha la tête.

— Notre guide souffre de l'estomac, révéla Piti. Présente-toi demain matin avec le remède et conforme-toi à la procédure.

Couvert de sueur, le cueilleur lâcha sa sacoche.

*

La situation évoluait de manière favorable. Grâce à la Sumérienne, le réseau de Scorpion s'étendait et se renforçait ; peut-être un coup décisif serait-il frappé si le guide suprême était éliminé. Selon Ina, le guérisseur était assez effrayé pour agir ; en ce cas, les Libyens seraient désemparés, et Scorpion envisageait de provoquer l'insurrection des villageois. Une difficulté : se procurer des armes. Il faudrait donc attaquer l'arsenal, situé à l'intérieur de la principale place forte ; opération délicate, qui coûterait de nombreuses vies.

Couché sous l'appentis, à l'écart de ses compagnons d'esclavage, Scorpion contemplait le ciel nocturne. Il y discernait une gigantesque cuisse de taureau, matrice de Seth, son dieu protecteur auquel il avait vendu son âme ; seul humain animé d'une force comparable à celle de la foudre, le jeune guerrier se réjouissait de son pouvoir et s'imaginait terrassant le guide suprême.

Un corps souple et chaud se glissa contre le sien. La main soyeuse de la Sumérienne caressa son ventre, éveillant son désir.

— Le surveillant ronfle, il a trop bu, murmura-t-elle ; et moi, j'ai soif de toi.

D'abord, Scorpion s'abandonna aux gestes ardents de sa maîtresse, lui laissant croire qu'elle le dominait et l'utilisait à sa guise ; puis, au moment où elle goûtait sa première extase, il reprit l'initiative et s'empara d'elle au point de lui couper le souffle.

Heureuse de cette défaite, enfin abandonnée, la Sumérienne vécut sa plus belle nuit d'amour.

Ni elle ni Scorpion n'aperçurent le surveillant libyen qui, ayant feint l'ivresse, observait leurs joutes amoureuses.

*

Décomposé, le cueilleur d'herbes se présenta à la porte de la place forte. Les gardes alertèrent un gradé, lequel prévint Ikesh; de méchante humeur, à cause d'une insomnie, le géant nubien dévisagea le guérisseur d'un œil mauvais.

— Que veux-tu?

— J'apporte un remède pour le guide suprême.

— Qui t'a donné cet ordre?

— Ma visite était prévue. Cette potion guérira l'estomac de notre maître.

Les mains tremblantes du guérisseur et sa sueur abondante intriguèrent le Nubien.

— Je n'ai pas été prévenu, et ta démarche me paraît anormale. Quelles sont tes véritables intentions?

Les mots s'étranglèrent dans la gorge du suspect.

— Tu sembles mal à l'aise… Donne-moi cette potion.

Ikesh poussa le cueilleur d'herbes en direction des gardes.

— Jetez ce cafard au cachot; je m'occuperai de lui en personne.

Indifférent aux supplications du traître, le géant monta quatre à quatre l'escalier menant au domaine privé du guide suprême.

*

Ouâsh était consterné. Avec calme, le conseiller Piti venait de confirmer ses accusations.

— Ikesh... Lui, chercher à m'assassiner!

— Ce n'est probablement pas la première fois, avança Piti. Ce Nubien ne rêve que de pouvoir. Vous éliminé, il commandera l'ensemble de nos troupes et appliquera sa propre stratégie. En s'assurant la complicité du spécialiste des herbes médicinales, il croyait commettre un crime invisible. Mais je veille depuis trop longtemps sur votre sécurité pour être abusé par quiconque, et j'ai eu vent de cet ignoble complot.

— Ikesh... Me trahir, moi!

— Il n'est pas de notre race.

Cette constatation éclaira le guide suprême; seuls des Libyens méritaient sa confiance.

— Le Nubien vous fournira lui-même une preuve incontestable, annonça Piti. C'est lui, et non le guérisseur, qui vous apportera la potion mortelle.

Le visage du guide suprême se ferma, et les deux hommes observèrent un épais silence.

On frappa à la porte de bois.

— Ikesh demande audience, clama le garde.

Piti ouvrit.

Le Nubien entra, porteur d'un flacon de terre cuite, et s'inclina.

— Serait-ce un cadeau? demanda le guide suprême.

— Une potion destinée à soigner vos maux d'estomac!

Piti se glissa derrière Ikesh.

— C'est toi qui l'as préparée? interrogea Ouâsh.

— Bien sûr que non!

— Alors, tu accuses ton complice, le cueilleur d'herbes?

— Mon complice ?

Stupéfait, le Nubien se figea.

— Non, vous ne comprenez pas…

— Si, je comprends.

D'un signe de la main, le guide suprême ordonna à son conseiller d'agir. Animé d'une hargne décuplant ses forces, Piti planta son poignard dans les reins du Nubien.

Malgré la souffrance, Ikesh se retourna et tenta d'étrangler son agresseur.

Fou de rage, Ouâsh bondit, agrippa l'arme et frappa le géant une trentaine de fois, lui perforant la nuque et le dos.

Il ne s'interrompit, essoufflé, qu'en l'absence de réaction du Nubien.

Comblé, Piti souriait.

- 31 -

Quand Narmer apprit à Neit que le brouillard de Bouto s'était dissipé, elle revécut les moments passés sur ce territoire sacré, auprès des Âmes à tête de faucon. En offrant au roi du Sud la baguette de pouvoir en bois d'ébène, elles remplissaient de *ka* son esprit et l'animaient d'une puissance originaire du monde des dieux.

À la proue du bateau qui avait ramené Narmer à bon port, l'Ancêtre était apparu, lui signifiant la nécessité de parachever l'impossible reconquête du Nord.

Enivrés du bonheur de se retrouver, les époux s'étreignirent longuement ; et Neit précisa l'urgence.

— La déesse exige que nous libérions son sanctuaire ; sinon, nous serons condamnés à l'échec.

— Comment procéder ?

— En contournant les lignes adverses.

— Seul un petit nombre de soldats échappera à la vigilance de l'ennemi ; j'en prendrai la tête.

— Je pars avec toi.

— L'aventure est trop risquée, Neit ; si je suis abattu, tu commanderas nos troupes.

— Je dois pénétrer la première dans le sanctuaire où j'ai vénéré la déesse.

Sachant qu'il ne parviendrait pas à dissuader son épouse, Narmer recruta une dizaine de vétérans ayant appartenu au clan de Taureau et connaissant bien le delta.

*

Abasourdi, le Vieux ne dissimula pas ses pensées au monarque.

— Cette expédition est une folie! Sans son roi, l'armée sera désemparée, à la merci du premier assaut.

— Accomplir la volonté de l'Ancêtre et de la grande déesse est le premier de nos devoirs, répondit Narmer.

— Je craignais d'entendre ça… Et Scorpion qui n'est pas revenu!

Le général Gros-Sourcils accourut.

— Rapport d'un éclaireur : les Libyens ont abandonné le prochain fortin sur notre route! Poursuivons-les et progressons.

— Impossible.

— Notre percée pourrait être décisive!

— J'ai une autre priorité : rassemble les officiers.

Les capitaines de bateau et les responsables de l'infanterie écoutèrent un bref discours du roi qui leur enjoignit de tenir leurs positions et de se montrer particulièrement vigilants jusqu'à son retour. La reine leur assura que la déesse les protégeait et que l'ennemi n'oserait pas attaquer.

Et ce fut le départ du commando, sous le regard atterré du Vieux; à l'heure où un petit espoir naissait, cette démarche insensée le ruinait. De dépit, il vida une jarre de blanc liquoreux et s'endormit.

Gros-Sourcils cacha sa satisfaction. Quand on apprendrait la mort du roi et de son épouse, il convaincrait les officiers de cesser le combat et de conclure la paix avec les Libyens. Assistés de Crocodile, ils massacreraient les révoltés, et le général recevrait une juste récompense en devenant l'un des dignitaires du nouveau régime.

*

Des pieux aux pointes taillées, des massues rudimentaires, des frondes… L'armement des paysans paraissait dérisoire, comparé à celui des Libyens, mais Scorpion parvenait à les persuader qu'une ruée massive leur permettrait d'atteindre l'arsenal, certes au prix de lourdes pertes.

Convaincant et respecté, le jeune guerrier avait nommé des meneurs à la tête de petits groupes d'une dizaine d'hommes, chargés de coordonner l'offensive et d'éviter la dispersion.

Ina distribua les maigres rations du matin.

— Ikesh est mort, révéla-t-elle. Reconnu coupable de trahison, il a été exécuté par le guide suprême en personne, et son cadavre vient d'être brûlé.

— Excellente nouvelle, un adversaire de moins… Et le cueilleur d'herbes ?

— Empalé, à l'aube, en présence de Piti ; il était complice du Nubien.

— Dommage, on ne pourra pas empoisonner Ouâsh ! Reste le lait de chèvre ; si je réussis à le lui porter, j'éliminerai ce tyran.

— Toi aussi, tu seras tué !

— C'est un risque à courir.

— Non, Scorpion ; il faut trouver un autre moyen.

— Nous sommes en guerre !

— Je tiens à toi.

De la part de la Sumérienne, une déclaration surprenante.

— J'y réfléchirai, promit-il, mais notre victoire passe avant tout.

Il lui donna les consignes qu'elle seule, grâce à sa liberté de mouvement, pouvait transmettre à l'ensemble des esclaves.

— Je ferai boire le surveillant, annonça la Sumérienne, et cette nuit, je reviendrai.

*

Piti savourait son triomphe. Ikesh éliminé, il n'avait plus de rival et demeurait l'unique conseiller du guide suprême; désormais, il écarterait quiconque tenterait d'influencer Ouâsh. Ses méthodes lui avaient procuré des succès décisifs, il serait suicidaire d'en changer; zélé serviteur de son maître, Piti le protégerait des agressions et contribuerait à étendre sa souveraineté.

L'arrivée du chef de clan Crocodile le mit mal à l'aise; cet être étrange, imprévisible, n'était qu'un allié de circonstance; au guide suprême de savoir l'utiliser le temps nécessaire.

— Le nombre de gardes a été doublé, constata Crocodile. Des incidents se seraient-ils produits?

— Ikesh a tenté d'empoisonner notre chef, révéla Piti. Il a été châtié à la mesure de son crime. Rien ne subsiste de cette méprisable créature.

— Ikesh, un traître…

— Nous avons été surpris, reconnut le conseiller. Les preuves étant accablantes, le guide suprême a rendu un jugement immédiat.

Le ton presque joyeux de Piti éclaira Crocodile; le petit homme sournois avait manœuvré de façon efficace afin d'évincer le géant noir dont la disparition affaiblissait l'armée libyenne.

Quant à Ouâsh, il semblait vieilli et anxieux.

— As-tu arrêté ta stratégie? lui demanda le chef de clan.

Le guide suprême fut lent à répondre.

— J'ai tendu un piège à Narmer en lui abandonnant un troisième fortin. La garnison s'est enfuie, offrant une impression de débandade. Comment résister à l'envie d'enfoncer nos lignes ? Dès que les révoltés se seront aventurés suffisamment loin, mes soldats et les tiens formeront des mâchoires qui les broieront.

— Renoncerais-tu à une offensive capable de briser les reins de notre adversaire ?

— Ce n'est pas ainsi que j'ai l'habitude de triompher.

— Narmer n'est pas un ennemi ordinaire ; il convient de le prendre de vitesse ; sinon, il te jouera de mauvais tours.

— Soupçonnerais-tu notre guide de négligence ? s'indigna Piti.

La voix de Crocodile devint encore plus rauque.

— Les clans n'ont pas anéanti Narmer parce qu'une force supérieure l'anime ; les recettes ordinaires, y compris la ruse, ne suffiront pas à le terrasser.

— En le laissant croire à sa possible victoire, estima Piti, nous l'aveuglons ; la fuite d'une garnison ne présage-t-elle pas celle des autres ? Persuadé que nous battons en retraite, le roitelet avancera en terrain conquis. Alors, nous agirons.

Les yeux mi-clos, Crocodile gardait la tête baissée.

— Telle est ma volonté, confirma le guide suprême, et personne ne saurait s'y opposer. À toi d'intervenir quand je te l'ordonnerai ; tes reptiles frapperont le coup fatal et nous débarrasseront des derniers insurgés.

Peu enclin à la discussion, Crocodile jugea inutile de la poursuivre ; il déploya péniblement sa lourde carcasse, jeta à Piti un regard ambigu et quitta la tour fortifiée.

Un instant, le conseiller avait redouté que le chef de clan ne se jetât sur lui.

— Il nous trahira, prédit le conseiller.

— Détrompe-toi ; moi seul assure sa survie et le maintien de ses privilèges. Malgré sa désapprobation, il obéira.

- 32 -

Geb le chacal guidait la petite troupe, l'âne Vent du Nord portait eau et nourriture. Au milieu de la nuit, suivis de Narmer, de Neit et d'une dizaine de fantassins expérimentés, prêts à donner leur vie pour sauver leurs souverains, ils passèrent au large du troisième fortin, abandonné, et bifurquèrent vers le nord.

La reine était vêtue du tissu sacré de la déesse, à jamais immaculé ; il écartait les démons des ténèbres rôdant autour des voyageurs.

Avant l'aube, ils se heurtèrent à un dédale de marais et de fourrés impénétrables ; ni le chacal ni l'âne ne repérèrent un passage.

— Toi qui me protèges, montre-nous la voie juste, implora Narmer.

Sortant de l'eau, un énorme poisson-chat ouvrit sa large bouche, armée de petites dents lui servant à tuer ses multiples proies. Se déplaçant à bonne allure, il s'immobilisa face au roi et le fixa de ses yeux agressifs.

— Ouvre-nous la voie.

Le silure emprunta une berge étroite menant à une forêt de roseaux d'une rare densité ; en apparence, un chemin sans issue. Ne doutant pas de son éclaireur, Narmer lui emboîta le pas et fut le premier à franchir la barrière végétale, moins épaisse qu'il n'y paraissait.

Au-delà apparut un vaste chenal où le poisson-chat disparut.

— Un bref repos, ordonna Narmer, et nous fabriquons des barques en papyrus.

Lorsque brilla le soleil de midi, la flottille était prête ; le sabot de Vent du Nord jugeant l'esquif acceptable, l'expédition s'élança, profitant du courant.

Le silure se manifesta à plusieurs reprises, afin d'indiquer le meilleur itinéraire, en évitant les repaires de reptiles à la solde de Crocodile ; on dormait à tour de rôle, et les barques ne cessaient de progresser.

À la vue d'une roselière, Neit reconnut un paysage familier.

— Nous approchons.

Un lac, une sorte de plaine au milieu des eaux, le sanctuaire de la déesse… intact !

La mangouste sauta dans les bras de la reine qui la gratifia d'innombrables caresses, puis elles prirent la tête de la troupe jusqu'à la chapelle que continuaient à garder deux crocodiles.

— Pas un geste, exigea Narmer quand ses hommes, inquiets, s'apprêtèrent à brandir leurs armes ; ces monstres-là sont au service de la déesse.

La reine se dévêtit et présenta l'étoffe aux deux flèches croisées fermant l'accès du lieu saint ; cette offrande les écarta, et la prêtresse pénétra à l'intérieur de la modeste bâtisse où elle avait passé tant d'heures à recueillir la pensée de la créature des origines.

Un bourdonnement caractéristique… Des abeilles voletaient autour d'un objet inconnu, de couleur rouge.

Une couronne… La couronne du Nord, caractérisée par une spirale.

*

— Réveille-toi! cria le Maître du silex en secouant le Vieux.

Sortant d'un rêve moelleux, habité de plats succulents, le dormeur se frotta les sourcils et ouvrit les yeux.

— Les Libyens attaquent?

— Non, Narmer et Neit sont de retour.

— Pas possible…

— Vérifie.

Incrédule, le Vieux retrouva brusquement des forces pour assister à un éventuel miracle. Aux acclamations des soldats, il semblait avoir eu lieu!

Il fallut bousculer des fantassins afin d'apercevoir la reine Neit portant une étrange couronne rouge, à la tête d'une procession que fermait Narmer, encadré de Geb et de Vent du Nord.

Le général Gros-Sourcils esquissa un sourire crispé, feignant de participer à la joie collective; non seulement le couple royal revenait intact, mais encore il rapportait un trésor, sans doute chargé de magie.

La reine s'immobilisa devant la chapelle de la déesse, le silence s'établit.

— Les dieux ont remis à Narmer la couronne blanche du Sud; aujourd'hui, Neit, la créatrice, lui confie la couronne rouge du Nord. Puisse le roi recueillir la puissance des deux couronnes, puissent-elles devenir ses yeux.

*

Dès que le surveillant sombra dans un profond sommeil, la Sumérienne quitta le gourbi, traversa le village et rejoignit Scorpion. La nuit était claire, les étoiles brillaient.

Le corps en feu, elle le chevaucha et l'embrassa avec fougue; puis elle se retourna, couvrant de ses longs cheveux le visage de son amant. Aveuglé, il s'empara de ses seins et la laissa croire qu'elle menait le jeu. Vaillante, Ina tenta de lui imposer son rythme et ses caresses, mais Scorpion, sans cesser d'épouser les courbes de sa maîtresse, reprit l'initiative. Heureuse d'être vaincue, une nouvelle fois, elle savoura un plaisir intense qu'aucun autre homme n'avait été capable de lui donner.

Et ce n'était que le début de leur joute qu'elle souhaitait interminable ; allant jusqu'au bout de ses désirs, Scorpion savait épuiser son amante en jouissant de chaque parcelle de son être.

Étendus côte à côte, ils peinaient à reprendre leur souffle.

— J'ai transmis tes instructions, murmura-t-elle. Les villageois sont prêts à se révolter.

— Les Libyens ne s'attendent pas à cette belle surprise !

— Nos chances sont infimes, rappela la Sumérienne.

— Détiendrais-tu une meilleure solution ?

— Retourner auprès de Narmer et lui communiquer ce que nous avons découvert.

— Notre fuite intriguerait l'ennemi, il adopterait de nouvelles mesures de sécurité.

— Et tu meurs d'envie de lancer cette insurrection insensée...

— Suppose qu'elle réussisse !

— Ton seul bonheur consiste-t-il à risquer ta vie ?

— J'assume mes engagements, Ina.

— Quand cette guerre sera terminée, à quoi te consacreras-tu ?

Le regard de Scorpion flamboya ; de la main gauche, il serra la gorge de la Sumérienne.

— Elle ne l'est pas. Demain soir, avant la relève de la garde, nous nous emparerons de l'arsenal et je tenterai de forcer le domaine du guide suprême.

— Puisque tu tiens à disparaître, fais-moi l'amour une dernière fois.

Scorpion releva le défi.

*

Le surveillant enrageait.

Ainsi, cette garce osait le tromper avec un esclave! À la voir, elle prenait un plaisir qu'elle ne lui accordait pas; et ses gémissements, lorsqu'il la besognait, n'étaient que simulation!

Il aurait dû châtier cette traînée, mais comment se passer d'elle? Menteuse, truqueuse, elle possédait des talents inégalables. Jamais le Libyen ne disposerait à loisir d'une femme si belle.

C'était donc son amant qu'il fallait supprimer. Et personne ne lui reprocherait d'avoir exécuté un esclave. Afin de ne pas rater son coup, le surveillant attendit la position idéale.

Et Scorpion, en s'étendant sur la Sumérienne, ne tarda pas à lui offrir son dos.

*

Un rayon de lune baigna le couple enlacé. Au moment où son amant la pénétrait, Ina aperçut le surveillant, un couteau à la main.

D'une ruade, elle poussa Scorpion de côté.

La lame frôla son épaule et se planta dans la poitrine de la Sumérienne.

Un instant décontenancé, Scorpion réagit avec une extrême violence. De ses poings, il fracassa le visage du Libyen, frappa et frappa encore. L'assassin avait cessé de vivre quand le jeune guerrier le piétina.

Ina ne pouvait plus parler.

Un flot de sang jaillit de sa bouche, et son dernier regard, empli d'amour, fut son ultime offrande à l'homme qui avait su la rendre heureuse.

Animé d'une rage froide, Scorpion arracha le couteau.

— J'agirai pour deux, promit-il à la morte.

Après avoir réveillé les esclaves dormant à proximité, Scorpion marcha en direction du centre du village. Il égorgea deux gardes assoupis, libéra leurs prisonniers et les équipa des armes rudimentaires accumulées depuis plusieurs jours.

La détermination de Scorpion impressionna tellement les paysans qu'ils se sentirent capables d'affronter les Libyens.

Une meute hurlante se rua à l'assaut de l'arsenal.

- 33 -

Narmer passa la nuit en méditation devant les deux couronnes, la blanche du Sud et la rouge du Nord ; chargées de magie, elles émettaient une énergie qui dilatait son cœur, l'ouvrant à des mondes inconnus où les divinités maniaient les forces de création.

L'esprit de Narmer survola la vallée du Nil, les méandres du fleuve, les déserts, les immenses étendues verdoyantes du delta. Cette vision confirmait ce qu'il pressentait : ce Double Pays ne ressemblait à aucun autre, il détenait un avenir surnaturel qu'il fallait arracher aux ténèbres de l'occupation. Héritier du *ka* transmis par les Âmes de Bouto, le roi devait le mettre en œuvre et franchir l'étape qu'avait indiquée l'Ancêtre.

En sortant de la chapelle de Neit, Narmer goûta la clarté du matin.

— Les couronnes t'ont-elles parlé ? demanda la reine.

— J'ai entendu leur voix, grave et profonde comme celle des Âmes ; nul ne sera capable de les porter tant que le Nord et le Sud ne seront pas réunis. L'heure du combat décisif est arrivée. Implore la déesse de nous seconder.

Ce fut au tour de Neit de vénérer les deux couronnes, les yeux du faucon primordial à la taille de l'univers, le soleil et la lune.

À l'allure de Narmer, tête haute et buste rigide, le Vieux redouta le pire et ne fut pas déçu. Le roi chargea le général Gros-Sourcils de préparer la totalité des troupes à un départ imminent.

*

Déclenchée en pleine nuit, l'attaque des paysans surprit les fonctionnaires gardant l'arsenal. La meute hurlante, guidée par un démon déchaîné, les figea de stupeur; avec son simple couteau, un Scorpion bondissant perça les chairs des Libyens qu'achevèrent les villageois, heureux de remporter leur première victoire d'hommes libres.

L'alerte n'ayant pas été donnée, Scorpion et plusieurs costauds enfoncèrent la lourde porte de bois. Arcs, flèches, épées, boucliers, lances... Les révoltés s'armèrent. Même inexpérimentés, même maladroits, ils obtenaient la possibilité de se battre.

Malgré sa rage, Scorpion ne perdait pas sa lucidité; voulant exploiter ce succès inattendu, il envoya des messagers prévenir un maximum de résistants pour provoquer une insurrection générale. Exalté, un petit groupe attaqua la place forte où résidait le guide suprême et commit une erreur fatale; les soldats d'élite affectés à la protection d'Ouâsh taillèrent en pièces les assaillants, et l'ensemble de la garnison libyenne sortit rapidement de sa torpeur.

Scorpion comprit qu'il ne parviendrait pas à atteindre le guide suprême. Seule stratégie viable : renforcer la position acquise et distribuer les armes.

Bientôt, on se battit partout aux alentours, et quantité de familles de paysans furent massacrées; abandonnés à eux-mêmes, les villages environnants subirent la violence aveugle des occupants.

Les survivants qui rejoignirent Scorpion avaient une telle envie de lutter qu'ils repoussèrent une contre-attaque libyenne ; marchant sur les morts, ils formèrent une muraille infranchissable.

*

Réveillé en sursaut, Piti avait rêvé d'Ikesh.

Le géant nubien, lui, aurait su briser toute tentative de sédition. Au conseiller d'Ouâsh, à présent, de faire face. Peu apprécié des officiers supérieurs, il exigea leur présence immédiate.

Le préposé à l'arsenal était décomposé.

— Les esclaves ont tué les gardes et se sont emparés des armes.

— Tes hommes étaient des incapables ! éructa Piti. Ces lâches méritaient leur sort.

Ce dédain offusqua les officiers.

— Nous avons isolé les insurgés, précisa le commandant des archers ; avant l'aube, les autres foyers de résistance seront éteints.

Piti en doutait.

— Écrasons immédiatement ces cloportes !

— Mieux vaudrait jauger leurs forces et ne pas les attaquer à l'aveugle. Nous avons perdu beaucoup de soldats, et l'ensemble des officiers supérieurs souhaite n'intervenir qu'à coup sûr. Avec l'accord du guide suprême, bien entendu.

L'acidité du ton irrita le conseiller.

— Je le consulterai et transmettrai sa décision. En attendant, exterminez les contestataires et encerclez les rats qui occupent notre arsenal.

*

Un long répit permit à Scorpion et à ses fidèles de reprendre leur souffle. Déployant un courage inouï, ils avaient réussi à tenir leur position en repoussant des vagues de fantassins libyens.

Blessé au front, un paysan ahanait.

— On a gagné, on a gagné…

— Ils reviendront, assura Scorpion.

— Ils détaleront comme des lièvres et nos flèches transperceront leurs fesses !

À l'orient, le ciel rougissait ; Scorpion évita de détromper ce combattant d'occasion, épris d'une liberté dont il ne jouirait pas longtemps. L'exploit serait sans lendemain ; les troupes du guide suprême préparaient la reconquête de l'arsenal.

Afin de maintenir le moral de sa modeste armée, Scorpion la harangua :

— On a déjà obtenu l'impossible et on continuera ! Les Libyens n'ont jamais rencontré pareille résistance, ils n'aiment que les victoires faciles. Ici, ils se briseront les dents.

Cette conviction fut communicative, et l'on observa scrupuleusement les consignes du jeune guerrier ; disposés en trois lignes, les insurgés n'envisageaient pas la défaite.

Les premiers rayons de soleil réchauffèrent les corps meurtris, et Scorpion eut un espoir fou : voir apparaître l'animal de Seth, déclenchant un orage meurtrier ! Mais le ciel était d'un bleu immaculé, et la matinée s'annonçait radieuse.

Brève déception.

L'absence de son protecteur ne signifiait-elle pas que Scorpion, à lui seul, possédait les ressources nécessaires pour affronter les Libyens ?

En pleurs, un adolescent sortit des rangs.

— Je ne veux pas mourir !

Scorpion lui agrippa les épaules.

— Vivre, c'est se battre.

— Laisse-moi me rendre !

— Crois-tu à l'indulgence de nos ennemis ?

— Ils ont besoin d'esclaves.

De son avant-bras, Scorpion rompit le cou du gei-gnard; l'adolescent s'effondra à ses pieds.

— Je réserve le même sort aux peureux ! Notre unique chance de survivre consiste à nous montrer plus forts que l'oppresseur; lui concéder le moindre pouce de terrain nous condamnera. À mon côté, les lâches n'ont pas leur place.

Les hésitants ravalèrent leurs craintes et renoncèrent à quitter leur poste. Scorpion passa très lentement devant chacun des paysans et les foudroya de son regard, les nourrissant d'un feu qui déculperait leur hargne.

Ainsi se forma une authentique milice, capable d'affronter un adversaire haï et désireuse d'en découdre.

Hantant la douceur de cette matinée, le visage amou-reux de la Sumérienne ranima la fureur de Scorpion; il dut se contenir pour ne pas s'élancer, seul, à la ren-contre des Libyens.

Le soleil continuait son ascension, et l'ennemi n'appa-raissait pas. Et s'il abandonnait l'arsenal, décontenancé par une résistance imprévue ?

L'illusion fut vite dissipée quand des centaines de fan-tassins se regroupèrent à une bonne distance. Avec calme, les officiers les disposaient en vue de l'assaut.

— Ils sont nombreux, si nombreux, marmonna un éleveur de porcs.

— Tends la corde de ton arc et prépare-toi à tirer, ordonna Scorpion. Vise bien, et ces charognards recule-ront.

L'affrontement s'annonçait rude; freiner le déferle-ment des Libyens ne serait pas une partie de plaisir.

« Ne tarde pas, Narmer », pria Scorpion.

- 34 -

Narmer dressa vers le ciel sa baguette en bois d'ébène, Neit présenta au soleil des statuettes de cire représentant des Libyens, agenouillés et les mains ligotées derrière le dos.

— Faucon primordial, implora-t-elle, brûle les ennemis qui oppressent notre terre, calcine les êtres mauvais !

Jaillissant du sommet du ciel, un rapace aux yeux d'or, au bec gris à l'extrémité noire, aux pattes et aux serres jaunes, fondit à une vitesse stupéfiante sur les figurines. Alors qu'il les déchiquetait, se dessina au zénith la tête d'une vache dont les cornes étaient ornées d'étoiles.

Les Libyens de cire s'enflammèrent, et des cris de souffrance se mêlèrent aux grésillements. Neit coiffa Narmer de la couronne blanche du Sud, provoquant l'apparition de la déesse vautour de Nékhen. Elle décrivit un large cercle au-dessus du couple, et la reine recueillit sa pensée.

— Suivons-la, elle nous guidera jusqu'à la victoire !

Armé d'une lance légère, le Vieux emboîta le pas à l'avant-garde ; au terme d'une longue attente, l'enthousiasme était général ; les soldats de l'armée de libération désiraient se battre et chasser l'occupant.

La présence du vautour aux ailes immenses rassurait la troupe à laquelle se mêlaient des milliers de Vanneaux, également déterminés.

À la gauche du roi, le général Gros-Sourcils était impressionné par l'ampleur de cette vague; submergerait-elle les barbichus? En ce cas, son comportement traduirait une totale adhésion au souverain. Mais si Ouâsh prenait l'avantage, Gros-Sourcils devrait supprimer Narmer, une telle action d'éclat lui valant la reconnaissance du vainqueur.

La flottille de guerre attaqua les quatrième et cinquième fortins, dressés au bord d'un chenal, et le duel des archers tourna en faveur des régiments de Narmer; l'infanterie, elle, se déploya afin d'investir la ligne de places fortes marquant le territoire inviolable du guide suprême.

La taille des tours crénelées et le nombre de défenseurs rafraîchirent l'ardeur des assaillants; au moment où la crainte gagnait les rangs, le taureau brun-rouge laboura le sol de ses sabots, et s'élança, survolé du faucon aux yeux d'or.

De ses cornes, le quadrupède enfonça la base d'une tour qui vacilla et s'écroula; de ses serres et de son bec, le rapace perça les yeux des archers, incapables de l'abattre.

Affolés, quantité de Libyens tentèrent de s'enfuir, devenant la proie des Vanneaux, ravis d'exercer une vengeance impitoyable. Un à un, les fortins tombèrent et la ligne de défense fut percée.

Alors, le grand vautour prit la direction de la résidence du guide suprême, et Narmer entraîna son armée à sa suite.

*

Caché au cœur d'un bosquet de saules en compagnie de sa garde rapprochée, Crocodile observait la débandade de ses alliés. Pourquoi les bastions d'Ouâsh avaient-ils cédé en si peu de temps?

À la puissance du taureau s'était ajoutée celle du faucon; les pouvoirs de Narmer, entretenus par la magie de Neit et les âmes des chefs de clan disparus, surpassaient ceux de l'envahisseur.

Dernière chance d'interrompre la progression fulgurante de Narmer : le bataillon fermant la mâchoire supérieure prévue pour broyer l'imprudent, l'inférieure étant la milice de Crocodile, destinée à porter le coup fatal.

Les fantassins d'Ouâsh obéirent aux ordres et entamèrent la contre-offensive, persuadés qu'ils repousseraient l'adversaire; avant d'intervenir, Crocodile préféra observer l'évolution de la situation.

Il fut vite fixé.

Animé d'une fureur destructrice, le taureau chargeait, cornes pointées, tandis que le faucon attaquait en piqué. Les officiers furent les premiers à mourir, transpercés et déchiquetés; épouvantés, les soldats se dispersèrent comme des moineaux.

Posément, les archers de Narmer les exterminèrent.

Crocodile se félicita de sa prudence; le plan du guide suprême était un échec cuisant. Au moins, les reptiles échappaient au massacre; le chef de clan ordonna le repli. Indemnes, ses troupes demeureraient redoutables.

À la suite de ce désastre, comment Ouâsh réagirait-il?

*

Le bataillon de contre-attaque anéanti, la percée s'annonçait décisive; et le grand vautour continuait à tracer le chemin.

Épaté, le Vieux restait sceptique; les Libyens ne tendraient-ils pas un piège ultime, tombeau de Narmer? Ne manifestant aucune hésitation, le roi avançait. Ses genoux ayant retrouvé leur souplesse d'antan, le Vieux se félicitait de piquer l'arrière-train des Libyens en déroute; quel plaisir de libérer ce territoire, avec l'espoir d'extirper le mal!

Encadrant le monarque, les deux lionnes lui garantissaient une parfaite protection; se maintenant dans leur sillage, le Vieux bénéficiait d'un abri sûr, à la pointe du combat. Il voulait être l'un des premiers à revoir Scorpion qui, sans nul doute, avait déclenché une insurrection.

À l'horizon, la haute tour crénelée d'une place forte plus massive que les précédentes.

— La résidence du guide suprême, jugea Narmer.

*

Scorpion empila un nouveau cadavre de Libyen sur le monceau de dépouilles servant de muraille. Il venait de repousser la dixième attaque de fantassins, mais les insurgés étaient à bout de forces, et la prochaine les submergerait.

Blessé au torse, aux bras et aux jambes, Scorpion ignorait la douleur et admirait le courage des paysans, improvisés guerriers; encouragés par un chef qui montrait l'exemple, ils refusaient de céder le moindre pouce de terrain et utilisaient au mieux leurs armes.

Leurs effectifs décimés, les résistants se rendaient à l'évidence; la fin était proche.

Un gamin au front entaillé s'approcha de Scorpion.

— On va crever, prédit-il.

— Ça m'étonnerait.

— Regarde... ils se regroupent! Cette fois, on ne tiendra pas.

— Tu te trompes, petit.

— Pourquoi nier l'évidence?

— Jamais un Libyen ne me vaincra. Ces barbichus croient avoir gagné, ils se casseront les dents.

— Impossible, ils…

— Impossible n'est pas Scorpion. Retiens cette leçon, afin de survivre; surtout, bats-toi!

L'énergie de son chef se transmit à l'adolescent; il oublia ses plaies et sa peur, mais n'osa pas se blottir contre ce guerrier qui l'aurait considéré comme un lâche.

Les piques des Libyens se dressèrent; un officier disposa ses hommes et les harangua. Face à une telle masse de barbares, assurée de massacrer l'adversaire, les derniers résistants auraient-ils le désir de lutter?

Scorpion regarda ses compagnons d'armes, un à un; dans ses yeux, ils découvrirent un feu si intense qu'il effaça faiblesse et désespoir. Mieux valait mourir que de le décevoir.

Côte à côte, ils formèrent une seule ligne, les uns prêts à tirer des flèches, les autres à manier leur fronde; au moins, ils auraient connu quelques heures de liberté et causé un maximum de dégâts aux occupants.

Les piques s'abaissèrent.

Parmi les Libyens, du flottement. La troupe perdit sa belle ordonnance; on discutait, on se chamaillait, l'officier ne parvenait pas à rétablir la discipline. Certains fantassins jetèrent leurs armes, plusieurs détalèrent.

Et ce fut la débandade générale.

Bouche bée, l'adolescent se frotta les yeux.

— On dirait qu'ils s'enfuient!

— Exact, confirma Scorpion.

— À cause… de nous?

— Je te l'avais annoncé: personne ne vaincra Scorpion. Nous ne sommes pas seuls, gamin; mon frère, Narmer, le roi du Sud, a entendu mon appel.

- 35 -

Quand il vit le grand vautour tracer un cercle au-dessus de la tour crénelée, résidence du guide suprême, Scorpion sut que Narmer avait enfoncé les lignes ennemies.

— À l'attaque! ordonna-t-il.

Hébétés, épuisés, ses fidèles obéirent à cet ordre insensé et se ruèrent en direction de la place forte principale.

Au passage, ils massacrèrent des Libyens attardés; et des cris de joie saluèrent la jonction avec l'avant-garde de Narmer!

Le roi et Scorpion se donnèrent une franche accolade, tout au bonheur de se retrouver indemnes.

— Ton exploit a été décisif, estima Narmer.

— Et plus encore ta percée!

— La victoire n'est pas acquise, il faut s'emparer d'Ouâsh.

— Je sais où il se cache.

Scorpion montra la haute tour.

— J'espérais t'apporter sa tête après m'être introduit dans son repaire, mais nous devrons éliminer sa garde rapprochée.

Le taureau brun-rouge, assisté de ses congénères en furie, démolit les fortifications donnant accès à la porte de la tour crénelée qu'il défonça d'un coup de corne d'une violence inouïe.

Piétinés, éventrés, les défenseurs n'avaient opposé qu'une faible résistance à cette cohorte de monstres, suivie des fantassins et des villageois qui achevèrent les blessés et leur coupèrent les mains et le sexe. Ainsi, leurs spectres seraient inoffensifs, ne pouvant ni agir ni procréer.

Narmer caressa l'énorme taureau, en sueur et langue pendante.

— Grâce à toi, le voile des ténèbres s'est déchiré.

Scorpion pénétra dans la tour.

À peine abordait-il l'escalier qu'une volée de flèches, tirée depuis le premier palier, le frôla. L'une d'elles lui entailla l'épaule gauche.

Narmer retint son frère.

— Si proches du but, ne risquons aucune vie ; enfumons-les.

Le Vieux fut enchanté d'exécuter l'ordre.

Jaillissant d'une dizaine de pots de terre, des colonnes de fumée nauséabonde envahirent la tour, contraignant les membres de la garde rapprochée du guide suprême à dévaler l'escalier et à tenter une sortie.

Postés à bonne distance, les archers de Narmer les exécutèrent, à l'exception d'un officier dont Scorpion brisa les jambes.

— Où se trouve Ouâsh ? demanda le roi.

— Il cherche à s'enfuir, révéla le Libyen, ivre de douleur.

Le Vieux abrégea ses souffrances, Scorpion grimpa l'escalier quatre à quatre. Indifférent aux odeurs, il traversa le nuage et atteignit la résidence d'Ouâsh.

La porte était entrouverte.

Une vaste tente, des coussins, des restes de nourriture... Personne.

Scorpion reprit son ascension et déboucha au sommet de la tour.

Surpris, deux Libyens réagirent avec promptitude. D'un geste ample, le jeune guerrier fit décrire un demi-cercle à sa massue qui percuta le front des gardes. Les yeux exorbités, les bras ballants, ils restèrent debout quelques secondes, comme s'ils étaient indemnes. Puis un sillon sanglant apparut, et ils s'effondrèrent.

Dans un angle, un petit homme tassé se cachait le visage.

Scorpion s'approcha.

— Je ne suis pas le guide suprême, seulement Piti, son conseiller ! Moi, j'obéis et je ne donne pas d'ordres ! Je ne suis responsable de rien !

— Où se trouve ton chef ?

Piti désigna un créneau auquel était attachée une corde.

Scorpion l'agrippa par le col de sa tunique et le traîna jusqu'à l'endroit indiqué. En se penchant, il aperçut Ouâsh en train de descendre et presque arrivé au sol. Un petit bataillon de Libyens l'attendait.

— Épargne-moi ! supplia Piti. J'ai désapprouvé l'invasion du delta et les sévices infligés à la population, je n'ai cessé de prodiguer des conseils de modération à notre guide suprême, mais il ne m'a pas écouté.

— Au fond, constata Scorpion, tu étais une sorte de victime.

— Exactement !

— Serviras-tu Narmer ?

— Je serai le plus loyal de ses fidèles.

— On ne rencontre pas souvent des gens de ton espèce.

Piti respira mieux.

— Il reste un dernier point à discuter, estima Scorpion.

— J'accepte d'avance tes exigences !

— Bien, bien… Alors, je n'hésite pas.

Scorpion souleva le lâche.

— Quand on a la chance d'identifier un faux cul, on ne doit pas la laisser passer. Dépêche-toi de rejoindre ton guide.

Scorpion jeta dans le vide un Piti hurlant de frayeur.

*

Au terme d'une pénible descente, la paume des mains râpée, Ouâsh toucha enfin terre, acclamé par ses derniers soldats, appartenant à sa tribu. À leur tête, il regagnerait la Libye et reconstituerait ses forces afin de reconquérir le territoire perdu. Sa haine envers les vainqueurs d'un jour serait le ferment du triomphe futur.

Bénéficiant de circonstances favorables, ce Narmer s'enivrerait de son pouvoir inattendu et, à l'instar du défunt chef de clan Taureau, ne se méfierait pas des coureurs des sables, persuadé de leur avoir rompu l'échine. Ouâsh rassemblerait de nouveaux mercenaires et frapperait à l'improviste.

Alors que le fuyard s'éloignait de la forteresse, le corps de Piti tomba sur un groupe de fantassins. Deux furent tués net, d'autres blessés ; quant au conseiller, il eut la nuque brisée. Le guide suprême n'accorda qu'un œil dédaigneux au pantin désarticulé ; l'urgence consistait à sortir de ce guêpier.

— Me voici ! clama la voix de Scorpion.

Après une rapide descente en rappel, le jeune guerrier courait en direction de l'ennemi.

Ouâsh se retourna.

— Tu es seul, nous sommes nombreux !

— Seul ? Tu es devenu aveugle, chef des fuyards !

Intrigué, Ouâsh regarda autour de lui.

Sur le flanc gauche, les archers ennemis ; sur le flanc droit, une meute de Vanneaux ; en face, barrant le chemin, une femme.

— Me reconnais-tu ? demanda Neit.

— J'aurais dû te supplicier, sorcière !

— Ordonne à tes soldats de rendre les armes.

— Jamais !

Ouâsh lança l'assaut, espérant trouver une issue ; mais le dernier bataillon libyen fut pris dans une nasse, et sa résistance ne dura guère. À lui seul, Scorpion massacra l'arrière-garde.

Isolé, pantelant, le guide suprême était le dernier survivant libyen, au milieu de dizaines de cadavres. Et le combat cessa.

Armé d'une massue à la tête de calcaire d'un blanc brillant, Narmer s'avança.

Tremblant de tout son être, Ouâsh s'agenouilla.

— Accorde-moi la vie, implora-t-il d'une voix chevrotante, et je deviendrai ton esclave.

— Tu as envahi mon pays, tué, torturé, violé et pillé, adepte de la cruauté et du mensonge. Le présent des dieux, la Vie, tu le transformes en Mal.

De la main gauche, Narmer saisit les cheveux du Libyen ; de la droite, il brandit la massue d'où jaillirent des rayons de lumière qui calcinèrent l'envahisseur.

- 36 -

À bonne distance, Crocodile assista au démantèlement de la place forte du guide suprême. Les Vanneaux s'en donnèrent à cœur joie, pendant que le cadavre d'Ouâsh était exposé à la vue de tous.

Pas un Libyen n'avait survécu, et rien ne subsisterait de leurs sinistres fortins. Assistée de la cheffe de clan Cigogne, la reine Neit prononça les formules éloignant les spectres des morts et purifia les lieux en brûlant des huiles odorantes ; les volutes de fumée dispersèrent les mauvais esprits.

La guerre semblait terminée, Narmer triomphait.

Mais les forces de Crocodile étaient intactes, et les nombreuses naissances prévues augmenteraient les rangs de féroces combattants. Refusant d'abdiquer, le maître des reptiles n'avait pas dit son dernier mot. Narmer ignorait qu'il comptait un traître, le général Gros-Sourcils, parmi ses proches ; et son frère Scorpion, le meilleur des guerriers, se contenterait-il d'une position de subalterne ? Des ambitions se manifesteraient, des complots seraient ourdis, et des conflits internes ne tarderaient pas à dérouter le roi.

Crocodile subornerait de nouveaux alliés.

Tirant profit de ses erreurs passées, il anéantirait ses adversaires, s'emparerait de l'ensemble du territoire et serait, en définitive, le véritable vainqueur de la guerre des clans.

Pour l'heure, il convenait de se faire oublier et de se préparer dans l'ombre, en ne commettant aucune agression contre les maîtres du pays. Narmer croirait à l'inertie de Crocodile et ne se méfierait pas d'un solitaire réduit à l'impuissance.

*

Scorpion creusa lui-même la tombe de la Sumérienne et recouvrit son cadavre d'une natte sur laquelle il déposa un poignard, une flèche et un bracelet. Assistant à la brève cérémonie, Fleur jubilait. Débarrassée d'une rivale redoutable, elle demeurait la seule épouse d'un guerrier inégalable, promis à un brillant avenir.

Narmer n'était qu'un suiveur. Les dieux l'avaient reconnu ? Soit, mais Scorpion leur était supérieur ! Le moment venu, il prendrait le pouvoir et Fleur élimine-rait Neit.

À son tour, le roi rendit un dernier hommage à la Sumérienne.

— Sans elle, avoua Scorpion, j'aurais été tué.

— Tu l'aimais, n'est-ce pas ?

— L'amour affaiblit, Narmer ; Ina et moi avons eu beaucoup de plaisir, et la mort a tranché. Dès demain, je l'oublierai.

La terre recouvrit la dépouille.

Scorpion prit Fleur par le bras ; ravie, elle saurait soi-gner ses blessures.

— Le banquet sera fastueux, promit le Vieux à son souverain ; les Libyens avaient accumulé quantité de nourritures, de jarres de vin et de bière ! Cette nuit, nous mangerons et nous boirons comme jamais.

Lorsque Narmer rejoignit la reine, Neit perçut aussitôt son trouble.

— Que redoutes-tu ?

— Notre peuple doit jouir d'une liesse bien méritée ; moi, j'ai d'autres préoccupations.

— Lesquelles ?

— Tu les pressens, Neit : construire un État. À quoi auraient servi ce conflit et ces victimes si nous ne parvenions pas à établir paix et prospérité ? Et comment oublier qu'il me reste deux étapes à franchir sur le chemin de l'Ancêtre ?

Les deux époux s'enlacèrent.

— En ne cédant pas aux mirages, tu bâtis le bonheur futur.

— Voici mes choix : les partages-tu ?

Neit approuva les décisions du roi.

*

La fête battait son plein, militaires et civils se laissaient aller. L'ivresse gagnait les cœurs, des idylles se nouaient, on riait à se crever la poitrine et le ventre, on se remémorait les hauts faits d'armes en les embellissant, et l'on goûtait la douceur d'une nuit de liberté.

À de brefs intervalles, on portait une santé à Narmer, à Neit et à Scorpion, les artisans d'un triomphe inattendu. Le Vieux n'était pas le dernier à se réjouir, mais sa longue pratique des bons crus lui conférait une endurance particulière. Quand le roi l'aborda, il avait encore toute sa tête.

— Sa Majesté est-elle satisfaite ?

— Tu es un remarquable organisateur, et ce banquet sera inoubliable.

Ce compliment inquiéta le Vieux.

— On m'a aidé, je…

— Nous devons bâtir un royaume dont la justesse sera le socle, affirma Narmer, et j'ai besoin d'un petit nombre de responsables qui se préoccuperont sans cesse du bien-être de notre peuple.

— Vu mon âge...

— Il te procure une expérience irremplaçable. Tu as vécu la guerre des clans, le déchirement du pays, et tu sais à quel point son unité est précieuse. La flatterie ne te séduit plus, tu détestes les ambitieux et tu apprécies les jours heureux. Acceptes-tu d'être mon bras droit et de diriger l'administration des Deux Terres ?

Le ciel tomba sur la tête du Vieux.

— Je... J'en suis incapable !

— La reine et moi-même t'en jugeons digne.

— Avez-vous... réfléchi ?

Narmer sourit.

— Nous accordes-tu ta confiance ?

— Certes, certes...

— En ce cas, tu deviens le Porteur du sceau royal et tu confirmeras nos décisions en utilisant les paroles de puissance.

— Je ne les connais pas !

— Nous te les apprendrons.

Narmer posa les mains sur les épaules du Vieux.

— Cette guerre est terminée, mais les prochains combats s'annoncent rudes, et ce n'est pas la violence qui nous permettra de les remporter. Ton rôle sera essentiel ; jures-tu de le remplir en conscience et fidélité ?

Le Vieux entendit une voix stupide répondre « oui », et c'était malheureusement la sienne.

Ignorant pourquoi il avait commis cette folie, il décida de boire sérieusement.

*

Perplexe, le général Gros-Sourcils se félicitait d'être encore vivant ; les Libyens anéantis, comment orienter sa carrière ? La chance lui avait permis d'échapper aux soupçons, de profiter de ses crimes et de ses trahisons. Serait-elle durable ?

Lors des ultimes affrontements, il avait tué nombre de Libyens, espérant que le guide suprême renverserait la situation ; aujourd'hui, il n'était qu'une dépouille calcinée ! Au moins, ni lui ni ses adjoints ne parleraient à Narmer des véritables intentions de Gros-Sourcils.

En voyant s'approcher le roi, le général sentit ses muscles se contracter. Le monarque avait-il bénéficié d'une délation lui révélant l'ignominie du militaire ?

— Merveilleuse nuit, Majesté ! Le Mal est enfin terrassé.

— Cette victoire appartient au passé, général ; un jeune soleil va se lever, et sa lumière nous incitera à fonder un monde nouveau.

— De quelle manière vous aider ?

— Tu étais le second de Taureau et tu as combattu sous mes ordres ; cette fidélité mérite récompense.

Rassuré, Gros-Sourcils s'inclina.

— Je te confie le commandement de l'armée qui a libéré le pays entier ; tu t'entoureras d'officiers compétents, capables de garantir notre sécurité.

— Je m'y engage, Majesté !

— De plus, je te nomme porte-sandales et chef de ma garde personnelle ; demain, pendant la cérémonie, tu seras le premier à me suivre.

— C'est… un immense honneur !

— Continue à servir ton pays, général ; un dur labeur nous attend.

Abasourdi, Gros-Sourcils savourait son succès dont les clés s'appelaient assassinat, mensonge et duplicité ! En observant cette habile stratégie, il se voyait nommé au sommet de l'État naissant.

- 37 -

En s'éveillant, Narmer se souvint de son rêve : tenant le coquillage sacré de son clan, la petite voyante qui lui avait sauvé la vie continuait à réclamer vengeance.

Tant d'événements s'étaient produits depuis la destruction du clan Coquillage et l'assassinat de la fillette ! Néanmoins, le roi n'avait pas oublié sa promesse : identifier le meurtrier et le châtier. À cause de ce drame, il avait quitté sa province natale, couru mille dangers et accédé à une fonction dont il ne concevait même pas l'existence. Au lieu de se réjouir de son incroyable triomphe, Narmer ne songeait qu'aux difficultés à venir : l'édification d'un royaume, la mise en place d'une administration honnête et efficace, la sécurité... Autant d'objectifs difficiles à atteindre, sans compter les inévitables agressions de Crocodile qui avait eu l'intelligence de ne pas sombrer avec les Libyens.

Baignée des premiers rayons du soleil, Neit était radieuse. Au monarque, elle présenta la couronne rouge du Nord.

— Elle guidera tes pas et te transmettra le génie du delta.

— Recevons le Porteur du sceau, décida Narmer.

Le Vieux n'avait pas eu le temps de dormir, mais un blanc très sec et fruité, effaçant toute trace de fatigue, s'était allié aux lueurs de l'aube pour lui donner l'énergie d'un jeune homme.

En s'inclinant devant le couple royal, il recommença à croire en la bienveillance des dieux. Ne lui accordaient-ils pas le privilège de vivre un miracle et de participer à une œuvre illuminant sa vieillesse?

— Voici les paroles de puissance, indiqua Neit, traçant les vingt-quatre lettres mères sur un lit de sable; en les assemblant, tu connaîtras les paroles des dieux; comme le roi et moi, tu apprendras à former d'autres signes. Cette langue sacrée est notre trésor le plus précieux.

Émerveillé, le Vieux grava cette révélation dans son esprit et ses mains.

*

Narmer s'attendait à l'attitude hostile de Scorpion.

— Me reprocherais-tu les nominations du Vieux et de Gros-Sourcils? Ces postes-là ne sont pas à ta dimension, mon frère! Tu exiges bien davantage et tu as raison.

Scorpion sourit. En quelques mots, Narmer venait d'effacer sa hargne.

— Tu aurais mérité les deux couronnes, toi, le meilleur des guerriers! Je comprends mal la décision des dieux... Sauf s'il ne s'agit que d'une brève période. Mon temps achevé, le pouvoir suprême te reviendra. Un pouvoir encore lointain.

— La victoire ne serait-elle pas totale? s'étonna Scorpion.

— Selon l'Ancêtre, sept étapes étaient à franchir; il en reste deux. Et si j'échouais? Alors, mon frère, ne dilapidons pas les fruits de nos efforts.

— Nous sommes liés à jamais.

— Quatre enseignes, correspondant aux directions de l'espace, me précéderont pour entériner la conquête du Nord; toi, la reine et moi déterminerons leur nature afin de magnifier la fonction royale.

*

Le soleil était au zénith, la chaleur accablante; soldats, villageois et Vanneaux virent les quatre porte-enseigne, précédant le Vieux, Narmer et son porte-sandales, se diriger vers les dépouilles du guide suprême et de ses officiers.

Première enseigne : deux faucons symbolisant le Nord et le Sud; deuxième, un sac contenant un placenta, annonciateur des futurs souverains; troisième, le chacal de l'Occident, guide du monarque sur les chemins de l'au-delà; quatrième, un faucon, incarnation de l'Orient, maître du ciel et de la vision du lointain.

La tête haute, coiffé d'une perruque, le Vieux tentait de faire bonne figure, se demandant pourquoi il avait accepté une telle charge; maintenant, impossible de reculer. Gros-Sourcils, lui, appréciait pleinement son nouveau statut; et son allure martiale impressionna l'assistance.

La procession s'immobilisa face à dix cadavres décapités; entre leurs jambes écartées, leur tête tranchée. Ouâsh, Piti et ses officiers supérieurs gisaient devant le navire amiral de Narmer.

Au moment où le roi s'avançait, un faucon se posa à la proue de la barque. Leurs regards s'échangèrent, et des rayons de lumière formèrent une porte immense, servant d'écrin au cobra femelle de Bouto, protectrice de Narmer. De son poitrail jaillirent de longues flammes rouges qui brûlèrent les restes des Libyens.

Des acclamations saluèrent l'intervention de la déesse du Nord.

Le long visage de la vieille cheffe de clan Cigogne, nommée à la tête du service de santé, demeurait empreint d'inquiétude ; sachant que Narmer n'avait pas parcouru la totalité du chemin de l'Ancêtre, impossible de se réjouir.

*

Sous la direction du Maître du silex, des artisans avaient édifié à la hâte un modeste palais en bois et en clayonnage ; sans nul doute, le monarque ordonnerait bientôt la construction d'une capitale unissant le Nord et le Sud, bien différente du camp retranché de Taureau.

Gilgamesh, l'artiste sumérien, vint présenter au roi une œuvre extraordinaire, une palette en pierre vert et noir sur laquelle étaient sculptés ses exploits ; d'un côté, Narmer portait la couronne rouge du Nord, de l'autre la blanche du Sud. Assisté du faucon et du taureau, il terrassait les Libyens et, de sa massue, abattait Ouâsh. On voyait aussi la procession des enseignes et les cadavres des vaincus.

Une scène étonna le souverain : à l'aide d'une corde, deux personnages maîtrisaient deux fauves aux cous démesurés et entrecroisés.

— J'ai voulu signifier la soumission des puissances dangereuses, expliqua le Sumérien, et leur conciliation grâce à la réunion des Deux Terres. Le Maître du silex a constamment guidé ma main, et c'est lui le véritable auteur de ce monument[1].

Narmer fit aussitôt consacrer cette palette, pierre de fondation de son règne, et la reine la plaça dans la

---

1. Pour une description détaillée de la *Palette de Narmer*, voir mon album *Comment est née l'Égypte pharaonique*, joint au premier tome de *Et l'Égypte s'éveilla*.

chapelle de Neit, afin qu'elle bénéficiât de la protection magique de la déesse, avant d'être transportée à Nékhen, la ville sainte du Sud.

*

Le Vieux fut le premier prévenu du retour de Scorpion, parti en mission dès la fin des réjouissances. Le roi n'avait confiance qu'en son frère pour parcourir le territoire et obtenir des informations vitales.

— Belle promotion, le Vieux ! Toi, à la tête de notre future administration... Tu ne cesseras pas de me surprendre.

— Ne m'en parle pas, c'était un piège réservé à un imbécile de haut vol ! Hier, je n'ai même pas eu le temps de m'accorder une sieste... Et le nombre de tire-au-flanc à remuer ! Cette fonction est plus amère que le fiel.

— À te voir, elle te rajeunit !

— Méfie-toi de ce roi, c'est un sorcier ; il parvient à nous persuader qu'il est possible de connaître le bonheur et l'harmonie sur cette terre.

— Accompagne-moi, j'ai des nouvelles intéressantes.

*

Le grand conseil réunit le couple royal, Cigogne, le Vieux, le général Gros-Sourcils et Scorpion.

— Nous bénéficions de richesses considérables, déclara ce dernier : quatre cent mille bovidés et un million quatre cent vingt-deux mille têtes de petit bétail. L'ordre règne partout, la totalité de la population reconnaît la souveraineté de Narmer, et nous détenons cent vingt mille prisonniers[1], collaborateurs, bouviers, nomades, propriétaires de petits domaines. Je propose de les exécuter rapidement.

---

1. Ces chiffres sont fournis par la *Palette de Narmer*.

— Ils vivront, et le Vieux les mettra au travail, décréta Narmer.

— Dangereux, objecta Scorpion. Ces misérables nous trahiront !

— Trop de sang a coulé, estima la reine. Ta vigilance nous évitera tout incident.

— Un monde est à construire, rappela le roi, la tâche apparaît immense, voire insensée ; mais il n'existe pas d'autre voie si nous désirons transformer la victoire des armes en paix durable. L'énergie de Scorpion, mon frère par le sang, sera l'un des éléments majeurs de notre réussite ; rien ne sera entrepris sans son accord, et je lui confierai les missions décisives. Demain, je rendrai hommage à Gazelle qui a donné sa vie afin d'éviter les conflits ; et j'espère que l'Ancêtre ne tardera pas à parler.

Le Vieux connaissait bien Scorpion ; à voir son visage faussement inexpressif, il ressentit son profond désaccord.

- 38 -

Narmer retourna au cimetière des gazelles où la belle et douce cheffe de clan aurait tant aimé reposer. En raison de la cruauté de Lion, aujourd'hui disparu, et de Crocodile, toujours menaçant, ce vœu n'avait pas été exaucé ; mais la plainte portée par Chacal, devant le tribunal des dieux, était déjà suivie d'effet. Au châtiment de Lion, terrassé en voulant s'emparer de la cité sacrée d'Abydos, succéderait celui de Crocodile, privé de ses alliés libyens.

Proche du pilier primordial, la nécropole imprégnait l'âme d'une poignante mélancolie. Ici, pas un chant d'oiseau, seulement le souffle du vent ; entre les rangées de sépultures, une allée qu'entretenaient des génies, empêchant le sable de l'envahir. Premier clan à gouverner le pays, les gazelles prônaient un monde paisible où la négociation résolvait les conflits.

Leur fragile souveraine, dernière représentante de sa lignée, avait longtemps réussi à calmer les ardeurs belliqueuses de Taureau et de Lion ; comment aurait-elle pu imaginer la collusion de ce dernier avec Crocodile ? Jusqu'à son dernier souffle, la diplomate avait lutté pour maintenir un équilibre instable, préférable aux affrontements sanglants.

Narmer se souvenait de son enseignement majeur : choisir les bonnes pierres du désert, servant à construire des monuments à la gloire des divinités. N'était-ce pas l'idéal du roi ?

À cause du peigne au sommet en forme de gazelle, découvert sur le territoire de Coquillage, Narmer avait cru que la pacifiste était mêlée, de près ou de loin, à la destruction de son clan et à l'assassinat de la petite voyante. À la suite de leur rencontre, il avait écarté cette hypothèse. L'ambassadrice excluait toute forme de violence.

En parvenant à l'extrémité de la nécropole, le roi constata qu'une tombe venait d'être creusée ; fraîchement coupée, une branche d'acacia la décorait.

Naissant du feuillage, le visage de Gazelle se dessina.

Souriante, apaisée, la délicate jeune femme ouvrit de grands yeux à la fois tendres et inquiets.

— Les dieux m'ont offert l'ultime repos, parmi celles qui m'ont précédée ; notre temps a disparu, le tien est en gestation. Rends-toi au pied du pilier primordial, l'Ancêtre t'attend.

*

Immense, vêtu d'un long manteau blanc, le visage couvert d'un masque triangulaire, pointe en haut, les yeux de perles blanches, l'Ancêtre trônait au sommet d'un chaos de blocs qu'escalada Narmer.

Quand le roi s'inclina, le pilier primordial s'illumina de l'intérieur et la voix de l'ancêtre ébranla la montagne.

— Tu as triomphé des cinq premières épreuves, Narmer, mais les deux dernières exigeront de toi un courage et une fermeté dont ne disposent pas les humains.

— Les âmes des chefs de clan disparus ne survivent-elles pas en moi, n'ai-je pas utilisé leurs facultés surnaturelles afin de remporter une impossible victoire ?

Quelles que soient les difficultés à venir, je ne renoncerai pas.

— Tu n'imagines pas leur ampleur.

— Après tellement de batailles et de souffrances, je veux construire.

— C'est pourquoi les signes de puissance seront gravés dans la pierre et, désormais, transmis à travers elle. Et voici la sixième étape du chemin : accomplir la véritable union du Nord et du Sud, faire fraterniser les Deux Terres.

Narmer fut étonné.

— Cette étape n'est-elle pas déjà franchie ?

— Tu en es loin, Narmer, très loin !

— Nord et Sud ont été libérés !

— Libérés, pas réunis.

— Qui s'opposerait à cet indispensable lien ?

— Ton pire ennemi que tu n'as pas encore identifié. Et sa puissance surpassera peut-être la tienne, car il n'a qu'une idée en tête : la guerre. Va, et affronte-le.

Narmer venait de comprendre : Crocodile ! Le sous-estimer et supposer qu'il se contenterait de survivre en commettant des rapines serait une erreur fatale. Jamais le chef des reptiles ne se soumettrait; au contraire, il continuerait à semer le trouble et tenterait de rassembler des forces capables de disloquer le jeune royaume.

L'Ancêtre avait raison : aussi longtemps que Crocodile sévirait, impossible de proclamer l'union réelle du Nord et du Sud.

*

Les bâtiments sommaires de l'État naissant étaient construits à la pointe septentrionale du delta, le long du Nil; les taureaux de combat bénéficiaient d'un vaste enclos; Vent du Nord et son troupeau d'ânes participaient au transport de matériaux. Quant au chacal Geb, à la tête d'une meute de chiens obéissants, il assurait la sécurité du modeste palais.

Installé sous un auvent, à proximité d'une cave bien fournie, le Vieux constituait ses équipes, en fonction non de l'âge, mais de la vivacité du regard des candidats et de leur désir de travailler. Il se trompait rarement et, en cas d'erreur, renvoyait l'incapable à d'autres tâches.

L'enthousiasme de la population était palpable ; enfin libérée de l'oppression libyenne et de sa cohorte de malheurs, elle mangeait à sa faim. Dirigé par Cigogne, souvent assistée de la reine, le service de santé remettait sur pied blessés et malades. Chaque matin, Neit vénérait la déesse des origines, créatrice de la vie, père et mère de tous les êtres ; sans sa protection et son énergie, nulle œuvre ne serait menée à terme.

Se conformant aux directives de Narmer, le Vieux tentait de briser la loi des clans, celle du plus fort et du chacun pour soi. Développer la solidarité et la réciprocité était une tâche gigantesque, toujours à recommencer ; néanmoins, la maxime que martelait le roi, « agis pour celui qui agit », commençait à former les esprits et à modifier les attitudes.

Lorsque Narmer réapparut, le Vieux se sentit soulagé et s'offrit une rasade d'un rouge léger, dissipant les idées noires et fortifiant le sang ; cet Ancêtre, un peu trop en contact avec l'au-delà, ne lui disait rien qui vaille. Et s'il lui prenait l'envie d'absorber le souverain, où irait-on ?

La reine, elle aussi, était inquiète.

— Quelle nouvelle épreuve t'impose l'Ancêtre ?

— Façonner la réelle unité du Nord et du Sud ; d'après lui, notre pire ennemi n'est pas encore vaincu et nous nous berçons d'illusions. Chasser les Libyens ne suffisait pas.

— Crocodile… C'est lui, le danger ! estima la reine.

— Je convoque immédiatement Gros-Sourcils.

Narmer donna l'ordre au général de ne pas relâcher la discipline et de laisser une partie des troupes en état d'alerte permanent ; de jour comme de nuit, les reptiles de Crocodile pouvaient lancer des raids meurtriers et répandre la terreur.

— Demeurer sur la défensive ne nous condamne-t-il pas à la défaite ? s'inquiéta Gros-Sourcils.

— Rassure-toi, telle n'est pas mon intention ! Mais inutile d'attaquer avant d'avoir repéré le chef de clan. Je confierai cette tâche à Scorpion ; ensuite, nous mettrons fin aux agissements de Crocodile.

Ces complications ne déplaisaient pas à Gros-Sourcils ; ainsi, le triomphe de Narmer n'était qu'apparent. Il ne maîtrisait pas le pays entier, et d'inattendues convulsions modifieraient peut-être de façon radicale le fragile équilibre actuel. Occupant une place privilégiée, le général saurait tirer profit des événements.

Le Maître du silex osa interrompre l'entretien :

— Majesté, la reine vous demande d'urgence.

— Où se trouve-t-elle ?

— À la chapelle de la déesse.

Neit admirait la palette narrant les exploits de Narmer et servant de pierre de fondation à son règne.

Il perçut la cause de son étonnement.

L'Ancêtre avait gravé les signes de puissance : le poisson-chat et le ciseau de menuisier formant le nom de Narmer, le coquillage sacré à sept appendices illuminant le regard du monarque, les hiéroglyphes indiquant la fonction du Vieux, ceux donnant le nom du Libyen vaincu, Ouâsh…

— Ce sont les bâtons divins[1], déclara Neit, l'expression des forces de création qui nous permettront de construire le royaume. Grâce à ces signes, nous repousserons les ténèbres.

---

1. *Medou-neter.*

- 39 -

Passionné par l'apprentissage des hiéroglyphes, le Vieux en oubliait de boire. Les signes de puissance étant réservés aux monuments royaux, il inventa une adaptation cursive, dessinée sur des tablettes de bois et des éclats de calcaire, forma ses proches collaborateurs, leur apprit à lire et à écrire. Cette science-là, il en était convaincu, changerait le destin des Deux Terres.

En la découvrant, Gilgamesh le Sumérien fut émerveillé ; à la différence de la graphie de son ex-pays, ces signes représentaient des oiseaux, des mammifères, des parties du corps humain, des éléments célestes, des objets, bref, rassemblaient la totalité de la création. L'artiste les traçait comme autant de petits chefs-d'œuvre et, désormais, le Maître du silex et ses sculpteurs les inscriraient dans la pierre.

— Je ne t'imaginais pas ainsi, le Vieux, observa Scorpion, ironique.

— Enfin, te voilà ! Où étais-tu passé ? Le roi te cherche partout.

— Je m'amusais. Les vainqueurs n'ont-ils pas le droit de prendre du plaisir ?

— Avec tout le travail qui nous attend...

— Te croirais-tu important, le Vieux ?

— Ce combat-là me plaît ; n'est-il pas préférable à une guerre ?

— Elle seule procure de véritables joies ; le reste n'est qu'ennui.

— Espérons que l'âge te rendra raisonnable !

— Détrompe-toi, je ne vieillirai pas.

— Au moins, n'oublie pas de te rendre au palais.

*

Gros-Sourcils venait de communiquer au roi son dispositif de défense ; Scorpion y jeta un œil méprisant.

— De qui avons-nous peur ?

— Au travail, général, ordonna le roi.

Gros-Sourcils se retira, Scorpion se servit une coupe de bière.

— J'ai revu l'Ancêtre, révéla Narmer, et je désirais t'en parler au plus tôt.

— Une jeune paysanne, particulièrement délurée, a occupé mes dernières nuits ; la journée, je dormais, je nageais et je mangeais des mets succulents. À voir ton visage préoccupé, le temps du repos semble terminé. Excellente nouvelle ! Nous allons reprendre la lutte.

Narmer fut surpris.

— Que veux-tu dire ?

— Ne joue pas les naïfs ! Les coureurs des sables ne songeront qu'à se venger ; déjà, ils préparent le prochain conflit. Unique solution : ravager la Libye. Cette frontière-là sécurisée, je m'occuperai des autres et j'anéantirai les tribus qui ne manqueront pas de nous attaquer.

Le roi était abasourdi.

— Nous n'avons qu'un seul but, Scorpion : bâtir la paix.

Le frère de Narmer éclata de rire.

— Garde tes beaux discours pour les imbéciles ! Toi et moi avons parcouru un long chemin afin d'atteindre le pouvoir ; le garder exige un combat permanent, et seule la guerre impose une autorité indiscutable.

— Je suis sincère, Scorpion, et l'union des Deux Terres, le Nord et le Sud, est ma priorité ; telle est la sixième étape qu'a fixée l'Ancêtre.

— Tâche facile, à condition d'utiliser l'armée et d'éradiquer les inévitables séditieux !

— Souhaiterais-tu remplacer la tyrannie des Libyens par la nôtre ?

Scorpion regarda Narmer droit dans les yeux.

— Sois lucide : la guerre ne finira jamais, elle ne doit pas finir. Elle est au cœur de notre être, nous guide et nous inspire ! Ta paix n'est qu'une tiédeur écœurante ; la violence règne partout, au ciel comme sur terre, et c'est d'elle que se nourrissent les vainqueurs.

— Serais-tu devenu le disciple de l'orage, de l'éclair et de la foudre ?

— Et quand bien même ! Ne sont-ils pas l'expression de la véritable puissance ? Sans elle, ton règne sera bref. N'ai-je pas remporté des batailles perdues d'avance et brisé des obstacles indestructibles ? Nous satisfaire d'une paix illusoire nous fera perdre tous les bénéfices de notre victoire ; sois fidèle à notre stratégie, Narmer, et tu continueras à régner !

— Si moi, le roi, je t'ordonnais de renoncer à la violence ?

— Je te désobéirais, car tu te montrerais indigne de ta fonction ! On ne gouverne pas un peuple avec la bonté et la compassion. Reprends-toi, Narmer, souviens-toi de nos combats !

— Je peux t'en proposer un.

Scorpion fut intrigué.

— Alors, tu recouvres la raison ?

— Notre principal ennemi n'est pas encore terrassé.

— Ouâsh est mort, son cadavre brûlé !

— Te voilà bien négligent.

Sa curiosité éveillée, Scorpion réfléchit.

— Crocodile... Le dernier des chefs de clan! En n'engageant pas ses troupes, il prouve sa volonté de poursuivre les hostilités.

— Si nous ne le terrassons pas, il empêchera l'union des Deux Terres. Vu sa faculté de dissimulation, il sera difficile de trouver son repaire et d'éliminer sa garde rapprochée.

— Tuer Crocodile... Excitant! J'exige une totale liberté de moyens.

— Je te l'accorde. Ensuite, nous bâtirons ensemble une paix durable.

— De nouveaux ennemis se lèveront, Narmer, et je les détruirai.

— Quand tu verras le royaume s'édifier, ta fureur s'apaisera.

— Détrompe-toi.

Narmer ne pouvait comprendre que Scorpion eût vendu son âme à l'animal de Seth, et que la condition de sa survie fût l'exercice continu de la violence, justi-fiée ou non; à travers elle, il nourrissait sa force.

— Les émissaires de Cigogne t'aideront à repérer l'antre de Crocodile, avança le roi.

— Je n'ai pas besoin de cette vieille cheffe d'un clan inoffensif; comme convenu, j'agirai à ma guise. Et cette nuit, avant mon départ, sera celle de tous les plaisirs!

Superbe, éclatant de dynamisme, Scorpion rejoignit Fleur et ses compagnes éphémères. Les meilleurs vins couleraient à flots, mille désirs seraient exaltés et, au petit matin, le jeune guerrier s'élancerait sur la piste de Crocodile.

Perplexe, Narmer se demanda s'il réussirait à convaincre Scorpion; pour l'heure, son frère devait accomplir une mission aussi périlleuse qu'essentielle.

*

Ce soir-là, épuisée, Cigogne laissa errer son esprit au-dessus du monde des vivants. Peuplés de souvenirs de l'époque des clans, les nuages s'ouvrirent devant l'oiseau aux grandes ailes. De son vol régulier et puissant, il accompagna les planètes infatigables dans leur course et se remémora les années passées auprès de l'irascible Taureau, tellement attaché à ses vastes territoires du Nord. Cigogne savait l'amadouer, et ses dons de voyante impressionnaient ce puissant seigneur contraint de batailler contre le couple de destructeurs formé de Lion et de Crocodile.

L'âme ailée monta jusqu'aux étoiles indestructibles, composant l'entourage protecteur de la lumière des origines. Une vive lueur l'attira, elle discerna peu à peu le visage de Gazelle.

Sauvagement assassinée, la douce et belle diplomate, éprise de paix, avait longtemps erré avant de connaître le repos ; pourtant, la plainte de Chacal était parvenue au tribunal des dieux et l'égorgeur, Lion, avait été châtié. Pourquoi Gazelle endurait-elle tant de souffrances ?

Au cœur des étoiles, l'ambassadrice des clans confia son déchirant secret à Cigogne. La faute de Gazelle ? Avoir prêté serment de se taire. Une parole d'amoureuse qu'elle s'était refusée à rompre.

En avouant la vérité, Gazelle se libéra de son dernier poids, et obtint enfin l'apaisement.

À présent, Cigogne était dépositaire de cette vérité, concernant la destruction du clan Coquillage, celui du roi Narmer, et le meurtre de la petite voyante qu'il avait promis de venger.

En s'éveillant, trempée de sueur et tremblante, la vieille dame souhaita mourir. Mais les dieux ne lui accordèrent pas ce privilège.

- 40 -

Alors que la reine présentait les offrandes matinales à la déesse Neit, le roi franchit le seuil de la demeure de Cigogne. Deux servantes préparaient une bouillie d'orge, accompagnée de lait frais qu'un cigogneau à la démarche incertaine était fier d'apporter à la cheffe de son clan.

— Je t'accompagne, annonça le roi.

La vieille dame était assise, et son long visage exprimait un désarroi inhabituel.

Elle remercia le cigogneau et ferma les yeux.

— Serais-tu souffrante ? s'inquiéta Narmer.

— L'âge m'accable, chaque matin devient plus pesant.

— Puis-je néanmoins solliciter ton aide ?

— Je t'écoute.

— J'ai confié à Scorpion une mission périlleuse : découvrir le repaire de Crocodile et le détruire. Tes servantes accepteraient-elles de survoler le pays en tentant de le repérer ?

— Inutile, Narmer; Crocodile profite de l'abri des saules, et ses reptiles savent se rendre invisibles.

— La chance pourrait nous servir ! L'ennemi ne disposant pas d'archers, tes émissaires ne courent aucun risque.

— Et si tu te trompais d'adversaire ?

Le roi fut décontenancé.

— Explique-toi, je te prie !

— En certaines circonstances, le silence me paraît préférable.

— Tu en as trop dit, Cigogne !

— Je suis lasse.

— Pas au point de dissimuler la vérité.

— La supporteras-tu ?

Narmer ressentit une étrange douleur.

— En tant qu'homme, je l'ignore ; en tant que roi, c'est mon devoir. Ne me cache rien, Cigogne, il en va de l'avenir du pays entier.

La vieille dame hésitait.

— Un rêve... Ce n'était peut-être qu'un rêve. Pourquoi t'induire en erreur ?

— Tu es la dernière des cheffes de clan et tu possèdes des pouvoirs te permettant de distinguer l'illusion de la réalité.

Cigogne entendait la voix de Gazelle, voyait son visage... Occulter ses aveux l'aurait empêchée d'accéder à la paix de l'au-delà.

D'une voix nouée, Cigogne relata la confession de Gazelle.

Et Narmer pleura.

*

Repu de jouissances, Scorpion écarta Fleur et une brunette aux seins lourds. Les deux femmes gémirent, sans sortir d'un sommeil peuplé de joutes érotiques. Le jeune homme, lui, songeait à Crocodile. Un adversaire à sa mesure qu'il était impatient d'affronter.

Il s'étira, sortit de son logis et contempla le soleil. En raison de son ardeur, sa peau devint brûlante, et cette délicieuse souffrance ranima l'énergie de Scorpion. Seth, son protecteur, ne l'avait jamais abandonné ; aux pires moments, au tréfonds du désespoir, il s'était régénéré, animé d'un feu ravageur.

Se sentant à l'apogée de sa puissance, Scorpion aspira une grande bouffée d'air chaud ; il ne mésestimait pas Crocodile, excellent manœuvrier, mais ouvrirait le ventre du maître des reptiles.

Ébloui, il crut apercevoir Narmer.

— C'est toi, mon frère ?

— Je dois te parler.

— Ne t'inquiète pas ! Quand je t'apporterai la tête de Crocodile, tu chanteras mes louanges et nous organiserons une fête grandiose.

— Je me suis entretenu avec Cigogne.

— Vaine démarche, je t'avais prévenu ! Cette vieille femme a perdu ses pouvoirs, et les derniers membres de son clan sont incapables de m'aider. Je capturerai des reptiles, je les torturerai, ils me fourniront de précieux renseignements ; sois-en sûr : Crocodile ne m'échappera pas.

— Oublie-le, Scorpion.

— Renoncerais-tu à le supprimer ?

— La matinée est magnifique, allons au bord du fleuve.

Des ibis et des pélicans survolèrent l'eau bleue et scintillante, Narmer et Scorpion empruntèrent un chemin qu'avaient tracé Vent du Nord et ses ânes.

— Cette mission me convient à merveille, assena Scorpion. Pourquoi me retires-tu ta confiance ?

— L'esprit de Cigogne a voyagé jusqu'aux étoiles impérissables et rencontré l'âme de Gazelle.

— Cette vieille folle te raconte des balivernes ! À son âge, elle se repaît de rêves dérisoires.

— Qu'aurais-tu à craindre de ses révélations ?

— Moi, craindre Cigogne ?

— Il est plutôt question de Gazelle.

— Une cheffe de clan aveugle qui a payé de sa vie ses stupides convictions ! La paix entre les clans... Quelle naïveté ! Il fallait la guerre, nous l'avons gagnée.

— Tu connaissais Cigogne, n'est-ce pas ?

— Très jeune, je lui ai vendu des serpents ; avec leur venin, elle fabriquait des remèdes.

— Et tu connaissais aussi Gazelle.

Cette affirmation gêna Scorpion.

— Je l'ai peut-être croisée...

— À moi, ton frère par le sang, continueras-tu à mentir ?

— Si j'ai fréquenté cette diplomate, quelle importance ?

— Gazelle avait beaucoup de charme, elle a succombé au tien, et vous êtes devenus amants.

— Que vas-tu inventer !

— Si l'âme de Gazelle a parlé à Cigogne, c'est parce qu'elle refusait de dire une vérité très douloureuse. Face au tribunal des dieux, à l'orée de la vie en éternité, elle ne pouvait plus se taire.

— Ne triture pas ce lointain passé, Narmer ; seul compte l'avenir. Et les divagations d'une vieille insensée ne te mèneront nulle part.

— Gazelle t'a tout appris des clans. Toi et ta bande de pillards avez attaqué le faible et isolé Coquillage, le seul à votre portée, afin de déclencher la guerre que tu espérais tant. Belle occasion de faire accuser Taureau, de déclencher la colère d'Oryx et les manœuvres de Lion. L'élimination de Coquillage brisait une paix fragile et modifiait notre monde. Une condition, cependant : exterminer la totalité des membres de mon clan, y compris une fillette, une petite voyante qui m'avait sauvé la vie, moi dont tu ignorais l'existence. Seule négligence : tu as perdu un cadeau de ta maîtresse, un peigne à l'effigie d'une gazelle, mais il ne m'a pas permis de découvrir l'abominable vérité que vient de me révéler l'âme de la défunte. Après avoir supprimé tes complices, qui risquaient de bavarder, tu as exigé de Gazelle le silence absolu. Amoureuse, elle t'a donné sa parole, croyant éviter la guerre grâce à ses talents de diplomate. Peut-être même as-tu promis de l'aider.

— Exact, reconnut Scorpion. Mais je me suis lassé de cette innocente et… je t'ai rencontré !

— Quand je t'ai montré le peigne, tu m'as menti en refusant de l'identifier.

— Avais-je le choix et n'ai-je pas eu mille fois raison ? Gazelle et les clans ont disparu, à l'exception de Crocodile, et nous avons gagné notre première grande guerre. Regarde le chemin parcouru… Qu'importe hier ! Cesse de remuer cette boue, et préparons ensemble nos victoires futures.

— Tu as assassiné la petite voyante, Scorpion, et j'ai juré de la venger. Une parole ne se reprend pas.

— Admets la vérité et ne t'obstine pas ! Nous sommes frères, liés de manière indissoluble par le sang.

— Ce sang, tu l'avais trahi avant de le verser. Ce n'est pas un grand guerrier qui a tué une fillette, mais un lâche.

— Sans moi, tu n'aurais pas remporté une seule bataille et ton royaume n'existerait pas ; sans moi, tu ne vaincras pas Crocodile.

— Puisque la vérité est clairement établie, la petite voyante reposera enfin en paix, et les dieux ne cesseront de ronger ton âme, à commencer par le démon du désert auquel tu t'es voué. Nos sangs sont mélangés, tu as été mon frère, j'ai admiré ta bravoure… Tu mérites la mort, je suis incapable de te la donner. Va-t'en, Scorpion.

— On ne me congédie pas comme un domestique, j'exige la place qui me revient !

— Quitte notre pays et n'y reviens pas.

— Tu me connais mal, Narmer ! Si tu me chasses, je deviendrai ton pire ennemi. Des centaines de soldats me suivront, et je formerai une armée capable d'écraser la tienne. Moi, le disciple de l'orage, je déploierai ma puissance !

— « Tu es plus fort que l'orage, m'a prédit la petite voyante, mais tu ne le sais pas encore », rappela le roi.

Scorpion haussa les épaules.

— En me déclarant la guerre, tu te condamnes à périr !

Narmer tourna le dos à l'assassin.

À présent, il comprenait les paroles de l'Ancêtre.

- 41 -

— Décide-toi !

Assoupi, le Vieux se réveilla en sursaut.

Face à lui, un Scorpion écumant de rage.

— Se décider... à quoi ?

— Je pars, et tu m'accompagnes.

— Tu pars, tu pars... Où ça ?

— Je quitte cet endroit maudit et cet incapable de Narmer. Aujourd'hui naît le royaume de Scorpion, et quiconque ne s'incline pas devant moi sera mon ennemi.

N'ayant absorbé qu'une faible quantité d'un petit blanc inoffensif, le Vieux était parfaitement lucide.

— Serais-tu la proie d'un délire ?

— Dépêche-toi.

— Je suis au service du roi et je n'ai pas l'intention d'abandonner mon poste !

— C'est la guerre, le Vieux, et je serai le vainqueur ! Ton Narmer ne me résistera pas longtemps. Si tu désires sauver ta peau, en route.

— Désolé, pas question.

Le regard de Scorpion flamboya.

— C'est de la désertion ?

— Quelle folie pourrit ton esprit ? Loin des batailles, nous bâtissons un pays !

— Un autre conflit débute ! Ne m'irrite pas davantage, le Vieux ; roule ta natte et lève-toi.

— Hors de question ! Cette fois, Scorpion, tu cours à l'abîme ; calme-toi et renonce à défier ton roi.

— Je te donne une dernière chance : debout !

Le Vieux demeura assis.

— Je te promets une sale mort, annonça Scorpion.

— Moi, je ne crains rien ; toi, en revanche...

Scorpion s'empara d'une tablette de bois, couverte de l'écriture du Vieux, et la piétina.

*

Narmer avait révélé la vérité à Neit et relaté son ultime entretien avec Scorpion.

— Il aurait dû être jugé et condamné, déplora le roi. Mais il fut mon frère, celui qui partagea tous mes combats et nous mena à la victoire. Sa bravoure nous permit de libérer le pays et d'envisager un avenir. Comment a-t-il pu perpétrer un tel crime ?

— Avant même de se soumettre à son seul maître, le démon du désert, estima la reine, Scorpion vouait un culte à la violence ; pour lui n'existe que la loi du plus fort, et l'homme doit dévorer l'homme. L'on se trouve soit dans le clan des vaincus, soit dans celui des vainqueurs.

— Et s'il s'assagissait ?

— Les êtres ne changent pas, Narmer ; un fauve demeure un fauve, un tueur un tueur. Si tu t'illusionnes à ce propos, tu commettras une erreur fatale. N'as-tu pas entendu les paroles de l'Ancêtre ?

— Ainsi, tu supposes que Scorpion tentera de m'affronter ?

— Pas de t'affronter, de te détruire.

— Lui, mon pire ennemi...

248

Le roi avait encore un espoir d'empêcher ce cataclysme qui causerait des dégâts irréparables et entraverait l'épanouissement du royaume; Scorpion le comprendrait et accepterait un compromis, à condition de jouir de prérogatives substantielles. La paix n'était-elle pas à ce prix?

— Ne t'abaisse pas, recommanda Neit, ne lui montre aucun signe de faiblesse; Scorpion saura profiter de la moindre brèche.

— Il était mon frère, nos sangs se sont mêlés!

— Il l'était, et il t'a menti. Toi, tu as juré à une fillette de la venger.

Le visage de la petite voyante obsédait Narmer. L'expression de souffrance s'atténuait, l'esquisse d'un sourire animait ses lèvres; mais le monstre coupable de son assassinat restait impuni!

Affolé, le général Gros-Sourcils accourut.

— Venez vite, Majesté! Scorpion essaie de soulever l'armée contre vous!

*

Environ un tiers des effectifs, relevé trois fois par jour, assurait la sécurité des habitants de la nouvelle capitale. La flotte de guerre sillonnait le fleuve, et les vigies étaient prêtes à signaler l'apparition d'un reptile. Fantassins et marins avaient conscience que la réputation de Crocodile n'était pas usurpée et que le dernier chef de clan préparait attentats et agressions.

La relève allait avoir lieu quand une voix puissante alerta les soldats et réveilla les endormis.

— Je vous attends, clama Scorpion, rassemblez-vous tous autour de moi!

Seul au centre de la place principale de la modeste agglomération, brandissant une massue, il répéta son appel.

Beaucoup crurent à une attaque et se pressèrent d'obéir à cet ordre. Bientôt, l'essentiel de l'armée fut réuni, attendant les explications du jeune héros, à la fois redouté et admiré.

— Vous me connaissez tous, déclara-t-il, et nombre d'entre vous ont combattu à mon côté. Nous avons terrassé les clans, les Sumériens et les Libyens, notre route fut parsemée d'exploits! L'ennemi nous croyait inférieurs, il mésestimait notre bravoure, l'unique valeur qui compte. Aujourd'hui, votre roi n'est plus un conquérant; Narmer s'assoupit et se contente de gérer un pays avachi! Pendant ce temps, l'adversaire reconstitue ses forces. Lorsqu'il s'élancera, nous serons incapables de lui résister. Sortez de votre torpeur, abandonnez ce monarque impuissant et placez-vous sous mon autorité! Au lieu de végéter, nous redeviendrons de vrais guerriers et nous étendrons notre domaine.

Le discours enflammé de Scorpion sema le trouble et déclencha d'âpres discussions.

Un officier sortit des rangs.

— Tous ici, nous te considérons comme invincible; mais les combats sont terminés, et notre rôle consiste maintenant à garder nos frontières.

— Folie et bêtise! Les coureurs des sables reviendront, Crocodile nous exterminera à petit feu! L'unique façon d'éviter un désastre, c'est de prendre l'initiative, et moi seul peux vous guider.

Les arguments commençaient à ébranler une majorité de soldats, et Scorpion savourait son succès.

Soudain, les archers s'écartèrent.

Et Narmer surgit.

Au fur et à mesure qu'il avançait, désarmé, le silence s'établit. Le roi s'immobilisa à trois pas de Scorpion.

— Les dieux m'ont désigné pour gouverner ce peuple, régir ce pays et commander cette armée, rappela Narmer.

Appuyant les paroles du souverain, un faucon jaillit du soleil et décrivit un large cercle, provoquant les murmures de la troupe.

— Tu es devenu un rebelle, Scorpion, et tu tentes de détruire ce que nous sommes en train de bâtir. Si tu n'étais pas mon frère par le sang, tu aurais été condamné à mort. Pas un de mes soldats ne te suivra. Quitte immédiatement notre territoire et ne réapparais jamais.

Scorpion leva haut sa massue.

— N'écoutez pas ce poltron !

— Oserais-tu frapper ton roi ?

La troupe gronda, le faucon émit un sifflement. Les rangs se reformèrent, derrière Narmer, et personne n'en sortit.

Scorpion avait perdu la partie.

— Vous êtes tous des lâches ! Je lèverai une armée, je reviendrai et je vous massacrerai.

— Il faut l'exécuter sur-le-champ, suggéra Gros-Sourcils.

— Laissez partir Scorpion, ordonna Narmer, et qu'il emporte ce qu'il jugera nécessaire. Puisse-t-il oublier ses menaces et vivre en paix loin de nous.

- 42 -

Scorpion avait exigé une barque, des armes et de la nourriture. Sous bonne escorte, il descendit jusqu'à la berge et monta à bord de l'embarcation, équipée d'une rame. En se retournant vers les archers du général Gros-Sourcils, il était persuadé de recevoir une volée de flèches et se préparait à plonger.

Mais les soldats obéirent à l'ordre de Narmer et n'esquissèrent pas un geste menaçant ; certains regrettaient le départ du guerrier, même s'ils condamnaient son attitude.

— Adieu, Scorpion.

— À bientôt, général. Quand je reviendrai, dépose les armes ; je t'épargnerai peut-être.

Des hurlements surprirent l'assistance.

Échevelée, la poitrine nue, Fleur dévalait la pente.

— Attends, je pars avec toi !

Elle s'élança, faillit tomber à l'eau ; Scorpion la rattrapa de justesse.

— Tu es folle ! Ta place est ici, pas au côté d'un renégat. Imagines-tu ton existence ?

— Je m'en moque !

— Tu ne résisteras pas longtemps.

— Tu te trompes ! Je suis ta véritable épouse, Scorpion, ta seule femme ; rien ni personne ne nous séparera.

— À ta guise… Alors, partons !

À coups de rame vigoureux, Scorpion s'éloigna en direction du sud.

Gros-Sourcils était circonspect. La rupture entre Narmer et Scorpion était-elle définitive, les deux frères s'affronteraient-ils, quels avantages le général pourrait-il tirer de cette situation ?

Les jours passant, elle se décanterait, et Gros-Sourcils bénéficierait d'un indispensable recul. Interrogation majeure : Scorpion survivrait-il ?

*

Étendue sur le dos, les yeux au ciel, Fleur appréciait ce voyage ; le vent la berçait, elle recueillait de l'eau au creux de sa main et se mouillait le front. Seule en compagnie de son amant, à l'écart de toute tentation… Le bonheur absolu ! Fleur revivait les moments où il l'avait conquise, au mépris du danger. En tuant la brute de paysan décidée à l'épouser, Scorpion avait prouvé sa valeur. Puis s'était déployée une vie enfiévrée, peuplée d'épreuves, de batailles… et de femmes. Fleur cédait à tous les désirs de Scorpion, il ne cessait de la surprendre. Si l'une de ses liaisons devenait trop intense, elle tuait sa rivale ; jamais il ne lui échapperait.

— As-tu un but précis ? demanda-t-elle.

— Nékhen.

— La ville sainte du Sud ?

— Je connais quantité des membres de la garnison chargée de la surveiller.

— Et tu comptes… t'en emparer ?

Il posa la rame et sourit.

— Un beau projet, ne crois-tu pas ?

— Toi… Toi, tout seul ?

— J'aurai des alliés, tu verras, et je réussirai. Là-bas, je t'offrirai des vêtements et des bijoux.

Il s'étendit sur elle, nue, exalté. Lui aussi se souvenait de leur première rencontre, au milieu d'un champ. Éblouissante, Fleur ne vieillissait pas; l'un des onguents de la vieille Cigogne, l'unique trésor qu'elle avait emporté, gardait à sa peau une douceur envoûtante.

Enfiévrés à l'idée de cette nouvelle aventure commune, ils jouirent de leur corps comme s'ils faisaient l'amour pour la première fois.

*

Les trois jours de navigation s'étaient déroulés sans incident notable; excellent pêcheur, Scorpion avait cuit de la perche et du brochet, à la chair succulente. Poussée par un vent soutenu, la barque avançait vite, voguant au large d'îlots herbeux, cernés de courants dangereux.

Les voyageurs accostaient avant la tombée de la nuit, dînaient à la belle étoile et ne tardaient pas à s'endormir. Au petit matin, Fleur réservait un réveil particulier à son amant; les premiers rayons du soleil illuminaient un couple enlacé, ravi de connaître une nouvelle étreinte.

Ce soir-là, Scorpion était nerveux; depuis le crépuscule, il avait le sentiment d'être observé et cherchait à percevoir un éventuel danger. Aussi attacha-t-il solidement sa barque à la base d'un énorme papyrus, en scrutant les environs. À cet endroit, nul accès permettant aux hippopotames de gravir la rive; et pas de saule servant d'abri à un crocodile.

Scorpion ne parla pas de son inquiétude à Fleur; il la regarda s'assoupir et, à son tour, feignit de sommeiller.

*

Le reptile suivait ses futures proies à distance respectable. Les yeux affleurant à peine, il ne les perdait pas de vue, sans être détecté ; en traversant sa zone de chasse, les imprudents avaient attiré son attention. Comme il ne s'agissait pas, à l'évidence, de grandes manœuvres ordonnées par Narmer, le jeune crocodile ne jugea pas indispensable d'avertir le maître de son clan. Il se régalait d'avance de son festin imprévu.

Les oiseaux s'étaient tus, les prédateurs nocturnes chassaient en silence ; et le reptile progressa si doucement que les rides de l'eau furent imperceptibles. À l'approche de la barque, il se rendit inerte, semblable à une branche morte.

L'homme et la femme dormaient ; se croyant en sécurité, ils goûtaient un paisible repos. Méfiant, le reptile patienta un long moment.

Rassuré, il sortit le museau du fleuve et ouvrit la gueule.

*

Scorpion n'en doutait plus : on le guettait. Des soldats de Narmer mandatés pour le supprimer ? Il les aurait repérés. Non, c'était un ennemi sournois, presque invisible.

Un reptile.

Une créature astucieuse, capable de surgir des ténèbres et de frapper d'une façon fulgurante.

Et Scorpion devait le surpasser.

Couché sur le côté gauche, il gardait les paupières closes afin de ressentir les moindres vibrations du fleuve. À l'instant décisif, le reptile serait contraint d'apparaître.

La barque remua, Scorpion bondit, et les mâchoires du crocodile claquèrent dans le vide.

Scorpion en profita pour enserrer sa gueule au moyen d'un cordage, mais la force du monstre était telle qu'il ne tiendrait pas longtemps ; connaissant l'unique point faible du reptile, son ventre, il perça la peau fragile de la pointe de son couteau et traça un profond sillon d'où le sang gicla.

*

Vu son jeune âge, le crocodile était comestible : l'odeur de la chair grillée écœura Fleur, mal remise de ses émotions. Très bref, le combat avait été d'une rare sauvagerie ; une fois encore, elle constatait l'intensité de la violence que Scorpion portait en lui, une violence qui la fascinait.

— Narmer a eu tort de te chasser.

— En agissant ainsi, il a perdu son trône ; désormais, je serai son pire adversaire et je n'aurai aucune pitié. Une armée entière ne suffira pas à le défendre, car la mienne l'écrasera. Et sa bande de froussards s'enfuira ; trahi, abandonné, il comprendra qu'il s'est trompé.

— J'ai toujours détesté Narmer, il n'a cessé de m'humilier. Venge-moi, tue-le lentement !

D'une main, Scorpion étrangla Fleur.

— Narmer était mon frère, et je déciderai seul de son sort.

Quand il la relâcha, elle peina à reprendre son souffle.

Rageur, il coula la barque, sous les yeux pétrifiés de la jeune femme.

— Comment… Comment naviguerons-nous ?

— Le fleuve n'est pas sûr ; d'autres reptiles nous attaqueront, sans compter les hippopotames et les Vanneaux au service de Narmer.

— Renoncerais-tu à conquérir le Sud ?

Le regard de Scorpion flamboya.

— Je ne renonce jamais. Nous emprunterons *mon* chemin.

— Tu ne veux pas dire… ?

Il eut ce sourire qui charmait la plus réticente.

— Tu as deviné : le désert.

- 43 -

Narmer demeurait lucide : le départ de Scorpion engendrait un vide difficile à combler, et ce n'était pas le barbu et discipliné Gros-Sourcils qui remplacerait le jeune conquérant à la vaillance incomparable. Percevant le désarroi, voire la grogne, d'une partie de ses soldats, le roi les écouta, souvent un à un. Surpris de cet honneur, ils ouvrirent leur cœur.

Et le souverain fut rassuré. Certes, le courage de Scorpion suscitait l'admiration et, au combat, il resterait l'exemple à suivre ; mais on redoutait sa férocité, et sa tentative d'insurrection était sanctionnée d'une réprobation unanime. La présence du faucon, confirmant la légitimité de Narmer, avait convaincu la troupe de lui accorder une totale confiance. Et la démarche du monarque confortait l'opinion des militaires. Une immense majorité appréciait la cessation des hostilités et rêvait d'un pays nouveau que le roi, assisté de la reine Neit, était seul capable de construire.

Après plusieurs jours de repos, au cours desquels on avait craint le pire, la vieille Cigogne fut enfin capable de se lever et de parler.

— Ton épouse m'a admirablement soignée, dit-elle à Narmer qui lui donnait son bras et l'aidait à marcher.

— Ne lui as-tu pas transmis ta science ?

— Elle l'utilise à merveille et saura la dépasser ; la grande déesse inspire sa pensée et lui fera découvrir de nouveaux remèdes. Bien soigner tes sujets est un devoir essentiel.

— Sois-en assurée, je ne l'oublierai pas ; dès que possible, tu reprendras la tête du service de santé.

— Je n'en ai plus la force ; bientôt, je rejoindrai mes ancêtres, et ne subsistera qu'un seul clan guerrier, celui de Crocodile. Méfie-toi, Narmer ; sournois et dangereux, il n'abandonnera pas la lutte et te mettra en péril.

— Je comptais sur Scorpion pour le réduire à néant.

— Me reprocherais-tu de t'avoir révélé l'atroce vérité ?

— Au contraire, Cigogne ! Sans toi, j'aurais continué à errer, incapable de tenir ma parole, et je n'aurais pu consacrer toutes mes forces à bâtir ce pays. Ta vision a ouvert la mienne.

— Souviens-toi des paroles de l'Ancêtre : Scorpion ne te laissera pas en paix.

— Il est devenu mon ennemi, j'en suis conscient ; face à ma détermination, sa hargne ne s'éteindra-t-elle pas ? J'espère que Scorpion se façonnera une nouvelle existence, à l'écart des Deux Terres.

— Je l'espère aussi.

— Mais tu n'y crois guère…

— Ta fonction est vitale, Narmer, elle doit absorber ton être, et tes conseillers actuels ont leurs limites ; cette nuit, rends-toi au désert, observe les étoiles et ne manque pas de contempler l'aube. Le chacal Geb te guidera.

*

Neit était inquiète.

— Les démons rôdent, rappela la reine. Et si Scorpion te guettait ?

260

— Cigogne ne m'enverrait pas dans un piège ! Et Geb me protégera. Scorpion est déjà loin… Son âme brûle.

— La présence d'une garde rapprochée me rassurerait.

Le roi étreignit son épouse.

— Je préfère être seul. En cas de malheur, poursuis notre œuvre commune.

Connaissant sa mission, le chacal attendait le roi à l'entrée de sa résidence ; il se leva et prit la direction du désert, baigné des ultimes lueurs du couchant.

Aérien, élégant, il traça le chemin en évitant les pierres et les sables mous ; Narmer adopta son rythme et le suivit jusqu'à l'orée d'un oued bordé de sombres collines. Le chacal poussa une série de cris qui résonnèrent de paroi en paroi. Prévenus de sa présence, spectres et mauvais génies se terrèrent ; ils ne se heurtaient pas à un émissaire du Premier des Occidentaux, résidant à Abydos, seuil de l'au-delà.

Geb grimpa au sommet d'un monticule, Narmer le suivit. Côte à côte, ils admirèrent la renaissance des milliers d'étoiles composant le corps de la déesse Ciel. En cette nuit de nouvelle lune, pas un nuage, et un vent doux ; le roi comprit comment la céleste protectrice préparait la mise au monde d'un nouveau soleil, nourri du lait des Immortelles, assemblée inaltérable autour de la brillante étoile du Nord. Ne cessant de se transformer tout en restant elle-même, la lumière de l'origine ouvrait d'innombrables portes afin de se répandre dans l'univers.

Cette découverte était si fascinante que Narmer oublia l'écoulement des heures ; le sommeil ne l'assaillit pas, le roi voyagea en compagnie du nouvel astre du jour qui, sortant du ventre de la déesse, apparut à l'orient.

Ses premiers rayons dévoilèrent le paysage. Un désert ocre, à perte de vue, parsemé de buttes de tailles variées ;

seule tache de vert, une minuscule oasis de cinq palmiers doums.

Geb se redressa.

L'oasis était habitée.

Disposées en cercle, huit créatures dressaient leurs bras vers le soleil levant en signe d'adoration et contribuaient ainsi à son épanouissement. Il ne s'agissait pas d'humains, mais de babouins, reconnaissables à leur tête de chien et à la cape recouvrant leurs larges épaules.

Dominant ses congénères, leur chef était de couleur blanche, à l'exception de son museau et de ses yeux noirs. À son signal, les bras se baissèrent, et l'un d'eux cueillit des noix que les singes brisèrent pour se rassasier.

Armés de crocs longs et aiguisés, ces animaux étaient redoutables et n'hésitaient pas, en bande, à s'attaquer aux fauves et à s'accaparer leurs proies. Respectant une stricte hiérarchie, ces maîtres de la savane composaient des familles stables répondant à des rituels précis.

Soudain, le Grand Blanc aperçut l'homme et le chacal.

Les oreilles de Geb frémirent, Narmer retint son souffle. Le temps de descendre la pente, la troupe de babouins les aurait rejoints, et le combat serait inégal. Le chacal huma l'air, à la recherche d'une issue, et choisit de ne pas bouger. Écoutant son instinct, le roi renonça à s'enfuir.

Le Grand Blanc, lui, continuait à fixer les indésirables, réfléchissant à la bonne décision.

Et celle-ci fut surprenante ; d'un geste autoritaire, il congédia ses compagnons. Emportant les noix du palmier doum, les singes disparurent. À pas comptés, leur chef quitta l'oasis et s'approcha de la butte.

Au pied, il se mit à gratter, dégagea une profonde cavité et en retira un objet qu'il porta de façon délicate en grimpant au sommet de l'éminence.

Geb ne manifestait aucune inquiétude, Narmer n'éprouvait pas la moindre crainte.

Le Grand Blanc présenta le trésor au roi : un œil de faucon en cornaline et en jaspe.

Narmer avait rarement contemplé un regard d'une telle intensité, où brillait une intelligence à la fois posée et frémissante, remontant aux sources de la vie.

Les mains du babouin se tendirent.

— Cette merveille me serait-elle destinée ?

Le singe hocha la tête.

Quand le roi recueillit l'amulette, elle illumina le désert davantage que le disque solaire et fit verdoyer les alentours de l'oasis. Narmer passa la cordelette à son cou, et l'œil du faucon orna sa poitrine.

Alors, Geb guida la procession ; le chacal, l'homme et le babouin sortirent du désert et rejoignirent la petite cité du bord du Nil. Effarés, les habitants les regardèrent se diriger vers la résidence royale.

Sur le seuil, la reine Neit et Cigogne.

Le Grand Blanc et la cheffe de clan se saluèrent.

— Voici ton meilleur conseiller, dit-elle au roi. Il connaît le secret des paroles divines et de la marche des astres, a reçu le message du soleil, est intègre et rigoureux. En lui, ni perfidie ni mensonge.

Cigogne avança un tabouret, le Grand Blanc s'y assit, la tête haute, le corps altier ; à Narmer, Neit remit un morceau de calcaire et un roseau finement taillé qu'il trempa dans un pot rempli d'encre noire.

Le roi s'installa au-dessous du babouin, jambes croisées, prêt à écrire.

Et il entendit la voix du Grand Blanc, prononçant des mots distincts qui s'assemblèrent au fil du roseau.

Le premier texte du conseiller privé était impérieux : « Érige un mur blanc autour de ta capitale. »

- 44 -

Dès leur rencontre, les deux conseillers du roi, le Grand Blanc et le Vieux, s'entendirent à merveille. Le Vieux disposait à présent d'une petite maison confortable et d'une salle d'audience fermée par un rideau[1], derrière lequel il s'entretenait avec Narmer des multiples projets de l'État naissant, à l'abri des yeux et des oreilles.

La construction du mur blanc avait commencé et avançait à belle allure, en raison d'une idée du Vieux : mettre les militaires au travail. Sous la direction du Maître du silex, assisté de Gilgamesh, toute une organisation s'était déployée : choix d'une carrière de calcaire, extraction des blocs apprise sur le tas, calculs de géomètres, transport qu'assuraient Vent du Nord et ses ânes, de plus en plus nombreux grâce aux naissances et à la domestication de plusieurs troupeaux.

Restait l'édification elle-même qui s'était heurtée à de sérieuses difficultés, notamment l'écroulement d'un pan entier. Aussi le Grand Blanc avait-il dicté au roi la méthode convenable, impliquant l'utilisation rigoureuse du cordeau, la taille précise des blocs et la juste réparti-

1. Le terme *tchaty*, malencontreusement traduit par « vizir », signifie probablement « celui du rideau », premier responsable de l'exécutif et bras droit de Pharaon.

tion des masses. Cette fois, l'élévation fut correctement accomplie et la nouvelle capitale, que l'on appelait « le Mur Blanc[1] », bénéficia d'un écrin protecteur assurant la sécurité de la population.

En dépit de sa faiblesse, Cigogne imposait de strictes mesures d'hygiène, et la reine en personne veillait à la production des savons, à base de natron et d'extraits végétaux mélangés à du calcaire broyé. De multiples ateliers voyaient le jour, fabriquant des cuvettes, des brocs, des vêtements, des sandales et des outils. En s'habituant à la paix, les sujets de Narmer inventaient des modes de vie.

Quoiqu'il se félicitât de ne pas l'avoir suivi, le Vieux songeait souvent à Scorpion et se demandait s'il avait connu une fin misérable ou s'il se préparait à combattre son frère. Étant donné l'énergie de ce fabuleux guerrier, il privilégiait la seconde hypothèse, mais, à cause de ses innombrables tâches, n'avait pas le temps de s'angoisser. Assuré de déguster les meilleurs crus, le Vieux rajeunissait et retrouvait un redoutable appétit ; former une administration efficace le passionnait.

— Convocation du roi, annonça le Maître du silex ; réunion immédiate au navire amiral.

Le Vieux fronça les sourcils. Un tel endroit ne présageait rien de bon ; Narmer décidait-il de lancer une expédition punitive contre Scorpion ?

Le couple royal siégeait à la proue ; devant eux, le Grand Blanc qui rejoignit le Vieux. Cigogne, le général Gros-Sourcils et le Maître du silex assistaient à ce haut conseil, placé sous la garde du chacal Geb.

Et chacun craignait d'entendre des paroles guerrières.

— Dans aucun territoire, déclara Narmer, l'administration n'aura autant d'influence sur la prospérité des habitants. Et cette prospérité dépend de notre artère

1. La future Memphis (proche du Caire actuel).

vitale : le fleuve. Nous devons donc creuser des canaux, les entretenir, élaborer une juste réglementation et profiter au maximum des bienfaits de l'inondation. Si l'administration est injuste, mauvaise, vicieuse ou faible, les canaux seront obstrués de vase, les digues mal entretenues, les règlements de l'irrigation transgressés, et les intérêts des individus dénatureront le royaume en détruisant l'équilibre de l'État[1]. Des canaux récolteront l'eau et l'amèneront à des terrains éloignés du fleuve ; des buttes limiteront la montée de la crue ; quand elle sera trop forte, des digues ralentiront le courant ; quantité de bassins, de tailles variables et à divers endroits des Deux Terres, contiendront des réserves utilisables au fur et à mesure des mois nous séparant de la prochaine crue. Enfin seront préservés de vastes marais destinés à la pêche et à la chasse.

Gros-Sourcils vacilla.

— Majesté... Vous nous demandez de transformer le pays entier !

— En effet, pour le bien-être de tous.

— C'est une exigence impossible à satisfaire !

— Telle est la volonté de la déesse Neit, révéla la reine. En créant l'univers, elle l'a irrigué d'un fleuve céleste dont nous possédons la réplique terrestre. À nous de savoir utiliser ses bienfaits.

Le Grand Blanc approuva d'un hochement de tête.

— Je ne veux pas disparaître avant de voir ça ! marmonna le Vieux, enthousiaste.

Le Maître du silex partageait ce sentiment.

— La répartition des tâches sera primordiale, Majesté, et chaque habitant du royaume devra le servir en fonction de ses capacités. Je me fais fort d'animer mes équipes d'artisans et de tâcherons ; ils comprendront à quelle œuvre prodigieuse ils coopèrent !

---

1. À quelques mots près, il s'agit d'une déclaration de Bonaparte pendant l'expédition d'Égypte

— Le couple royal nous offre un immense bonheur, déclara la vieille Cigogne, émue; aujourd'hui, les souffrances de la guerre des clans s'estompent et l'avenir s'ouvre.

Les membres du haut conseil l'oubliaient-ils ou préféraient-ils se taire? Narmer, lui, n'occultait pas l'ennemi capable de ruiner ce gigantesque projet : Scorpion.

*

En présence de la cour et de nombreux paysans, le Vieux remit au roi une corde et un compas à angle fixe.

— Tu es dépositaire de ce pays, dit la reine, prêtresse de Neit, et tu es le premier serviteur de la règle d'harmonie; parcours notre domaine, du nord au sud, de l'est à l'ouest, mesure-le en justesse et répartis ses richesses.

Maniant un bâton d'une coudée [1], Narmer procéda au premier arpentage en marquant les angles d'une première surface cultivable réservée au temple de la déesse.

Le rituel achevé, il éleva cette règle.

— Voici le gouvernail [2] du pays! Incarnation de la rectitude née de la lumière, il s'impose à tous et régira nos actions. Qui s'en écarterait se condamnerait lui-même et subirait le châtiment des dieux.

Le Vieux se pencha pour recueillir un carabe doré et le présenter au monarque. Amateur de limaces, ce coléoptère [3] se nourrissait aussi d'une multitude de parasites et favorisait la croissance des blés.

— Notre terre vous rend hommage, Majesté, et sa fécondité sera gage de sa fidélité.

---

1. Cinquante-deux centimètres.
2. *Maât.*
3. À cause de l'utilisation des pesticides et autres produits chimiques, il est en voie d'extinction.

Accompagnée d'une distribution de bière forte, la fête de l'arpentage ne fit pas oublier au Vieux l'attribution des parcelles aux agriculteurs; de longues discussions seraient indispensables, il conviendrait d'éviter les frustrations. En cas de contestation, le Grand Blanc trancherait.

Admirant ce sol généreux, le Vieux songea aux lombrics, fertilisateurs infatigables; se nourrissant des morceaux de paille abandonnés dans les champs et des feuilles mortes, ils avalaient de la terre, l'aéraient et la régénéraient en la drainant. Travail obscur, indispensable et permanent, modèle auquel se conformerait le conseiller de Narmer.

*

Au levant, Narmer contemplait le Mur Blanc, symbole de sa capitale, située au point d'équilibre entre le Nord et le Sud, le delta et la vallée du Nil. Au plus profond de lui-même, il savait que cette cité perdurerait et serait garante de la richesse du pays.

Les bras de Neit l'enlacèrent, il l'embrassa tendrement.

— Quel travail extraordinaire! J'admire notre peuple, sa confiance, son aptitude à bâtir un monde naguère impossible... Imagines-tu la suite de ces premiers pas?

— Chaque matin, confia la reine, je vénère la déesse et la prie de nous tracer le chemin. Sans elle, nous serions aveugles.

— Bientôt, nous édifierons un temple digne de sa grandeur, et le Mur Blanc deviendra le cœur du royaume.

— Le Grand Blanc te transmet la pensée des dieux, tu déplaces des montagnes, mais le sort de Scorpion continue à te tourmenter.

— Accepte-t-il son exil, désire-t-il conquérir un autre horizon?

— Scorpion ne trouvera jamais la paix, prédit la reine; et nous devons prévoir le pire.

— La guerre... Osera-t-il la déclencher?

— Personne, pas même toi, ne le fera douter de sa force; et les démons du désert sont ses alliés.

La lucidité de Neit était aussi tranchante que la meilleure des lames aiguisées par le Maître du silex; ces mots-là, Narmer tentait de les effacer, mais il n'avait pas le droit de céder à une affection illusoire.

Entre lui et Scorpion, le lien de fraternité était définitivement rompu. Si son ennemi essayait de détruire le jeune royaume, il se défendrait et lui briserait les reins.

- 45 -

Fleur détestait le désert. Comment Scorpion pouvait-il aimer ces étendues hostiles et dangereuses, brûlées par le soleil, peuplées de prédateurs et de démons ? La jeune femme rêvait de jardins, de champs de blé et de lacs où se baigner ; mais impossible d'aller contre la volonté de son amant.

Depuis un nombre incalculable de jours, ils marchaient. Scorpion tuait des lièvres et des antilopes et, juste avant de mourir de soif, dénichait un point d'eau ; ravi, il caressait le corps élancé de Fleur qui fondait de plaisir.

— Nékhen est-elle encore loin ? s'inquiéta-t-elle.

— Pas de panique, nous y parviendrons. Admire cette immensité ! Ici, nous ne craignons ni les tueurs de Crocodile ni ceux de Narmer !

— Et si tu l'oubliais ?

La violence de la gifle assomma Fleur ; les yeux dans le vague, elle s'effondra. Scorpion la releva aussitôt et la frappa de nouveau afin de lui redonner ses esprits.

— Ne dis plus jamais ça ! Je n'ai qu'un but : détruire le royaume de Narmer, anéantir ce frère qui m'a rejeté, moi, son principal soutien ! Ou bien tu m'approuves, ou bien je t'abandonne !

— Je... Je t'approuve !

Vacillante, elle parvint néanmoins à lui mordre l'épaule.

— Toi, ne t'avise pas de me quitter pour une autre! Sinon…

Il éclata de rire.

— Au milieu du désert, qu'as-tu à craindre! Ensuite, j'agirai selon mon plaisir et tu continueras à m'aimer.

Il la pénétra avec tant de hargne qu'elle faillit s'évanouir, mais la jouissance la submergea; en manifestant ainsi le désir qu'il avait d'elle, il la comblait de bonheur.

*

Fleur s'habituait à la rudesse de cet interminable voyage et profitait de cette solitude à deux; à aucun moment elle ne se sentait en danger, puisque Scorpion était le pire prédateur de ces contrées désolées.

À l'approche d'un amas de pierres brunes, il se figea.

— Ils sont là.

La jeune femme recula.

— Des… Des fauves?

— Oh non! ma douce, mieux, beaucoup mieux!

Il souleva une épaisse pierre plate et découvrit un nid de scorpions. Fleur hurla.

— N'aie pas peur, ce sont mes alliés; regarde, ils me reconnaissent.

Mesurant une trentaine de centimètres, la mère, d'un noir profond, était énorme; défendant ses petits, brun et jaunâtre, elle déploya la corne terminant sa longue queue articulée.

Scorpion lui présenta la paume de sa main.

— Viens, ma belle.

Un instant hésitant, le monstre rentra son dard et accepta la proposition de son nouveau maître.

— Toi et ta famille, lui annonça-t-il, vous tuerez pour moi.

Fleur tremblait.

— Ne te comporte pas comme la plupart de ces imbéciles d'humains, recommanda son amant. Ces créatures sont d'exceptionnelles guerrières rusées et résistantes. Elles profitent de l'ombre, de la moindre fissure, savent se dissimuler, escalader un mur, se déplacer en silence et frapper avec précision. Cette espèce-là est ma préférée, elle ne laisse aucune chance de survie à ses victimes.

Conquise, la tribu rentra dans un sac.

— Voici mon avant-garde, annonça Scorpion ; ne t'en approche pas, elle n'obéit qu'à moi. Toi, tu serais piquée.

*

Au crépuscule, le soleil disparut derrière d'épais nuages. Un vent violent se leva et, au lieu de les disperser, les multiplia ; entre les masses sombres, une pleine lune d'un rouge intense.

Scorpion respira à pleins poumons, les bras tendus.

— Enfin, te voilà ! Croyais-tu épuiser ma patience ? Moi, je respecte mes engagements, combattre et semer la violence ; à toi de tenir les tiens !

Un éclair zébra le ciel d'orage, et la foudre tomba à une dizaine de pas de Scorpion ; affolée, Fleur se coucha à plat ventre et ferma les yeux. Elle ne souhaitait pas voir ce qui allait se produire.

Le tonnerre gronda, des spirales de sable se soulevèrent.

— Viens, tes pouvoirs ne m'impressionnent pas !

— Crois-tu en posséder de semblables ?

Scorpion se retourna.

La taille de l'animal de Seth, son museau démesuré, ses longues oreilles et son regard de feu auraient fait mourir de peur n'importe quel brave; adepte de ce démon, Scorpion ne le craignait pas.

— Pourquoi m'as-tu abandonné, quand j'ai essayé de prendre le contrôle de l'armée?

— Parce que j'avais décidé de t'amener ici.

— En plein désert... Où sont mes soldats?

— Serais-tu devenu stupide, mon disciple? Ne t'ai-je pas procuré de la nourriture, donné la capacité de trouver les points d'eau, indiqué de précieux alliés?

— Ils ne me suffiront pas pour terrasser Narmer!

— Tes scorpions rempliront leur mission; les humains, eux, sont des créatures vénales, et chacune a son prix.

— Avec quoi achèterai-je des guerriers capables de vaincre ceux de Narmer?

— Tu m'as vendu ton âme, je t'ai accordé la force de l'orage, à condition de refuser la paix et d'imposer la violence.

— Cette condition, je n'ai cessé de la remplir!

— Ne serais-tu pas sur le point de vaciller?

— Au contraire !

— En ce cas, pourquoi douter?

— À cette heure, je suis seul! Conquérir Nékhen ne sera pas une partie de plaisir. Crever sans avoir supprimé Narmer serait insupportable.

— Tu doutes de moi, Scorpion, et c'est une faiblesse impardonnable.

— Que m'offres-tu?

— Le moyen de poursuivre la guerre... si tu te montres digne de moi.

Pluie, grêle, tonnerre, éclairs, bourrasques, tempêtes de sable... La colère de Seth se déchaîna, Scorpion demeura debout.

*

— Scorpion… Scorpion! Parle-moi, je t'en supplie!

Immobile, couvert d'éclats de pierre, il ressemblait à une statue. Fleur le nettoya, dégagea ses yeux et sa bouche.

Pas un souffle de vie.

— Respire, mon amour, respire!

Les lèvres de Scorpion frémirent; Fleur l'embrassa à la folie et ressentit la chaleur de son corps. Ses jambes bougèrent, son regard se ranima.

Ensemble, les amants levèrent les bras au ciel.

Puis ils observèrent le paysage qu'illuminaient les rayons du soleil levant. Ce n'était plus le désert, mais une sorte de village formé de ruelles disposées selon un quadrillage rigoureux.

Chancelant, Scorpion s'engagea dans l'artère principale; pas après pas, il recouvrait sa force. Il atteignit un autel sur lequel se trouvait une massue d'une taille remarquable.

Rageur, Scorpion empoigna le manche de l'arme et parvint à la brandir. À cet instant, des cris d'effroi retentirent.

— Là-bas, remarqua Fleur, des nains détalent!

Scorpion en rattrapa un et le souleva à la hauteur de son visage.

— Pitié!

— Toi et les tiens, que faites-vous ici?

— Nous travaillons pour le maître de l'orage; si tu nous agresses, il nous vengera!

— Calme-toi, je suis son allié.

Le nain parut rassuré.

— Alors, pose-moi!

Amusé, Scorpion donna satisfaction à son petit prisonnier.

— As-tu un chef?

Le nain serra les poings.

— Mène-moi à lui, ordonna Scorpion. Sinon, je te tords le cou et je ravage ce village.

Le ton calme était d'autant plus effrayant.

— Suis-moi.

Le guide pénétra dans une longue galerie creusée sous terre et aboutissant à une salle voûtée où se tenait un autre nain, barbu, aux jambes et au torse épais.

— Te nommes-tu Scorpion ?

— C'est bien moi.

— Le dieu Seth m'a ordonné de te remettre notre domaine ; à présent, tu es le maître de Noubet[1]. Nous sommes de bons artisans et nous t'obéirons.

— Votre tâche ?

— Percer les entrailles de la terre, vers la montagne, pour en extraire de l'or.

Le barbu ouvrit un coffre et en sortit un lingot d'un jaune brillant.

Étonné, Scorpion le manipula.

— De l'or... À quoi sert-il ?

— C'est la chair des dieux. Jusqu'à ce jour, notre labeur était secret ; en te confiant cet incomparable trésor, Seth fait de toi l'homme le plus riche de ce monde. Tu pourras acheter tout ce que tu désires.

---

1. Noubet (Nagada), en Haute-Égypte. Le nom est formé sur la racine *N(ou)b*, et il existe un jeu de mots entre « or » (*noub*) et « maîtrise » (*neb*).

- 46 -

Utilisant des faucilles à manche de bois et à lame de silex, les moissonneurs prenaient soin de couper le blé et l'orge à mi-tige. Les femmes vannaient et, sur l'aire, les ânes piétinaient les gerbes. Quant à l'engrangement de l'abondante récolte dans des greniers récemment construits, il se déroulait sous l'étroite surveillance des scribes des champs, aux ordres du Vieux. Pas un grain ne devait être détourné.

La chaleur rendait le travail pénible, mais l'on se réjouissait du résultat; vers, souris, sauterelles, moineaux et hippopotames n'avaient pas détruit les vastes champs cultivés autour du Mur Blanc, et les réserves de céréales procureraient à la population sa nourriture de base, le pain et la bière.

À la suite du recensement, le Vieux avait organisé l'élevage; désormais, vaches, veaux, taureaux, chèvres, moutons et porcs seraient comptés, et l'on dégusterait diverses sortes de viandes. Les jardiniers, eux, garantissaient une belle variété de légumes et de fruits. Bien entendu, le Vieux s'occupait personnellement des vignobles et ne manquait pas d'assister aux vendanges et au foulage des raisins.

Lorsque Narmer avait offert à Min, puissance vitale ressuscitée, la première gerbe moissonnée, les paysans s'étaient réjouis de cet instant de bonheur; selon les paroles rituelles de la reine, cette gerbe ne symbolisait-elle pas les ennemis liés en botte et réduits à l'impuissance?

Narmer songeait à Scorpion. Nulle part il n'avait commis de déprédation, et personne ne signalait sa présence. Des pêcheurs avaient retrouvé les débris de sa barque, mais pas son cadavre, ni celui de Fleur. Beaucoup pensaient que les dépouilles, emportées par le courant, étaient devenues la proie des poissons.

Le roi aurait ressenti la mort de son frère et ne croyait pas à son décès. Scorpion se cachait, probablement au sein du désert, le domaine de son maître; se satisfaisait-il de la compagnie des démons ou préparait-il la guerre en vue d'obtenir le pouvoir?

Aujourd'hui, le Mur Blanc était bien protégé et résisterait à n'importe quelle attaque; une grande partie des Deux Terres, hélas! demeurait vulnérable, et il faudrait du temps pour offrir la sécurité à l'ensemble de ses habitants.

Scorpion le savait. Mais comment reconstituerait-il une armée?

Narmer ne sous-estimait pas le génie de son frère, et la perspective d'un conflit le hantait. Nourrie d'une hargne vengeresse, la vaillance de Scorpion pourrait détruire le royaume.

— Majesté, déclara le Vieux, tout est prêt; la reine vous attend.

Précédé du gardien du sceau royal, et suivi de Gros-Sourcils, porte-sandales, Narmer traversa l'un des villages formant le domaine du Mur Blanc. Aux anciennes huttes avaient succédé de petites maisons en pierre sèche, disposant de caves et de celliers; l'État installait des fours à pain et des silos, et le responsable de l'agglomération se portait garant du bien-être de ses

administrés. En cas de défaillance, le Vieux le rempla-
çait immédiatement; et s'il recevait des doléances, il
confrontait les plaignants avant de soumettre sa décision au roi.

Le programme d'irrigation avançait à pas de géant et,
ce matin-là, se déroulait une cérémonie dont l'issue
serait décisive. Nerveux, le Vieux redoutait un échec;
Gros-Sourcils ne se préoccupait que de son avenir
propre, surpris de l'inertie de Scorpion et de la réussite
éclatante de Narmer. Patienter s'imposait.

Au sommet de la digue, Neit était entourée du Grand
Blanc, du chacal Geb et de Vent du Nord qui avait
apporté lui-même le dernier couffin rempli de terre. Il
revenait au roi de célébrer la première fête de l'« ouverture du lac » en offrant un passage à l'eau de réserve,
destinée à irriguer les surfaces cultivables les plus éloi-
gnées du fleuve.

Impatient, Gilgamesh s'apprêtait à dessiner la scène,
moment crucial des grands travaux marquant le début
du règne.

Maniant un sceptre, Narmer consacra le futur bassin,
et la reine pria la déesse Neit de répandre l'énergie issue
de l'océan primordial. Puis le monarque brisa le barrage
de limon.

L'assistance retint son souffle. Un instant, on redouta
l'échec; mais le précieux liquide consentit à s'écouler,
suivant le chemin tracé à son intention. Le système
d'irrigation était une réussite.

*

Après avoir réparti les gardes chargés de la surveillance nocturne, le général Gros-Sourcils regagnait le
Mur Blanc en longeant le grand canal desservant la
capitale.

Assoiffé, il rêvait d'une bière fraîche.

— Ralentis l'allure, exigea une voix rauque, et continue à regarder droit devant toi; nous avons à parler.

— Crocodile! Je…

— Si tu tentes de t'enfuir, mes reptiles te déchiquetteront. N'espère pas nous échapper.

Glacé, Gros-Sourcils se conforma aux instructions du chef de clan.

— Je connais tout de toi, rappela-t-il, et je pourrais faire savoir à Narmer quel traître tu es; mais je préfère t'utiliser.

Le réveil était brutal. N'imaginant pas que Crocodile réapparaîtrait ainsi, à proximité du Mur Blanc, le général se trouvait confronté à ses turpitudes. Et le maître des reptiles le tenait entre ses griffes.

— Ton avenir est limpide, Gros-Sourcils; soit tu me sers fidèlement, soit je te livre au roi. Ton choix?

— Nous avons toujours été alliés, nous le restons! Un événement majeur s'est produit : Scorpion a été chassé de la capitale.

— Quelle faute a-t-il commise ?

— Il voulait prendre la tête de l'armée et renverser Narmer.

— Pourquoi ne l'as-tu pas aidé?

— Les soldats vénèrent leur roi, sa popularité ne cesse de croître! Comme Scorpion est son frère par le sang, Narmer ne l'a pas exécuté.

— As-tu des nouvelles du banni?

— Aucune; peut-être a-t-il péri.

Crocodile savourait cette excellente information. Privé de son meilleur guerrier, auteur de tant d'exploits, Narmer s'affaiblissait. La période de paix atténuait sa vigilance et sa capacité de réaction à l'adversité; occupée aux travaux d'irrigation, l'armée perdait son efficacité et, grâce à Gros-Sourcils, Crocodile répandrait le poison nécessaire à son démantèlement.

— Détaille-moi les dispositifs de sécurité de la capitale, demanda-t-il au général.

Persuadé que le chef de clan détecterait un mensonge, Gros-Sourcils ne lui cacha rien.

— Diminue le nombre de rondes, ordonna Crocodile, et celui des gardes.

— Ce sera difficile, je…

— N'es-tu pas le chef de l'armée ?

— Si, mais…

— Pas de vaines discussions, Gros-Sourcils, et montre-toi efficace.

— As-tu l'intention… d'éliminer Narmer ?

— Contente-toi de le trahir et de m'obéir. À bientôt, général.

D'un pas hésitant, Gros-Sourcils continua d'avancer. Le silence persistant, il regarda autour de lui et jeta un œil au canal ; Crocodile avait disparu.

*

Le Sumérien Gilgamesh était abasourdi. Alors qu'il comptait rejoindre le général, il avait aperçu une étrange créature, à demi immergée dans le canal, et s'adressant au dignitaire.

Crocodile, le maître d'un clan redoutable, opposé à Narmer, en compagnie du chef de l'armée royale !

Gros-Sourcils n'aurait-il pas dû alerter ses soldats et intercepter le fauteur de troubles ?

Au terme de l'entretien, Crocodile s'était éloigné au fil de l'eau et le général avait poursuivi son chemin en direction du Mur Blanc.

Certain de ne pas avoir été repéré, Gilgamesh s'interrogeait sur la conduite à suivre. Témoin d'un événement insolite et inquiétant, pouvait-il se taire ? À qui parler et en quels termes ?

Songeur, il passa à travers champs. Ce soir, il recevait une belle brune, originaire du Sud, qu'il désirait épouser.

Gilgamesh ignorait que Crocodile, lors de ses déplacements, adoptait de strictes mesures de sécurité, notamment en protégeant ses arrières ; aussi n'avait-il pas remarqué un reptile qui signalerait à son maître la présence d'un curieux.

- 47 -

Le nain barbu présenta à Scorpion un fin collier d'or et deux bracelets du même métal, étincelants sous le soleil. Le jeune homme orna aussitôt le cou et les poignets de Fleur, stupéfaite et ravie.

— C'est... C'est magnifique !

— Toutes les femmes auront envie de porter de telles merveilles, prédit l'artisan, et les hommes sauront les séduire en les leur offrant. Avec l'or, tu achèteras n'importe qui.

— La chair des dieux... Ne leur est-il pas réservé ?

Le nain fut gêné.

— Nous, on l'extrait et on le façonne ; le maître de Noubet, c'est toi.

Seth accordait à Scorpion un puissant moyen d'action, lui permettant de lever une armée ; mais ce serait en violant la loi d'harmonie et en défiant les divinités. Cette perspective n'effraya pas le futur vainqueur de Narmer.

Scorpion explora les galeries et observa le dur labeur des nains, répartis en plusieurs équipes : mineurs, laveurs du minerai, fabricants de lingots, orfèvres. Ces spécialistes avaient accumulé des richesses aujourd'hui entre les mains du nouveau seigneur de la petite cité.

— Noubet sera la capitale des Deux Terres, annonça Scorpion, et la plus belle ville du pays. Partout, dans mon palais, l'or brillera !

En attendant ces jours de gloire, Fleur aménagea un logement spacieux et plutôt confortable. Lit, coffres de rangement, nattes... Un endroit qu'elle apprenait à apprécier, surtout parce qu'elle était la seule femme! Comme l'ardeur de son amant ne se relâchait pas, elle jouissait pleinement de cette trêve inespérée, consciente qu'elle ne durerait pas.

Et la décision survint.

— Je vais conquérir un village situé à la limite des cultures, annonça Scorpion; ensuite, le hameau voisin. Quand j'aurai suffisamment d'hommes, nous nous emparerons de Nékhen.

Fleur ne croyait pas au succès de cette folle entreprise. Scorpion serait tué, elle mourrait à son côté, parée de bijoux destinés aux dieux.

*

— Tu ne manges pas? s'étonna la jeune femme brune; pourtant, c'est délicieux!

— Excuse-moi, déplora Gilgamesh, je n'ai pas d'appétit.

— De graves contrariétés?

— Je le crains.

— Puis-je t'aider?

— Malheureusement, non. Une décision difficile à prendre.

— Aurais-tu mécontenté le roi?

— Non, rassure-toi!

— Le Maître du silex?

— Pas davantage.

— Et si tu te confiais?

Elle était charmante et attentionnée, mais le Sumérien refusait de l'associer à ce qu'il considérait comme une affaire d'État. Gros-Sourcils conversant avec le chef de clan Crocodile... Une abominable conclusion s'imposait : le général trahissait Narmer, et les deux complices préparaient un attentat !

Demain matin, Gilgamesh alerterait le Vieux en lui relatant la scène qu'il n'aurait pas dû voir. Le Porteur du sceau saurait tirer les conséquences de ce témoignage.

— J'ai une question importante à te poser, dit-il à son invitée.

— Importante... ou très importante ?

— Très importante.

Elle baissa les yeux.

— Je viens de la contrée des deux fleuves, rappela-t-il. Depuis ma jeunesse, je dessine, je peins et je sculpte. Le Maître du silex m'a adopté, et je progresse chaque jour. Jamais je ne quitterai ce pays. Grâce à la paix et à l'expansion du Mur Blanc, quantité d'œuvres magnifiques naîtront, et je participerai à cette aventure. Alors, voici ma question : acceptes-tu de m'épouser ?

Émue à en pleurer, osant à peine espérer cette proposition, la jolie brune avait la gorge tellement nouée qu'elle ne parvint pas à prononcer un seul mot.

À cet instant, le bruit d'une chute, à l'extérieur de la maison, inquiéta Gilgamesh. Âgé et claudicant, son domestique était-il tombé en montant le petit escalier menant à la terrasse ?

— Pardonne-moi, je reviens vite.

Lorsqu'elle murmura un « oui » inaudible, le Sumérien était déjà sorti.

*

La nuit était sombre et, malgré l'absence de vent, les flambeaux disposés à l'entrée de la propriété étaient éteints. S'habituant à la pénombre, Gilgamesh n'aperçut pas le vieil homme qu'il appela en vain.

Intrigué, il distingua des traces de sang au bas de l'escalier. En se penchant, il constata que l'on avait traîné un corps en direction de l'étang.

Le cœur battant, Gilgamesh courut jusqu'au plan d'eau, couvert de lotus.

Au bord, un pied tranché et un morceau de bras.

Tétanisé, le Sumérien vit sortir du bassin deux crocodiles, la gueule ouverte.

Frissonnant, il recula.

Une griffe déchira son cou, lui arrachant un cri de douleur.

— Je n'aime pas les curieux, dit la voix rauque du chef de clan, et tu en as trop vu.

Les deux reptiles se ruèrent sur leur proie. Ils broyèrent d'abord les jambes, puis le torse, et terminèrent par la tête. Crocodile pénétra dans la maison de Gilgamesh. Il restait un témoin, la jeune fille brune.

*

Le Maître du silex répartit ses équipes d'artisans et s'accorda un moment de repos en compagnie du Vieux. Les journées débutaient à l'aube et se terminaient longtemps après le coucher du soleil.

— Tu t'en sors? demanda le robuste artisan, à la barbe épaisse.

— Les heures ne sont pas assez longues. Et toi?

— Même sentiment.

— Comme on sait qu'on n'y arrivera pas, décréta le Vieux, autant le faire; au moins, on ne sera pas déçu.

C'était le moment du vin blanc sec, accompagné d'une galette fourrée aux lentilles chaudes. Les deux dignitaires ne boudèrent pas leur plaisir.

— Tu rajeunis, constata le Maître du silex. Quel est ton secret?

— Du jus de raisin, des cheveux de babouin[1], et une confiance absolue dans le couple royal; lui est un bâtisseur, doté de la vision de l'Ancêtre, elle une magicienne prolongeant l'œuvre de la grande déesse. Que demander de mieux?

— Tu as raison, nous avons beaucoup de chance; pourquoi Scorpion ne l'a-t-il pas compris ?

— Je me suis posé mille fois cette question! Lui, le frère de Narmer… Il se trompe en pensant convoiter le pouvoir. Seule la lutte à mort l'intéresse, la paix l'ennuie.

— Déclenchera-t-il une nouvelle guerre?

— Comment en irait-il autrement?

Le Maître du silex se resservit une coupe de vin blanc; l'idée d'un conflit fratricide le démoralisait.

— Bizarre, constata-t-il. D'ordinaire, Gilgamesh est l'un des premiers à l'atelier. Il aime dessiner en profitant de la lumière de l'aube.

— Peut-être est-il souffrant, avança le Vieux.

— Il aurait envoyé son serviteur me prévenir! Et nous avions plusieurs projets urgents à examiner; cette attitude me surprend. Je me rends chez lui.

*

Le bassin aux îlots était rouge de sang, des fragments de corps humain souillaient les fleurs.

Incrédule, le Maître du silex en découvrit d'autres au bord du plan d'eau. Victime d'un haut-le-cœur, il vomit.

Chancelant, il poursuivit son exploration et découvrit le cadavre de Gilgamesh, au bas de l'escalier; son visage était à peine reconnaissable. Incapable de retenir ses larmes, le rugueux barbu vacilla.

---

1. Du fenouil.

Restait la maison.

Décomposé, le Maître du silex en franchit le seuil.

La dépouille ensanglantée d'une jeune femme brune, étendue sur le dos, égorgée, éventrée. L'artisan tourna de l'œil.

- 48 -

Étant donné l'état du Maître du silex, Cigogne lui avait imposé une cure de sommeil. Sans effacer l'horreur des crimes qu'il avait découverts, elle lui permettrait de retrouver son équilibre.

Le Vieux s'était chargé d'inhumer Gilgamesh, sa future épouse et les restes du serviteur de l'artiste sumérien. Habitué aux abominations des conflits auxquels il avait participé, il s'étonnait cependant de la cruauté des assassins.

— Des soupçons ? demanda Narmer.

— Une certitude : seuls les reptiles de Crocodile ont pu commettre de telles atrocités. Trancher ainsi des membres, déchiqueter des corps… C'est leur œuvre.

— Tu délires, objecta Gros-Sourcils. Imagines-tu ce que cela impliquerait ?

— Tu as examiné les dépouilles, général, et combattu les créatures de ce clan impitoyable ; aboutirais-tu à une autre conclusion ?

— Non, mais…

— Mais tu refuses de voir la vérité en face !

— Crocodile frappe où il veut et quand il veut, déclara Narmer, même au sein du Mur Blanc.

Partageant ce triste avis, la reine s'interrogeait.

— Pourquoi Crocodile s'en est-il pris à Gilgamesh et à ses proches ? Ils ne le menaçaient d'aucune façon !

— Je n'en ai pas la moindre idée, déplora le Vieux.

— Moi non plus, renchérit le général qui comprenait à quel péril il venait d'échapper.

Le Sumérien avait assisté à sa rencontre avec Crocodile, et ce dernier s'était porté au secours de son allié en supprimant un témoin gênant et ses éventuels confidents.

— Renforce nos mesures de sécurité, Gros-Sourcils, ordonna le roi, que l'on surveille les canaux, les bassins et autres points d'eau.

Crocodile allait-il attaquer ou n'avait-il lancé qu'un raid ponctuel afin de préparer l'avenir? En tout cas, le général lui laisserait une voie d'accès.

*

Malgré le drame, le roi maintint la consécration du jardin qui agrémentait le palais. Il répondait à un vœu du Grand Blanc, le premier à visiter les lieux et à s'installer à l'ombre d'un palmier.

L'endroit était l'incarnation de la paix; ici, le couple royal pourrait méditer, à l'écart des troubles du quotidien, et concevoir sereinement ses décisions. Des murs hauts de trois mètres le préservaient des regards extérieurs; palmiers, sycomores, acacias et tamaris entouraient un vaste bassin où s'épanouissaient des lotus bleus. Ils s'ouvraient au matin et se dissimulaient sous la surface pendant la nuit, servant de matrice et d'abri au futur soleil qui émergeait à l'aube.

Au plus majestueux des sycomores, sanctuaire de la déesse d'Occident, la reine présenta un pain et un vase contenant du vin. Elle la pria d'accueillir en son sein les trois victimes des reptiles et de leur accorder les nourritures nécessaires sur les chemins de l'au-delà.

Le rituel achevé, trois oiseaux au plumage bigarré se posèrent au sommet de l'arbre; Narmer et Neit identifièrent les visages de Gilgamesh, de son serviteur et de la jolie brune, puis leurs âmes s'envolèrent.

— Ce triple meurtre n'a pas de sens, estima le roi. S'il en était besoin, Crocodile nous rappelle sa capacité de nuisance et nous contraint à renforcer nos défenses, avant de le combattre. Une erreur de stratégie !

— Il existe une explication, objecta la reine. Gilgamesh *devait* disparaître.

— Pour quelle raison ?

— Il détenait un renseignement si important que Crocodile a jugé indispensable de le faire taire.

— Et les deux autres victimes ?

— Gilgamesh aurait pu se confier à elles.

— Ce renseignement...

— Le Sumérien n'avait-il pas découvert les prémices d'un complot ?

— Des complices de Crocodile, ici, au Mur Blanc ! s'indigna Narmer.

— Il a toujours manié la ruse et sait se dissimuler ; en nous attaquant de l'intérieur, il s'offre une réelle possibilité de victoire.

— Si tu vois juste, comment identifier ses alliés ?

— Je l'ignore, avoua la reine. Notre seule arme est la vigilance. Le chef des comploteurs finira peut-être par commettre une erreur.

Gardant l'entrée du jardin, les deux lionnes de Narmer assuraient au couple royal une parfaite sécurité ; lorsqu'un rayon de soleil illumina la chevelure de son épouse et souligna la finesse de ses traits, le monarque voulut oublier, ne fût-ce qu'un moment, les sombres perspectives qu'elle venait de dévoiler.

— Il nous reste à inaugurer ce superbe bassin, proposa-t-il.

Amusée, Neit se laissa dévêtir. Nus, ils pénétrèrent dans l'eau et s'enlacèrent, baignés par un vent doux et le parfum des fleurs.

*

À l'extrémité du port du Mur Blanc, en construction, un petit canal de dérivation que surveillait un sexagénaire à moitié aveugle et poitrinaire. Afin de tromper l'ennui, le vétéran pêchait à la ligne et vidait à petites gorgées sa jarre de bière.

Rescapé des terrifiants conflits de la guerre des clans, le bonhomme accomplissait sa dernière année de service ; ensuite, conformément aux promesses du roi, il bénéficierait d'une maisonnette et de soins gratuits.

Ça mordait ! À l'espoir succéda la désillusion : le pêcheur ne retira de l'eau qu'un fil coupé. Intrigué, il eut le tort de trop s'approcher du bord et de se pencher.

Jaillissant du canal, les mâchoires d'un reptile lui happèrent le visage ; entraîné au fond, le vétéran fut aussitôt la proie de l'avant-garde de Crocodile.

Se répandant à grande vitesse, les reptiles attaqueraient une dizaine de cibles en même temps.

*

Les cris déchirants des oies gardiennes, réparties à divers endroits du Mur Blanc, eurent l'effet escompté : chacun comprit que la capitale subissait un assaut, et les soldats se précipitèrent à leurs postes de combat. Les accès de la cité furent fermés, et Narmer en personne se rendit au port.

De multiples affrontements avaient commencé ; profitant de l'effet de surprise, les reptiles progressaient, abandonnant des victimes atrocement mutilées.

« Comme Scorpion eût été précieux ! songea Narmer. Avec sa fougue et son expérience du combat, il aurait lancé une contre-attaque meurtrière. » Le roi s'inspira de son exemple pour sauver sa cité. Animé de la fureur de Taureau, du courage d'Oryx, de la rage de Lion et de la puissance d'Éléphante, Narmer décupla la confiance de ses troupes.

D'abord, les archers et les manieurs de fronde réussirent à contenir les reptiles ; ensuite, les bateaux de guerre se mirent en mouvement, et les marins formés par Narmer, en prévision d'un tel raid, lancèrent des épieux aux pointes de silex particulièrement fines et affûtées. Beaucoup ratèrent leur cible ou ne firent qu'érafler les carapaces, mais quelques-uns crevèrent les yeux d'assaillants proches des navires qui opérèrent une manœuvre d'encerclement.

De solides filets furent jetés des ponts et, malgré leurs soubresauts et la puissance de leurs griffes, plusieurs reptiles s'y empêtrèrent ; au moment où ils se retournaient, présentant leur ventre fragile, des lances s'y enfoncèrent.

— Ils s'enfuient ! cria une vigie.

Au même instant, sur tous les fronts, les membres du clan Crocodile battirent en retraite.

La nouvelle ne tarda pas à se propager, et l'armée entière scanda le nom de son roi. La clameur fut telle que Narmer faillit ne pas entendre le grognement de Geb, babines retroussées et crocs apparents.

L'un des reptiles devait remplir une mission précise : tuer Narmer. En dépit des circonstances, il obéirait à son chef. Sans l'intervention du chacal, prêt à donner sa vie pour sauver son maître, ce dernier n'aurait pas aperçu le museau traçant un léger sillon et s'approchant du quai à grande vitesse.

Son plan était simple : renverser le monarque d'un coup de queue ; en tombant à l'eau, il ne lui échapperait pas.

Narmer tendit le bras vers le crocodile.

— Monstre, sois aveugle ! exigea-t-il. Moi, je possède une bonne vue.

Héritée d'un bouvier, la formule magique fut efficace. Perdu, le crocodile tourna en rond, et les archers le criblèrent de flèches.

- 49 -

Le bilan du raid de Crocodile était lourd ; une cinquantaine de soldats tués, une centaine de blessés dont
s'occupaient Cigogne et son service de santé. Mais le
Mur Blanc ne parlait que du triomphe du roi et de ses
pouvoirs magiques ; n'avait-il pas repoussé les reptiles et
rendu fou le monstre décidé à le supprimer ? Avec un
tel souverain, rien à redouter de l'ennemi !

Gros-Sourcils n'avait pas manqué de féliciter le
monarque et de vanter ses mérites auprès des soldats,
dansant de joie autour du bûcher où brûlaient les
dépouilles des reptiles abattus. Le Vieux avait accordé
aux vainqueurs une belle quantité de jarres de bière.

Après avoir assisté à la fête, le couple royal se pro-
mena dans le jardin ; la brise du soir faisait chanter les
feuilles du sycomore.

— Tu sembles dépité, Narmer ; n'as-tu pas remporté
une victoire décisive ?

— Décisive, certainement pas. Peu de reptiles ont été
éliminés, ils ont cessé le combat au même moment et
beaucoup trop vite.

— Ta conclusion ? demanda la reine.

— Crocodile a testé notre système de défense. Si nous
avions été incapables de réagir, il aurait envahi
notre capitale ; la mobilisation rapide de nos soldats,

l'intervention de nos bateaux et l'utilisation des filets lui ont révélé l'ampleur de nos forces. En sacrifiant un petit nombre des membres de son clan, il nous a obligés à nous dévoiler. La stratégie de Crocodile est très inquiétante. Assassinat d'un témoin gênant, attaque en trompe-l'œil, préparation d'un véritable assaut… Tout dépend de ses effectifs. Et un autre péril, plus terrifiant, nous guette.

— Envisagerais-tu… une alliance de Crocodile et de Scorpion ?

— Scorpion… A-t-il survécu ?

— Tu sais bien que oui.

— Mon frère ne commettra pas cette forfaiture.

*

À la lisière des cultures, le petit village de paysans cultivait des concombres et des salades, destinés à la garnison chargée de garder la ville sainte de Nékhen. Ici, on ne percevait pas encore les grands changements voulus par Narmer, et l'on se contentait de subsister au rythme des saisons.

Ce fut un garçonnet qui, le premier, aperçut le couple venant du désert. Lui était grand, superbe, armé d'une lourde massue ; elle, fine et jolie, couverte de bijoux en or. Les cris du gamin alertèrent les paysans, vite regroupés ; apeurés, ils se serrèrent les uns contre les autres en contemplant l'impressionnant guerrier et sa surprenante compagne.

— Je m'appelle Scorpion et j'engage des soldats.

— Es-tu le vainqueur des clans, à la bataille de Nékhen ? demanda un vieillard.

— Je le suis, et je vais conquérir l'Égypte entière en m'emparant d'abord du Sud.

— Il faut lui obéir, recommanda le vieillard, il est invincible ! Ni les lions ni les reptiles n'ont réussi à l'abattre !

— Nous sommes des paysans, pas des guerriers, objecta un boiteux.

La massue de Scorpion lui fracassa le crâne ; mort sur le coup, le contestataire s'effondra, sous le regard épouvanté des villageois.

— Voilà exactement ce que je refuse d'entendre. Celui-là était inapte, je m'en serais débarrassé ; les fantassins, je les formerai, et leurs familles assureront l'intendance. Munissez-vous d'un maximum de provisions, nous nous rendons au hameau voisin.

L'avancée fulgurante de Scorpion ne se heurtant à aucune résistance, il soumit une dizaine de bourgs et fut bientôt à la tête d'une bande de culs-terreux, auxquels il enseigna la discipline.

L'un d'eux osa poser une question :

— Seigneur, nous n'avons pas d'armes ! Au premier combat, nous serons massacrés.

— La garnison de Nékhen possède le nécessaire.

— Les soldats nous tueront !

D'une main, Scorpion étrangla le bavard et le souleva.

— On ne discute pas les ordres de son chef et l'on ne doute pas de lui.

Quand il lâcha prise, le trouillard avait cessé de respirer, et plus personne n'émit la moindre réserve.

Fleur jouait un rôle non négligeable ; comment ne pas admirer sa beauté en rêvant d'une femme pareille, ornée de tant de richesses ? Aux mâles, à condition d'être vaillants et victorieux, elle promettait la fortune. Et cet aiguillon produisait d'excellents résultats ; les paysans sortaient de leur torpeur, oubliaient leurs craintes et avaient envie de se battre, persuadés que leur chef ne rencontrerait pas d'adversaire à sa mesure.

Scorpion revivait l'exaltante conquête menée en compagnie de Narmer ; au début de leur guerre, ils n'étaient que deux frères, unis à jamais, et ne redoutant aucun obstacle. Puis ils avaient recruté un archer fabuleux, Chasseur, tué pendant le siège de Nékhen, et un prodigieux fabricant d'armes, le Maître du silex. Et c'était en dressant de simples paysans qu'ils avaient formé une milice capable d'impressionner le puissant Taureau !

À présent, Scorpion commandait seul sa propre armée et la mènerait de victoire en victoire.

*

Le commandant de la garnison de Nékhen goûtait sa longue sieste quotidienne. Ex-fantassin de Taureau, il avait connu la guerre des clans et rêvait chaque nuit des violents affrontements autour de la ville sainte. Durant cet enfer, nul n'envisageait la paix ; et si l'officier avait survécu, c'était grâce au taureau brun-rouge, rempli de magie, qui l'avait conduit de la place forte assiégée par les Libyens à cette ville du Sud, domaine des trois Âmes à tête de chacal.

Le commandant se souvenait de l'intrépidité de Scorpion, un jeune guerrier à la beauté fascinante, et de l'autorité de Narmer que les dieux avaient désigné comme roi, à l'issue de combats féroces. Aujourd'hui, uni à la prêtresse de Neit, il gouvernait les Deux Terres, et Nékhen attendait sa venue.

Un seul clan demeurait menaçant : celui de Crocodile, assez habile pour ne pas sombrer lors de la débâcle des Libyens. Redoutables, ses reptiles pouvaient causer de graves dommages ; mais à lui seul, leur chef ne renverserait pas Narmer.

Le vétéran jouissait de cette paix durement acquise. En mettant fin aux conflits et en expulsant les barbares, le roi avait donné un nouveau souffle à un pays déchiré.

Son aide de camp le secoua.

— Pardon de vous réveiller… Un sérieux problème !

— Occupe-t'en !

— Ça me dépasse.

Irrité, le commandant se releva, s'aspergea d'eau fraîche et noua son pagne. D'une humeur massacrante, il infligerait une sévère punition au fauteur de troubles.

— Que se passe-t-il ?

— On nous somme de rendre nos armes.

— Tu… Tu divagues ?

— À vous de voir.

Le commandant pressa le pas jusqu'à l'entrée du campement, implanté non loin de l'entrée de Nékhen.

Abasourdi, il découvrit une nuée de paysans ; s'avança vers lui un jeune homme à la musculature harmonieuse.

— Scorpion ! Heureux de te revoir… Quelle mission t'a confiée Narmer ?

— Narmer est mon ennemi, je ne tarderai pas à le terrasser.

Le commandant resta bouche bée.

— Tu… te moques de moi ?

— Je suis le maître des Deux Terres et j'exige ta reddition immédiate.

— Impossible, je n'obéis qu'à mon roi !

— Ton seul maître, c'est moi.

— Scorpion… serais-tu devenu fou ?

— Ou tu t'inclines, ou j'anéantis ta garnison.

— Ta bande de paysans est désarmée.

— Détrompe-toi, commandant ; la fureur de Seth anime leurs poings.

— Retire-toi, je t'en prie ! N'avons-nous pas combattu ensemble ?

— Mon frère m'a chassé, il le paiera de sa vie. Ne résiste pas.

— Va-t'en; sinon, j'ordonne à mes archers de tirer.

Décrivant un demi-cercle, la massue fut maniée avec une telle violence qu'elle coupa en deux le commandant.

— À l'assaut! hurla Scorpion.

Horrifiés, privés de directives, les soldats de la garnison furent submergés par une meute hurlante.

Quelques archers réussirent à tirer, des fantassins brandirent leur lance; indifférents à leurs pertes, suivant leur chef dont la massue dévastait les rangs adverses, les paysans piétinèrent les soldats, s'emparèrent de leurs armes et accomplirent un carnage.

À peine essoufflé, Scorpion contempla ce magnifique champ de bataille. Ivres de leur succès, ses hommes achevaient les blessés.

Marchant entre les cadavres, Fleur rejoignit son amant; le soleil faisait étinceler ses parures en or.

L'attirant contre lui, il l'embrassa fougueusement.

— Cette nuit, promit-elle, tu jouiras comme jamais.

- 50 -

Fleur ne s'était pas vantée. Sceptique, Scorpion avait vécu sa plus belle nuit d'amour, sa maîtresse lui révélant des ressources insoupçonnées et parvenant à le surprendre. Heureuse de l'éblouir, elle ne rassasiait pas ce corps d'athlète aux proportions parfaites.

— Quand tu as tronçonné cet imbécile de commandant, avoua-t-elle, j'ai eu envie de toi ; ton geste ample, ta force, ta précision... Ce pays doit t'appartenir, mon amour ! Maintenant, tu vas conquérir Nékhen !

— Pas maintenant.

Étonnée, Fleur se redressa.

Scorpion lui prit les seins et l'obligea à s'allonger.

— Tu... Tu ne renonces pas ? s'inquiéta-t-elle.

Un sourire de carnassier la rassura.

— Évite ce mot, il m'irrite.

— Explique-toi !

Scorpion leva les yeux au ciel.

— Te souviens-tu de Nékhen, ma douce ? Ses murailles, ses sanctuaires, son palais, les tombes de l'éléphant et du taureau... Nous y avons séjourné de longues semaines, assiégés par les troupes de Lion et de Crocodile, redoutant de périr dans cette nasse. Cependant, malgré une apparente défaite et la suprématie momentanée des Sumériens, Nékhen marqua le point de départ de la reconquête. Narmer y fut couronné et, depuis cet instant, personne n'a contesté sa légitimité.

— Toi seul en as le droit !

— Avant de franchir le seuil de cette cité, je veux régner sur tous les villages environnants. Alors, ses portes s'ouvriront d'elles-mêmes.

*

Assis à l'ombre d'un saule, Crocodile mangeait un morceau de viande avariée, aux saveurs incomparables. En perpétuelle alerte, sa garde rapprochée laissa passer l'un de ses émissaires en provenance du sud.

Satisfait de son raid contre le Mur Blanc, Crocodile connaissait à présent les capacités défensives de Narmer ; restait à savoir si Scorpion était encore vivant. Aussi quantité d'espions glanaient-ils des renseignements.

L'émissaire s'inclina.

— Seigneur, je dispose d'informations précises et vérifiées. Scorpion a massacré la garnison de Nékhen, armé une bande de paysans et soumis la quasi-totalité des villages de la région. Il possède des terres et une richesse inconnue, un métal jaune qui sert à fabriquer des lingots et des bijoux. Sa compagne, Fleur, se prend pour une reine et ne cesse d'annoncer les futures conquêtes de son amant.

— Et Nékhen ?

— Ses habitants redoutent l'irruption de Scorpion ; se contentera-t-il d'occuper la ville ou la rasera-t-il ?

— Pourquoi ne s'en empare-t-il pas ?

— Il quadrille le Sud et le contrôle peu à peu. Peut-être considère-t-il Nékhen comme le point d'aboutissement de sa conquête.

Crocodile gratta sa peau calleuse.

— Pas de réaction de Narmer ?

— Aucune, seigneur.

— Tôt ou tard, les deux frères s'affronteront et nous tirerons profit de la situation. L'armée du vainqueur sera tellement affaiblie que nous l'anéantirons sans difficulté.

*

Consterné, le Vieux traîna des pieds jusqu'au palais; même le blanc sec du petit matin ne lui redonnait pas le moral. Pourtant, il avait traversé bien des épreuves et connu des moments de désespoir; mais ce poids-là lui semblait insupportable.

Les réunions du conseil restreint se tenaient sous le feuillage du sycomore de la déesse d'Occident, en présence du Grand Blanc.

— Tu parais contrarié, remarqua Neit.

— La catastrophe, Majesté!

— Scorpion? interrogea Narmer.

Le Vieux baissa la tête.

— Quelle folie a-t-il commise ?

— Les témoignages concordent, déplora le Vieux. Son armée de paysans a conquis une grande partie du Sud.

— Nékhen?

— Encore intacte. Je crains qu'il ne faille intervenir, Majesté; votre autorité est battue en brèche.

— La guerre... Je m'y refuse.

— J'ai été le serviteur et l'ami de Scorpion, rappela le Vieux, et vous, son frère; ces souvenirs-là ne s'effacent pas. Néanmoins, impossible de se cantonner dans le passé. C'est l'existence même du royaume qui est en jeu, et vous devez agir.

D'un regard, Neit approuva les déclarations du Porteur du sceau royal.

— L'inaction apparente de Crocodile m'inquiète, déclara-t-il. Ses espions l'ont forcément informé de la reconquête entreprise par Scorpion. S'ils concluent une alliance, pourrons-nous leur résister ?

— Scorpion a combattu Crocodile, rappela Narmer, il connaît sa cruauté et ses ruses ; personne ne s'allie avec lui, sous peine d'être déchiqueté.

— Grâce aux reptiles, objecta la reine, Scorpion atteindra le summum de la violence et sera certain de te détruire. Ensuite, il abattra Crocodile.

Le Grand Blanc demeura silencieux.

*

Noubet, la capitale de Scorpion, avait beaucoup changé. De petites maisons construites à la hâte bordaient les nouvelles rues, et les miliciens disposaient de fours à pain. Les paysans livraient quotidiennement viande, poisson, légumes, fruits, bière et vin. Des tâcherons se chargeaient des corvées de nettoyage et de lessive, assistés des femmes.

Les nains ne sortaient plus de leurs galeries et produisaient l'or nécessaire au paiement de l'armée en formation dont les soldats seraient récompensés à chaque victoire. Retrouvant ses sensations d'autrefois, Scorpion entraînait ses recrues et se débarrassait des mauviettes.

Quant à Fleur, éblouissante, elle agençait le palais du futur souverain : salle d'audience, chambres, commodités. Partout, des bijoux en or accrochés aux murs. Seule contrariété : la présence de nombreuses jeunes femmes. Pas une, cependant, ne rôdait autour de Scorpion, trop occupé à transformer des paysans en guerriers ; et le déchaînement sensuel de Fleur suffisait à combler les désirs de son amant. Utilisant depuis son enfance une pommade contraceptive à base d'épines d'acacia broyées, la reine de Noubet ne risquait pas de tomber enceinte et de voir Scorpion se détourner.

Entourée de serviteurs à ses petits soins, Fleur les menait à la dure, ravie de sa position dominante; en suivant Scorpion, elle ne s'était pas trompée. Mou et indécis, Narmer était incapable de gouverner. Lorsque son ex-frère lancerait l'assaut final, le roi de pacotille s'effondrerait en implorant sa pitié; d'un seul coup de massue, Scorpion mettrait fin à son règne, et Fleur obtiendrait le privilège de supplicier Neit avant d'occuper le trône des Deux Terres au côté du vainqueur.

Ces perspectives exaltantes rendaient la jeune femme encore plus passionnée, et Scorpion appréciait à la fois ses attentions et le confort de son palais. Au terme d'une rude journée d'exercices intensifs, il s'octroyait un moment de repos sur la terrasse.

— Quand t'empareras-tu de Nékhen, mon amour?

— Secret militaire.

— Scorpion, je suis ta reine!

La colère de l'ambitieuse l'amusa.

— La passivité de Narmer me surprend, avoua-t-il. J'attendais au moins une patrouille que j'aurais pris plaisir à exterminer.

— Narmer te craint, estima Fleur. Ce lâche se terre dans sa capitale!

Scorpion gifla sa maîtresse.

— N'injurie pas mon frère!

Les sanglots de Fleur n'émurent pas son amant.

— Narmer croit que je me contenterai de mon domaine du Sud, en évitant de déclencher une guerre totale; il se trompe. Et j'ai pris des décisions qui le surprendront.

Sentant Scorpion en veine de confidences, Fleur sécha vite ses larmes et, câline, s'allongea contre lui en caressant sa poitrine.

— À la prochaine pleine lune, poursuivit-il, la plupart de mes soldats seront prêts à combattre, et quelques gaillards sauront les encadrer. En assistant à la croissance de Noubet, j'ai modifié mes plans ; nous embellirons ma capitale.

— Et... Nékhen ? s'inquiéta Fleur.

— La Mère vautour a remis la couronne blanche du Sud à Narmer dans cette maudite cité. C'est pourquoi je dois la raser et faire oublier cet événement.

— Raser Nékhen...

Fleur connut une nouvelle forme d'excitation.

— Tueras-tu... tous ses habitants ?

— Tous, hommes, femmes, enfants et animaux ; et ses murailles seront abattues. À l'annonce de cette destruction, Narmer comprendra ma détermination et sera contraint de réagir. Alors, nous nous confronterons, et je le vaincrai.

— Raseras-tu aussi le Mur Blanc ?

— Cette fausse capitale disparaîtra, on n'en discernera même plus l'emplacement.

Au comble de l'exaltation, Fleur accentua ses caresses.

- 51 -

Narmer avait massé des troupes fluviales et terrestres à deux cents kilomètres au sud du Mur Blanc afin de stopper une éventuelle progression de Scorpion. Au risque de leur vie, des éclaireurs pénétraient en territoire ennemi et tentaient d'obtenir des informations.

Chargée de survoler les environs de Nékhen, une jeune cigogne revint se poser sur la terrasse du palais royal. Elle délivra son rapport à sa cheffe de clan qui se rendit aussitôt auprès de Narmer et de Neit.

— La ville sainte est intacte, déclara-t-elle, mais les troupes de Scorpion l'encerclent, et l'assaut est imminent.

— Trop tard pour intervenir, jugea le roi ; d'après les rapports des éclaireurs, Scorpion a rassemblé une véritable armée et créé sa capitale au lieu-dit Noubet. Il dispose d'un métal jaune lui permettant de financer sa reconquête et promet un avenir radieux à ses soldats.

— D'abord Nékhen, murmura la reine, ensuite le Mur Blanc... Scorpion veut le pays entier.

— Pas d'intervention de Crocodile ? demanda Cigogne.

— Pas encore.

— Il attend la prise de Nékhen, prédit la vieille dame. Quand Scorpion aura prouvé la valeur de ses guerriers, il le contactera.

Les traits tirés, Narmer arpenta l'allée principale du jardin et s'immobilisa à la hauteur du sycomore sous lequel méditait le Grand Blanc.

— L'affrontement semble inévitable, lui annonça-t-il. Quel conseil me donnes-tu ?

Narmer s'assit et croisa les jambes en posture de scribe.

Une voix résonna en lui.

— Utilise le symbole de ton clan et place-le sur la tête de Neit.

Le roi retourna au palais et ouvrit le sac contenant le coquillage sacré qui avait échappé au raid meurtrier de Scorpion. Portant cette relique, il rejoignit la reine, occupée à masser les jambes douloureuses de Cigogne.

— Selon les directives du Grand Blanc, voici ton diadème.

Neit s'inclina, Narmer la couronna.

Le coquillage se transforma en étoile à sept branches dispensant une lumière dorée. La reine vit les signes sacrés, paroles des dieux, s'ordonner en lignes horizontales et verticales ; elle déchiffra la pensée du Grand Blanc, affronta l'animal de Seth en résistant au feu de son regard, vola avec le faucon et assista à l'assemblage de blocs gigantesques.

— Le Mur Blanc ne sera pas détruit, prophétisa la reine, et tu bâtiras la cité du soleil.

*

D'un naturel patient, Crocodile manifestait des signes d'énervement. Changeant de résidence chaque soir, il s'était déplacé à la limite du territoire contrôlé par Scorpion. Scorpion... un guerrier inégalable, ignorant la peur et capable de prouesses insensées. Sans lui, Narmer n'aurait pas terrassé les clans, vaincu les Sumériens et chassé les Libyens hors du delta.

Scorpion avait décelé l'unique point faible des reptiles, leur ventre fragile, en observant les dauphins qui se servaient de leur nageoire dorsale comme d'un couperet. Il n'hésitait pas à plonger, à clore la gueule d'un crocodile et à lui déchirer les entrailles. Une telle puissance, mêlant courage et lucidité, méritait considération.

L'hostilité déclarée entre Scorpion et Narmer était une véritable aubaine. Ensemble, ils paraissaient invulnérables ; séparés, ils devenaient du gibier, à la merci d'un prédateur expérimenté.

Enfin, le coordinateur des espions était de retour !

— Nékhen est-elle tombée ? interrogea Crocodile.

— L'armée de Scorpion l'encercle, seigneur.

— Une défense sérieuse ?

— La garnison anéantie, il ne reste que des civils. Selon des rumeurs, Scorpion aurait l'intention de détruire la ville et de massacrer la totalité de ses habitants.

« Table rase, pensa Crocodile ; un message clair à l'intention de Narmer. » Démanteler la grande cité sainte du Sud serait le point de départ de la reconquête du Nord, et le Mur Blanc n'échapperait pas à la fureur de Scorpion.

Conformément à ses habitudes, Crocodile s'orientait en fonction de résultats concrets. Lui, le maître du dernier clan guerrier, serait l'unique bénéficiaire du conflit actuel.

*

— Embroche-le ! ordonna Scorpion à l'adolescent qui, avec sa lance, venait de renverser un costaud maladroit.

— C'est... C'est mon grand frère !

— Embroche-le, ou je te coupe la gorge.

— Ce n'est qu'un exercice, seigneur !

— Dépêche-toi, gamin.

— Je... Je ne peux pas !

La longue lame de silex trancha le cou de l'insurgé. Aspergé de son sang, son frère se releva et tenta d'assommer Scorpion dont le poignard lui perça le ventre.

— Te voilà embroché, imbécile !

Le chef se tourna vers ses hommes.

— Un ordre est un ordre, et cette loi est la clé de notre succès ; l'ennemi ne vous laissera pas le temps de réfléchir. Au travail, l'exercice continue.

*

Rôti au feu de bois, le cuissot d'antilope était un régal ; en le dégustant, Scorpion songea à l'élégante cheffe de clan Gazelle qui n'avait pas résisté à son charme. La paix... Elle n'avait que ce mot-là à la bouche ! Comment une souveraine si raffinée et si intelligente avait-elle pu croire à une telle folie ?

— À quoi penses-tu ? interrogea Fleur, suspicieuse.

— À d'anciennes amours.

— Je les déteste !

— Cette maîtresse-là est morte.

— Tant mieux !

— Bois et mange, demain sera une rude journée.

— La journée... de la destruction de Nékhen ?

— La lune rougit, Seth me donnera un maximum de force.

Elle se blottit contre son amant ; la vision d'un flot de sang l'excitait.

*

Émergeant avec peine du brouillard, un pâle soleil succéda à la lune rouge; Scorpion passa ses troupes en revue.

— Nékhen est remplie de trésors, déclara-t-il, et vous allez vous en emparer. Cette cité est maudite, car elle s'est vouée à Narmer l'imposteur. En conséquence, nous massacrerons ses habitants et renverserons ses murailles. Mon ordre est précis : aucun survivant. Quand vous aurez prélevé le butin, nous incendierons les ruines.

Les derniers réticents se résignèrent; on ne désobéissait pas à Scorpion, et personne ne rechignait à s'enrichir.

En s'approchant de Nékhen, Scorpion se remémora les temps forts du siège pendant lequel lui et Narmer avaient résisté aux hordes de Lion et de Crocodile; une tâche désespérée, une défaite inévitable, la mort au terme de combats acharnés... Pourtant, les deux frères s'étaient sortis de ce guêpier!

Aujourd'hui, Scorpion se préparait à détruire l'un des symboles du pouvoir de Narmer, afin d'affirmer le sien propre.

Aux créneaux, pas un seul archer; les civils renonçaient à se défendre, espérant la clémence du conquérant. Attitude de faibles, qui auraient mieux fait de mourir en luttant.

Naguère, le Vieux et les spécialistes du génie avaient disposé un bel ensemble de pièges, fort efficaces contre l'ennemi; rien de semblable à l'approche d'une ville figée d'effroi.

Armé de sa lourde massue, Scorpion s'avança vers la grande porte, suivi de sa troupe.

Comme prévu, pas le moindre signe de résistance ; et comme prévu également, les deux battants s'ouvrirent lentement. Une délégation supplierait le nouveau maître de Nékhen d'épargner la population, et ce dernier donnerait le signal du carnage.

Apparurent trois géants à tête de faucon qui se disposèrent en demi-cercle et semèrent la panique dans les rangs des assaillants ; les fuyards bousculèrent les indécis, et la belle discipline inculquée par Scorpion vola en éclats.

— Les Âmes de Bouto ! s'étonna-t-il. Que faites-vous ici ?

— Narmer est le fils du faucon, proclama une voix grave dont les résonances dispersèrent les derniers opiniâtres, et nous protégeons cette cité, appartenant au roi légitime.

- 52 -

Seul face aux trois Âmes, Scorpion ne céda pas et brandit sa massue.

— Écartez-vous, cette ville m'appartient !

Ouvrant le sac accroché à sa ceinture, il libéra son meilleur bataillon, ses scorpions noir et jaune ; ils se ruèrent aussitôt à l'attaque, dard dressé, ne redoutant pas les géants.

Des yeux des rapaces jaillirent des flammes qui transpercèrent la carapace des arachnides et les clouèrent sur place.

— À moi, Seth, décuple ma force ! implora le jeune guerrier.

Un nuage noir recouvrit Nékhen, le tonnerre gronda, le sable du désert se souleva ; deux des faucons s'envolèrent, et le battement de leurs ailes dissipa la nuée. Le troisième pointa son bec immense vers Scorpion, refusant de reculer.

Une tornade emporta Scorpion, tel un fétu de paille ; pris dans une spirale, il fut projeté loin de Nékhen. Lorsqu'il se releva, brisé, Scorpion vit l'animal de Seth.

— Pourquoi ne m'as-tu pas donné la victoire ?

— Chasser les Âmes implique d'éliminer leur protégé Narmer, détenteur de l'œil du faucon. Seul, tu n'y parviendras pas ; trouve le bon allié, et transforme tes

313

soldats en fidèles de Seth. Qu'ils se vendent à moi, eux aussi, et cette armée-là pourra détruire le Mur Blanc. Narmer et son œuvre anéantis, les Âmes quitteront Nékhen.

*

À Noubet, le désordre régnait, et les récits des rescapés évoquaient mille et une créatures de l'au-delà, notamment des géants à tête de faucon émettant des jets de feu et interdisant l'approche de la cité sacrée ; nombre de fantassins avaient été piétinés par les fuyards, d'autres étaient morts brûlés.

Et personne ne connaissait le sort réservé à Scorpion.

Affolée, ne cessant d'aller et de venir, Fleur avait envoyé plusieurs éclaireurs à sa recherche, en leur promettant beaucoup d'or s'ils le ramenaient vivant. Les heures passant, elle commençait à perdre espoir, et certains soudards regardaient d'une drôle de façon cette femme superbe couverte de bijoux. En l'absence d'un chef, ne conviendrait-il pas de s'emparer des richesses de Noubet et d'abandonner la ville du vaincu ?

De petits groupes se formèrent, on discuta, on se querella ; puis émergea un meneur, un balafré qui avait été le premier à détaler en apercevant les Âmes.

— On tue la femme, on prend l'or et on rentre chez nous.

— On risque gros, estima un autre rescapé.

— Pas le moindre danger, au contraire ! Ici, il n'existe plus d'autorité, et nous serions stupides de ne pas en profiter. Nous partis, cette cité reviendra au désert.

L'appât du gain emporta l'adhésion de la bande ; détail à régler : l'assassinat de la compagne de Scorpion.

— Je m'en charge, décida le balafré. En prime, je m'amuserai un peu.

314

Quand il marcha en direction du palais, suivi de ses complices, Fleur perçut leurs intentions et s'enfuit.

Le balafré la rattrapa et la plaqua au sol.

— Pas si vite, ma belle!

Elle se débattit, il lui arracha son collier; elle s'élança, il lui agrippa les jambes, la renversa et s'étendit sur son dos.

— Il en avait de la chance, ton seigneur! Maintenant, à moi de me régaler.

Un jet de sang inonda la chevelure de Fleur qui hurla de frayeur. En se redressant, elle vit le crâne éclaté du violeur.

Debout, couvert de poussière, une pierre à la main, Scorpion semblait à bout de forces.

Fleur se jeta à son cou.

— Tu es vivant, vivant!

Il l'écarta et défia la bande qui s'immobilisa en découvrant le cadavre du balafré.

— Souhaitez-vous le même châtiment, tas de lâches?

Seul contre vingt, le combat était perdu d'avance; mais le regard de Scorpion les dissuada de l'affronter, et les apprentis violeurs se dispersèrent.

— Je reprends le contrôle de ma capitale, annonça Scorpion.

*

L'adolescent recula.

— Non, non, pas moi!

La marque aux bestiaux, chauffée au rouge, l'hypnotisait; Scorpion l'avait façonnée à l'image de l'animal de Seth.

— Indispensable, assena son chef; chacun de mes soldats doit recevoir le signe du dieu de l'Orage et devenir ainsi son disciple.

— Non, je…

— La marque ou la mort.

Deux assistants agrippèrent l'adolescent et l'empêchèrent de bouger ; lorsque la chair de son épaule grésilla, il poussa des cris déchirants.

— Parfait, jugea Scorpion. Te voilà fidèle de Seth, voué à la violence et à la guerre.

L'épuration avait été sévère. S'appuyant sur un petit noyau de partisans à la cruauté sans faille, Scorpion s'était débarrassé des éléments douteux, brûlés vifs. En réduisant ses effectifs, il avait augmenté leur qualité.

Personne n'était autorisé à parler de la débâcle de Nékhen ; Fleur elle-même n'osait pas demander d'explications à son amant dont l'humeur s'assombrissait. Et nul ne connaissait les projets précis de Scorpion.

— Seigneur, le prévint un garde, une petite troupe arrive de l'est !

— Je l'attendais ; qu'on lui accorde le passage et qu'on l'amène au palais.

*

Pour la première fois, ils se trouvaient face à face.

Scorpion, l'invincible guerrier, disciple de Seth ; Crocodile, le chef du dernier clan opposé à Narmer.

— Nous nous sommes durement combattus, rappela le maître des reptiles, aux yeux mi-clos et à la peau calleuse, et j'admire ton courage.

— Moi, ta ruse, ton sens de la stratégie et… ta longévité. Je ne saurais en dire autant de tes alliés, tous disparus.

— Ils manquaient de largeur de vue et ne songeaient qu'à leur intérêt propre ; j'espère que ce n'est pas ton cas. Ta cité paraît prospère, ta milice bien préparée… L'échec de Nékhen n'était qu'un épisode malheureux.

Scorpion s'emporta.

— Qu'en sais-tu ?

— J'ai vu les Âmes, la débandade, la tornade qui t'a sauvé. Sans l'intervention de Seth, les serres et le bec des trois faucons t'auraient lacéré. N'en doute pas, Narmer agit à travers eux. C'est lui qu'il faut abattre.

La colère de Scorpion retomba ; Crocodile ne se trompait pas.

— S'attaquer aux Âmes de Bouto, poursuivit la voix rauque, c'est se tromper de cibles ; elles protègent le roi, car il suit le chemin de l'Ancêtre. En éliminant Narmer, nous renverrons dans l'invisible tous ses soutiens.

— *Nous...*

— Puisse ta vaillance ne pas s'altérer à cause de la vanité, recommanda le chef de clan ; je connais les capacités de ton frère, c'est un adversaire redoutable. À moi seul, je lui porterai des coups douloureux ; toi, de même. Hélas ! il tiendra bon ; ensemble, nous lui serons supérieurs.

— Nous, des alliés !

— Les temps ont changé, Scorpion ; c'est la seule solution.

— En cas de succès, tu ne songeras qu'à me supprimer !

Crocodile se gratta une dent, longue et pointue.

— Je n'en disconviens pas, ce serait l'idéal ; mais je te le répète, les temps ont changé.

— À l'issue de notre triomphe, qu'exigeras-tu ?

— Le pays entier.

Scorpion sursauta.

— Tu te moques de moi !

— Régner ne t'intéresse pas ; quand tu contempleras la dépouille de Narmer, un seul désir t'animera : entamer la prochaine guerre. Tu conduiras ton armée de Séthiens vers la Libye, ravageras les territoires de ces barbares, harcèleras les tribus de coureurs des sables. Et jamais ta progression meurtrière ne s'interrompra.

Rencontrer un interlocuteur lucide plaisait à Scorpion.

— Admettons que tu penses juste... Quelles garanties m'offres-tu ?

— Aucune, bien entendu ; ma stratégie consiste à t'utiliser pour m'emparer des Deux Terres en t'accordant la possibilité de te venger. Si tu te montres inefficace ou si tu commets une erreur grave, je me retournerai contre toi. Nos chemins se croiseront pendant une brève période, et nous en tirerons chacun un maximum de profits. Ensuite, à moi ce pays, à toi la guerre éternelle.

— Ton plan mérite réflexion.

— Ne tarde pas trop à te décider ; grâce à l'œil de faucon, Narmer sera informé de ta déconvenue et, te sachant affaibli et isolé, il pourrait lancer une offensive. Si nous proclamons notre alliance, il reculera et se mettra en position de faiblesse.

— Comment te contacter ?

— L'un de mes lieutenants se tiendra au bord du fleuve, à la hauteur de Nékhen, et attendra ta réponse.

Lorsque Crocodile se déploya, Scorpion fut fasciné par sa puissance.

- 53 -

L'amulette ornant la poitrine de Narmer avait scintillé. Regardant l'œil du faucon, Neit vit s'ouvrir la grande porte de Nékhen et apparaître les trois Âmes. Face aux géants, Scorpion !

Un Scorpion qui ne reculait pas et brandissait sa massue. À l'instant où l'énorme bec s'apprêtait à percer le front du mortel, une tornade avait emporté le guerrier, et la tempête de sable recouvert la cité sainte.

— Les Âmes de Bouto sont intervenues, déclara la reine, et Scorpion n'a pas détruit Nékhen.

— L'ont-elles tué ? s'inquiéta le roi.

L'amulette reprit son apparence habituelle.

— Je l'ignore… Les Âmes sont tes alliées, Narmer ; en repoussant Scorpion, elles lui signifient sa défaite.

Narmer se remémora le siège de la cité, marqué par tant d'exploits de Scorpion ; aujourd'hui, il était l'agresseur, et les génies de l'autre monde contrecarraient sa violence.

— Puisse-t-il s'arrêter à temps, souhaita le souverain.

— Il lui reste la pire des solutions, rappela Neit : s'allier à Crocodile.

— L'œil nous l'apprendra-t-il ?

— Je n'en suis pas certaine ; le chef des reptiles n'est-il pas le maître de la dissimulation ?

*

Le Mur Blanc était en état d'alerte permanent, et des dizaines d'oies gardiennes se répartissaient la surveillance de la capitale. Les navires de guerre ne cessaient de circuler sur le fleuve ; une dizaine de bâtiments, récemment construits, sillonnaient les canaux. Redoutant une attaque de reptiles, les marins se montraient d'une extrême vigilance.

De façon subtile, afin de ne pas mécontenter Crocodile et de garder sa confiance, Gros-Sourcils laissait des trous dans le dispositif, en évitant d'attirer les soupçons ; autoritaire, expérimenté, le porte-sandales du roi apparaissait comme le parfait garant de la sécurité des habitants de la capitale.

Informé des déboires de Scorpion, le général était dubitatif ; en dépit de son échec à Nékhen, le redoutable guerrier réussirait-il à supprimer Narmer ? Impossible, sans un appui décisif : celui de Crocodile. Entre les deux ennemis, tout pacte semblait exclu ; pourtant, Scorpion avait-il le choix ? Gros-Sourcils espérait que son désir de revanche l'emporterait, lui dictant l'unique conduite à suivre.

Le porte-sandales se rendit au palais pour rendre compte au roi de l'application des mesures adoptées et assister à la remise d'un vase particulier, ultime œuvre commune du Maître du silex et du regretté Gilgamesh ; réservé au souverain, l'objet en diorite avait la forme d'un faucon.

L'artisan présenta aussi les pièces de vaisselle qu'avaient façonnées ses disciples : coupes, bols, assiettes, plats, tables basses témoignaient d'un remarquable raffinement.

En admirant ces merveilles, Narmer se sentit loin des conflits passés et crut à la naissance d'un véritable royaume ; mais il n'avait pas le droit de se bercer d'illusions. Scorpion, Crocodile... Ils ne resteraient pas inactifs.

*

Le Grand Blanc ne parlait qu'à Narmer et, lorsqu'il le jugeait nécessaire, lui dictait ses exigences ; et c'était au Vieux de les concrétiser.

À peine levé, il recevait les responsables des troupeaux de vaches qui lui indiquaient les quantités de lait recueillies la veille ; la bouse servait de combustible, et les dépouilles fournissaient du cuir. Les scribes du Vieux tenaient une stricte comptabilité, ne négligeant pas les basses-cours. Et leur patron vérifiait les mangeoires destinées aux ânes dont la force de travail et la discipline étaient dignes d'admiration.

Sujet de préoccupation majeur : les greniers. Redoutant un long conflit, le Vieux les inspectait chaque semaine. Livrées aux boulangers et aux brasseurs, les céréales ne devaient pas manquer. Et mieux valait surveiller le séchage des poissons, l'entreposage des jarres à huile et des pots de graisse, le stockage des vêtements, en n'omettant pas les autres tâches ! Être le serviteur de Scorpion présentait de sérieux inconvénients, frôler la mort en permanence provoquait une certaine fatigue ; mais devenir Porteur du sceau royal était exténuant ! Le Vieux se demandait où, à son âge, il puisait tant d'énergie ; la plupart des jeunes lui semblaient mous et geignards. En goûtant un petit rouge pétillant, il remercia la terre de lui offrir un tel élixir de jouvence ; se sentant d'attaque, il se décida à parler au roi lors du conseil restreint.

— Majesté, j'aimerais vous dire ce que j'ai sur le cœur !

— Sois sincère.

— J'ai été le serviteur et l'ami de Scorpion; ses erreurs impardonnables n'effacent pas les grands moments passés en sa compagnie.

Narmer ne protesta pas.

— Comptez-vous attaquer sa capitale, Noubet, et lui briser les reins?

— Les Âmes de Bouto lui ont donné une bonne leçon, et j'espère que Scorpion s'assagira.

— En ce cas, puis-je vous suggérer une solution qui éviterait la guerre? Le Mur Blanc est une superbe capitale, elle n'a pas fini de croître et d'embellir; peu à peu, vous transformez le Nord en un pays prospère, et la population goûte cette paix acquise au prix de terribles souffrances. Pourquoi ne pas accorder le Sud à Scorpion? Il y régnera à sa manière et renoncera à vous agresser.

— L'Ancêtre me l'interdit en m'imposant de réunir le Nord et le Sud; si cette étape n'est pas franchie, tout ce que nous avons construit s'écroulera.

— Alors, il faut convaincre Scorpion de reconnaître votre souveraineté et de se cantonner à son domaine!

Disciple de Seth, Scorpion n'avait-il pas franchi un point de non-retour?

— Je retiens ta suggestion, Porteur du sceau.

*

Dominant la cité, la terrasse du palais royal offrait une vue superbe sur le Mur Blanc. Enlacés, Neit et Narmer contemplaient leur capitale, érigée au bord du Nil, selon les plans qu'avait dictés le Grand Blanc.

— Scorpion te hante, murmura la reine, et tu refuses d'envisager un possible bonheur.

— Comment en serait-il autrement? Tu connais sa puissance et son obstination.

322

— Les Âmes ne l'ont-elles pas désavoué?

— Cet échec ne le rendra-t-il pas plus fort? Quand je contemple la couronne blanche du Sud, je me sens indigne de la porter. Scorpion a reconquis cette partie du pays et l'Ancêtre m'ordonne de mettre fin à ce coup de force. Déclarer la guerre à mon frère, le tuer... Est-ce l'unique chemin?

— Gazelle empruntait celui de la diplomatie, elle y a laissé la vie.

— Lion était un hypocrite, allié à Crocodile, dissimulateur-né!

— Et Scorpion a vendu son âme à Seth, en lui jurant de ne jamais renoncer à la violence.

Narmer ne pouvait contredire son épouse : inutile d'entretenir l'illusion d'une négociation. Les armes, et les armes seules débloqueraient cette situation.

— Je remplacerai Gazelle, annonça la reine

Le roi la prit par les épaules en la regardant droit dans les yeux.

— C'est insensé!

— Toi, il ne t'écouterait même pas; ma démarche le surprendra.

— Tu risques la mort, Neit!

— Notre but n'est-il pas la réunion des Deux Terres?

— Je refuse de te perdre!

— Le mari doit céder le pas au roi. Et si je réussissais? Pas de guerre, pas de destructions, pas de morts... Jusqu'à présent, la déesse m'a toujours secourue. Pourquoi m'abandonnerait-elle, à un moment décisif?

- 54 -

La totalité des soldats était marquée au signe de Seth; proclamant la puissance de son animal dans leur chair, ils ne reculeraient devant aucun adversaire et deviendraient d'impitoyables conquérants. Scorpion avait dû éliminer quelques pleurnichards et se félicitait de commander une armée qu'il emmènerait à l'extrémité du désert, après avoir ravagé les Deux Terres, n'abandonnant à Crocodile qu'un territoire désolé.

Narmer et ses fidèles exterminés, Scorpion anéantirait les Libyens et les coureurs des sables; puis il débusquerait de nouveaux ennemis, enivré de cette violence qui était le cœur de la vie.

Scorpion contrôlait de nombreux villages et la plus grande partie du Sud. Son nom figurait sur les étiquettes permettant d'identifier à la fois ses domaines et les produits qui en provenaient; ayant appris à lire et à écrire, ses intendants correspondaient entre eux et assuraient une bonne gestion.

Ultime îlot de résistance : Nékhen, gardée par les Âmes à tête de chacal en provenance du nord, attachées à la pseudo-légitimité de Narmer. Les habitants demeuraient terrés à l'intérieur de leurs murs et crèveraient de faim. Alors, les Âmes s'envoleraient et Scorpion raserait la cité.

Ce soir, festivités! Vin et bière couleraient à flots, les Séthiens s'enivreraient et s'amuseraient avec une cohorte de jeunes paysannes. Fleur s'occupait des derniers préparatifs du banquet au cours duquel l'on consommerait force gibier.

Scorpion dormait mal. À peine s'assoupissait-il que le visage de Crocodile troublait son sommeil, exigeant une réponse à sa proposition. S'allier à ce chef de clan qu'il avait tant combattu... Difficile de s'y résoudre. Pourtant, la raison lui dictait ce choix, condition d'une victoire rapide. Un choix humiliant! Scorpion avait-il vraiment besoin d'aide pour terrasser Narmer? En repoussant l'offre de Crocodile, déclencherait-il son hostilité, ou bien, dépité, le maître des reptiles se contenterait-il de ses rapines habituelles?

Tourmenté, Scorpion ne parvenait pas à se forger une opinion définitive. Comme il aurait aimé discuter avec son frère et le Vieux, quitte à prendre le contre-pied de leurs arguments! Et ce n'était pas Fleur, la reine de Noubet, qui pouvait l'aider; changeant quotidiennement de bijoux, ravie de gouverner un troupeau de servantes, elle rêvait de voir Narmer mort. Et peu importaient les moyens!

— Tout est prêt! lui annonça-t-elle. Ta capitale célébrera ta gloire. À mon avis, il ne manque qu'un invité. Vu les masses de viande accumulées, Crocodile se serait régalé; ne serait-il pas judicieux de le convier à la fête?

Le regard de Scorpion fut si furieux que la jeune femme recula.

— Déciderais-tu à ma place?

Quand son amant s'empara de sa longue massue, Fleur craignit qu'il ne la frappât.

— Laisse-moi seul, ordonna-t-il.

*

Les ripailles battaient leur plein ; pas un endroit de la cité où l'on ne profitât des largesses de Scorpion. Les uns buvaient et mangeaient à s'en faire éclater la panse, les autres forniquaient ; détendu, Scorpion présidait le banquet au côté de sa reine, parée de colliers et de bracelets d'or.

— Seigneur, intervint l'un de ses lieutenants, des paysannes désirent vous rendre hommage ; acceptez-vous d'assister à leur danse ?

Scorpion acquiesça. Cet imprévu irrita Fleur, redoutant que ces femelles ne rivalisent d'attitudes aguicheuses.

Et ses craintes se confirmèrent.

Une dizaine de superbes jeunes filles, à la poitrine ferme, se disposèrent en cercle ; des fleurs de lotus dans les cheveux, elles entamèrent une ronde gracieuse et séduisante, avant de virevolter.

Fleur aurait volontiers congédié ces gamines, mais Scorpion appréciait le spectacle, et sa maîtresse n'osait pas l'importuner.

Les figures de cet interminable ballet devinrent plus complexes et, au petit jeu des acrobaties, une brune aux longs cheveux se montra d'une virtuosité remarquable ; depuis un long moment, Scorpion la fixait.

Enfin, la danse s'interrompit ! Les principaux officiers ayant jeté leur dévolu sur les donzelles, Fleur respirait mieux.

— Viens auprès de moi, ordonna Scorpion à la brune qui s'apprêtait à disparaître en compagnie d'un gradé.

Tremblante, elle s'exécuta.

— Assieds-toi à mes pieds.

Scorpion lui caressa les cheveux.

— Je ne veux ni connaître ton nom ni entendre le son de ta voix ; je t'appellerai Danseuse, et tu satisferas mes désirs... tous mes désirs.

Le sang de Fleur se glaça ; si cette traînée n'était pas qu'une sucrerie, elle devrait s'en débarrasser.

*

Exclue, Fleur n'avait plus assez de larmes pour pleurer ; depuis trois jours, Scorpion et Danseuse ne sortaient plus de la chambre du maître de Noubet. Il se faisait porter des repas, des jarres de vin fort, et personne ne pouvait l'approcher. Une sucrerie... Non, une passion destructrice ! Ulcérée, Fleur éprouvait une douleur profonde. Pas une simple jalousie, plutôt un désespoir aux griffes acérées déchirant son cœur. Cette fois, Scorpion allait trop loin ; et la vénération qu'elle éprouvait envers le seul homme de sa vie se transformait en un sentiment qui l'effrayait : la haine.

Au soir du quatrième jour, il sortit enfin de son nid d'amour. En le revoyant, Fleur oublia tous ses ressentiments. Aucun être ne possédait autant de puissance et de charme.

Elle se suspendit à son bras.

— Me reviens-tu ?

Scorpion la repoussa.

— Cette petite est un délice ; prépare une fête grandiose, nous aurons bientôt un invité d'honneur.

*

Scorpion ne se lassait pas de sa nouvelle maîtresse, Fleur sentait s'élargir un fossé qu'elle ne parviendrait peut-être pas à combler ; néanmoins, elle, la reine de la cité de l'or, quoique bafouée, tentait de préserver sa dignité. Le banquet fut à la hauteur de l'événement, la venue de Crocodile et de sa garde rapprochée.

Scorpion réservait une atroce humiliation à Fleur : à sa droite, Danseuse, parée de bijoux en or. Rayonnante, muette, elle éclipsait à merveille la vieille maîtresse du chef des Séthiens.

Crocodile et les siens firent honneur aux multiples viandes – antilope, porc sauvage, bœuf et mouton.

— Superbe cité, excellent repas, commenta le chef de clan. Puisque tu m'as invité, ta décision est prise.

— Il me manque encore un élément : la disposition exacte de tes troupes.

La question de Scorpion troubla son hôte.

— Je ne saurais la dévoiler ; question de survie.

— Une alliance n'implique-t-elle pas la confiance ?

— Certes, mais tu m'en demandes trop ; contente-toi d'apprendre que mes reptiles sont répartis sur tout le territoire.

— Sont-ils capables d'attaquer plusieurs cibles au même moment ?

— Ils le sont.

— Narmer est un grand stratège, rappela Scorpion, et nous devons le désorienter. La période de paix endort son armée, mais elle comprend des soldats expérimentés et des archers d'élite. Un choc frontal et massif entraînera de lourdes pertes, et nous ne sommes pas certains de l'emporter ; c'est pourquoi je veux frapper une seule fois, et de manière définitive.

— Ta stratégie ? demanda Crocodile, les yeux mi-clos.

— Tu lances une dizaine d'offensives au nord et au sud du Mur Blanc, contraignant Narmer à disperser ses forces ; moi, je pénètre dans la capitale et je tue le roi.

— Ne bénéficie-t-il pas de protections magiques ?

— Je les briserai. À la vue du cadavre de mon ex-frère, ses hommes poseront leurs armes.

— Disposes-tu d'un nombre suffisant de guerriers ?

— Ils sont tous marqués au sceau de Seth, précisa Scorpion, et répandront la terreur.

— Ton plan me paraît judicieux, déclara Crocodile. Quand passerons-nous à l'action ?

— Quand la lune rougira. Le feu de Seth décuplera la violence de ses adeptes, et nul obstacle ne leur résistera.

Le chef de clan se garda d'évoquer un pion essentiel de son jeu : le général Gros-Sourcils, qu'il chargerait d'affaiblir au maximum les défenses du Mur Blanc.

À l'issue du banquet, les deux alliés étaient satisfaits. Scorpion tenait sa vengeance, Crocodile deviendrait le seul maître des Deux Terres. Restait à savoir s'il était nécessaire d'éliminer Scorpion, de crainte qu'il ne se retournât contre lui ; cette initiative serait affaire de circonstances, il n'aurait pas droit à l'erreur.

Excité, n'accordant pas un regard à Fleur, Scorpion agrippa Danseuse et l'entraîna dans sa chambre.

Livide, la reine déchue sentit qu'elle ne parviendrait pas à reconquérir son unique amant. Lasse, elle souffrait d'une déchirure insupportable, celle de l'abandon. Scorpion avait toujours été un monstre, mais un monstre qu'elle aimait et qui la rendait heureuse. Il n'aurait pas dû la traiter ainsi, oubliant l'engagement de Fleur : jamais elle ne lui permettrait de la rejeter.

- 55 -

Au terme d'une discussion longue et tendue, Neit avait fini par l'emporter en utilisant un argument décisif : lors de l'entrevue avec Scorpion, elle se vêtirait du tissu sacré de la déesse. Ne lui avait-il pas permis d'échapper aux Libyens et à leur guide suprême, pourtant décidé à la supprimer ? Dûment protégée, elle ne serait pas victime d'une éventuelle colère de son interlocuteur ; et la reine espérait le ramener à de meilleurs sentiments.

— Entendu, concéda Narmer, à demi convaincu. Néanmoins, j'exige davantage de précautions. À ce propos, je ne transigerai pas.

— Accordé, accepta-t-elle en souriant.

Le roi convoqua Gros-Sourcils.

— Général, avant de faire parler les armes, nous tentons une démarche diplomatique ; la reine souhaite s'adresser à Scorpion et le convaincre de renoncer à un conflit dévastateur. Afin de garantir sa sécurité, tu commanderas un régiment d'élite et veilleras en permanence sur Sa Majesté. Au moindre danger, interviens, et revenez au Mur Blanc.

Consterné, Gros-Sourcils s'inclina.

— S'il le faut, je donnerai ma vie ; la reine ne courra aucun risque.

— Départ demain, à l'aube.

En se rendant à la caserne, Gros-Sourcils se demanda comment sortir de ce traquenard inattendu ; et la solution lui apparut. Préliminaire indispensable : choisir son camp. En l'occurrence, pas d'hésitation : il se rangeait du côté de Scorpion qui s'était probablement allié à Crocodile, lequel serait satisfait de l'attitude du général. Aux futurs vainqueurs, ce dernier offrirait un cadeau inestimable : l'épouse de Narmer ! Jamais ils n'auraient espéré un otage d'une telle valeur. Et le roi serait contraint, pour sauver Neit, de remettre le Double Pays à Scorpion et à Crocodile. Quant à Gros-Sourcils, auteur d'un exploit déterminant, il comptait bien réclamer une kyrielle de récompenses ; n'aurait-il pas gagné cette guerre à lui seul ?

Guilleret, il tria les meilleurs fantassins et les archers de première force ; au moment voulu, les soldats de Scorpion les frapperaient dans le dos. En adoptant la voie absurde de la diplomatie, Narmer oubliait l'échec de Gazelle et accordait à Gros-Sourcils une fabuleuse occasion.

*

— Finalement, je préfère renoncer à cette folie.

— Narmer, s'exclama la reine, cesse de tergiverser !

— Gazelle...

— Gazelle était sans défense ; ce n'est pas mon cas, et Scorpion ne ressemble pas à Lion.

— Sauf s'il s'est allié à Crocodile, tapi dans l'ombre !

— Refuserais-tu de lui donner une dernière chance ?

Narmer voulait encore croire à la rédemption de son frère ; Neit ne serait-elle pas la plus convaincante des ambassadrices ?

— Dormons, recommanda la reine. Demain, je voyage.

Des coups redoublés à la porte de bois la firent sursauter.

— C'est moi, le Vieux! Venez vite, c'est grave, très grave!

S'habillant à la hâte, le couple royal rejoignit le Porteur du sceau.

— Cigogne agonise, murmura-t-il, les yeux embués de larmes.

*

La vieille dame n'était pas seule. Autour de sa natte, ses fidèles servantes, le Grand Blanc, l'âne Vent du Nord, le chacal Geb, et les deux lionnes de Narmer, attentives et recueillies comme si elles pouvaient retenir l'âme de la guérisseuse.

Neit s'agenouilla et lui prit le pouls.

La voix du cœur était d'une extrême faiblesse, à peine perceptible.

— Ne cherche pas à m'abuser, ma reine; la mort est toute proche. Les canaux sont obstrués, l'énergie ne circule plus et le cœur se tait.

Posant le même diagnostic, Neit ne se répandit pas en propos lénifiants; creusé de rides, le long visage de la cheffe aux cheveux blancs était digne et serein.

— Mets-moi un peu d'onguent sur les joues, veux-tu? J'ai envie qu'elles soient colorées.

Bouleversé, Narmer ne se résignait pas à la disparition de Cigogne.

— Il existe forcément un remède, nous allons te soigner, nous…

— Non, mon roi; mes années terrestres sont épuisées.

Narmer lui serra tendrement les mains.

— Tu dois vivre, Cigogne, et voir la naissance d'un nouveau pays!

— Rassure-toi, je la verrai et tu le gouverneras, sous la protection de Neit. Le temps des clans est révolu, leur génie survit en toi et te confère la puissance nécessaire pour affronter l'adversité et réunir enfin les Deux Terres. Continue à séparer l'essentiel du secondaire, que tes yeux deviennent ceux du faucon; à présent, mon âme va s'envoler vers le soleil. Parcours souvent ce chemin, Narmer, ne reste pas prisonnier du quotidien; je serai ton guide.

Les grands yeux de Cigogne se teintèrent d'un bleu limpide, et son dernier soupir fut celui d'une voyageuse, heureuse de regagner sa demeure. Le Grand Blanc s'inclina, les oreilles de Vent du Nord s'abaissèrent, les deux lionnes rentrèrent la tête dans les épaules et Geb émit un chant funèbre qu'entendrait le Premier des Occidentaux, en Abydos; aussi ouvrirait-il la porte de l'au-delà.

Au cœur de la nuit, tous les membres du clan, de la servante la plus âgée au dernier cigogneau, s'envolèrent en direction d'une étrange lueur perçant les ténèbres. Désormais, ils emmèneraient les justes vers la lumière régénératrice.

*

— Saloperie de mort! dit le Vieux à Gros-Sourcils. Pourquoi ne frappe-t-elle pas que les ordures? Il y en a pourtant assez!

Occupé à vérifier le paquetage des soldats, prêts à partir, le Porteur du sceau avait vidé une jarre de rouge en l'honneur de Cigogne.

— Le monde des clans est presque éteint, constata-t-il; presque seulement, car il reste le pire des chefs : Crocodile.

— Isolé et affaibli, précisa le général.

— Affaibli ? Sûrement pas ! Isolé ? Ça reste à vérifier !
Oublies-tu Scorpion ?

— Le frère du roi, allié au maître des reptiles ?

Atterré, le Vieux mit les mains sur ses hanches.

— À se demander si les militaires ont la comprenette
bloquée !

— Ne m'insulte pas, je suis le général de l'armée du
roi !

— Pour défendre correctement la reine, prépare-toi à
des coups tordus.

— Douterais-tu de mes compétences ?

— Le roi ne t'accorde-t-il pas sa confiance ? Bon, ça
me paraît en ordre.

— Dis donc… m'avouerais-tu ton âge ?

— J'ai vu ma quatre-vingt-dixième crue, et ce ne sera
pas la dernière ; étant donné les tâches à remplir, je n'ai
pas le temps de mourir.

*

L'aube se levait, Gros-Sourcils se réjouissait de son
excellente forme. Il dévora un plantureux petit
déjeuner, composé de poisson séché, de bouillie d'orge
et de raisin mûr à souhait. Le décès de Cigogne était une
aubaine ; le général se méfiait de cette vieille cheffe, aux
visions souvent pertinentes, qu'il avait affrontée à
l'époque où Taureau régnait sur le Nord.

Quel chemin parcouru depuis ! Trahir, assassiner… Et
maintenant, lui, haut dignitaire de Narmer, s'apprêtait à
le renverser au profit de son ex-frère, sans remords et
avec délectation. Connaissant le disciple de Seth et son
ami Crocodile, ils ne rendraient pas au roi une épouse
intacte.

La défaite de Narmer serait totale.

Pourquoi Gros-Sourcils le détestait-il? Parce que le souverain voulait modifier le monde à l'aide d'une valeur suprême : la rectitude.

Le régiment d'élite était prêt à partir; des ânes porteraient les armes et la nourriture; on n'attendait plus que la reine. Quand elle apparut, Gros-Sourcils se retint de sourire. Confiante en son escorte, espérant préserver la paix, Neit ignorait le sort qui lui était réservé. Le général imaginait sa détresse et se réjouissait de la voir réduite au rang d'otage.

— Le voyage est reporté, annonça la reine.

— Que se passe-t-il, Majesté?

— Le roi est souffrant.

- 56 -

Pas un habitant du Mur Blanc n'ignorait la gravité de la situation; le roi malade, c'était le pays entier qui risquait de dépérir. La disparition de Cigogne avait profondément ébranlé Narmer, au seuil de l'épuisement, et les remèdes dont disposait Neit ne suffisaient pas à guérir le monarque.

Aussi la reine s'était-elle adressée au Grand Blanc; à l'ombre du sycomore de la déesse d'Occident, le conseiller ne lui avait pas caché la vérité. Narmer était atteint d'une lassitude mortelle, provoquée par la pensée de Scorpion, relayant l'énergie destructrice de Seth. En croyant à la voie de la conciliation et de la diplomatie, le couple royal avait commis une erreur lourde de conséquences.

Seul moyen d'éviter le pire : célébrer un rite de régénération auquel seraient associées toutes les forces de création permettant à Narmer de remplir sa fonction. En vénérant Neit, la reine avait obtenu une réponse identique.

C'est pourquoi le Vieux, chargé de préparer une fête exceptionnelle, devait renoncer à la sieste et se contenter d'un rouge si léger que même un gamin aurait pu en boire; mais il devait garder sa tête et ne pas commettre d'impair, sans perdre un instant. Distribuant des ordres clairs et précis, utilisant un maximum de personnel, le Porteur du sceau aurait bientôt terminé sa tâche en un temps record; ensuite, à la magie de la reine d'opérer.

D'abord déçu, Gros-Sourcils n'était pas trop mécontent; la mort de Narmer mettrait fin à un règne inachevé et à une vision irréalisable. Les murailles de la capitale s'effondreraient, il ordonnerait à l'armée de déposer les armes après avoir supprimé Neit. Scorpion et Crocodile n'auraient qu'à ramasser les débris du royaume et à se partager le pouvoir; au général de choisir le meilleur camp

*

— Des certitudes? questionna Crocodile, sceptique.

— Hier encore, répondit son espion, il ne s'agissait que de simples rumeurs colportées par des pêcheurs; vu leur énormité, j'ai recoupé les témoignages, tous concordent. Suivant vos instructions, en cas d'urgence, j'ai contacté le général Gros-Sourcils à l'endroit habituel, au crépuscule.

— As-tu respecté les mesures de sécurité?

— J'étais quasiment invisible, et deux reptiles observaient les environs; personne ne nous a repérés.

— Gros-Sourcils a donc confirmé les rumeurs!

— En effet, seigneur; Cigogne est morte, et les membres de son clan ont quitté le Mur Blanc.

Crocodile éprouva une immense satisfaction. Il demeurait le dernier chef de clan, indestructible, promis à un avenir riant. Lui seul avait résisté à la guerre et aux épreuves, lui seul était digne de gouverner ce pays. Retiré à Abydos, Chacal ne comptait pas.

— Et Narmer serait gravement malade?

— Le général est formel : le roi se meurt.

Crocodile se gratta longuement l'avant-bras, puis il prit sa décision; débarrassé des cigognes capables de repérer ses troupes, il allait lancer plusieurs raids sans prévenir Scorpion. Désemparés, les sujets de Narmer céderaient à la panique; et Gros-Sourcils avait laissé suffisamment de trous dans le système de défense pour permettre aux reptiles de surprendre l'armée du roi et de l'anéantir.

La victoire était à sa portée.

*

Sur une estrade avait été dressé un kiosque au toit coudé, supporté par des poteaux fins et légers; à l'intérieur, deux trônes adossés, l'un orienté vers le nord, l'autre vers le sud. Un escalier menait à cette plateforme, située au centre d'un espace dégagé, proche de la principale porte d'accès de la capitale.

Le souffle de la population était suspendu à l'accomplissement du rituel qu'imposait le Grand Blanc, traduisant la volonté des dieux : Narmer devrait vivre un double couronnement avant de faire une course autour du Mur Blanc. Comment un homme épuisé pourrait-il accomplir de tels efforts?

Onguents et potions avaient donné au roi la force de se lever. Vêtu d'une longue robe de lin d'une blancheur immaculée, il marcha, hésitant, jusqu'au bas de l'escalier, accompagné de la reine.

Le Vieux, Porteur du sceau, et Gros-Sourcils, porte-sandales, furent autorisés à soutenir le monarque. Chaque marche fut une sorte de supplice, mais Narmer atteignit le sommet, et les deux dignitaires l'aidèrent à prendre place sur le trône du Nord.

La reine gravit à son tour l'escalier, présentant la couronne rouge dont la spirale symbolisait l'évolution harmonieuse de toutes les formes de vie ; elle prononça un hymne en l'honneur de la déesse Neit, protectrice de cet emblème magnifiant la puissance royale, et en couronna Narmer.

Il se releva et occupa le trône du Sud. Sa vue se brouillait, ses jambes ne lui obéissaient plus ; d'ici peu, il s'évanouirait. Constatant l'extrême faiblesse du monarque, Gros-Sourcils jubilait intérieurement.

Neit éleva la couronne blanche qui se transforma en foyer de lumière. Narmer se sentit transporté au Sud, qu'occupaient Scorpion et les adeptes de Seth ; ce Sud qu'il fallait reconquérir afin de franchir la sixième étape du chemin de l'Ancêtre.

Le roi maintint sa tête droite, Neit le couronna.

Exténué, Narmer se savait incapable de courir le long du Mur Blanc et de satisfaire les dieux. Il s'éteindrait en contemplant sa capitale d'un jour, et confierait son âme à Cigogne.

Venue de Nékhen, la cité sacrée du Sud que Scorpion n'avait pas réussi à raser, la mère Vautour recouvrit le kiosque de ses grandes ailes. Son ombre protectrice procura au roi un soulagement inespéré, sa respiration s'amplifia ; il vit les chefs de clan défunts gravir l'escalier pour lui rendre hommage et lui redonner l'énergie perdue.

La force tranquille d'Éléphante, la pugnacité d'Oryx, la fierté de Lion, la stabilité de Taureau, l'agilité de Gazelle, la capacité d'élévation de Cigogne… L'absence de Chacal ne prouvait-elle pas que le destin terrestre de Narmer devait se poursuivre ?

La douloureuse lassitude se dissipa. À la stupéfaction de Gros-Sourcils, le visage du roi se colora et se raffermit. Sans aide, il se releva et perçut le soulagement de Neit.

La reine lui remit le sceptre du bon berger, permettant de rassembler les vivants, et celui de la triple naissance, en esprit, au ciel et en ce monde.

Au bas de l'escalier apparurent les Âmes de Bouto, à tête de faucon, et celles de Nékhen, à tête de chacal ; les premières portaient le vase en forme de faucon, œuvre du Maître du silex et de Gilgamesh, les secondes le coquillage sacré, trésor du clan d'où était issu Narmer. Le passé, socle de l'avenir...

La vision se dissipa, ne subsistèrent que les hautes murailles.

Sous le regard de son peuple, Narmer s'élança.

*

Un souffle inépuisable, des jambes infatigables, un buste droit... le roi du Nord et du Sud fit le tour du Mur Blanc, accomplissant la volonté des dieux. Alors qu'il revenait à son point de départ, un bruit de galop l'intrigua.

L'énorme taureau brun-rouge, invaincu, accompagnait les derniers pas du périple royal. Son front s'ornait d'un triangle blanc, son flanc droit d'une demi-lune.

Narmer et le colosse s'immobilisèrent au même moment, et leurs regards se croisèrent.

— Ce rituel de régénération[1] préservera les puissances des futurs rois qu'incarne la queue du taureau ; toi, je te nomme Apis, « Celui qui court vite ». Tes descendants seront reconnaissables à des signes identiques et honorés à leur juste valeur.

En un instant, la ville entière ne fut qu'une clameur célébrant le succès de Narmer.

Et cette clameur parvint aux commandos de Crocodile, attendant le signal de l'attaque ; étonné, le supérieur des espions se mit en quête de renseignements et ne tarda pas à les obtenir.

---

1. La fête *Sed*.

Aussitôt, il se rendit auprès de son chef.

— Narmer est en pleine santé, seigneur! Il vient de célébrer un double couronnement, affirmant sa souveraineté sur le Nord et le Sud; ensuite, il a effectué le tour complet du Mur Blanc, et l'invincible taureau brun-rouge a salué cet exploit. À mon avis, les capacités défensives de l'ennemi sont intactes.

— Le général Gros-Sourcils a menti et s'est moqué de moi, conclut Crocodile. J'annule l'opération. Retraite immédiate.

- 57 -

La petite voyante du clan Coquillage était revenue du monde des morts. Les yeux vides, elle tenait une lourde épée dans la main droite et un cobra furieux dans la gauche. Marchant d'un pas égal, elle avançait vers Scorpion, désarmé. Fuir eût été indigne, mais comment se défendre?

— Recule, retourne au néant!

— Tu m'as assassinée, tu seras châtié.

Elle lança le cobra et leva l'épée.

Trempé de sueur, Scorpion se réveilla en sursaut; ce cauchemar l'avait épuisé.

Danseuse lui toucha l'épaule.

— Un malaise, seigneur?

Il la repoussa.

— Je ne veux pas t'entendre. Apporte-moi du lait frais.

Scorpion tenta de se mettre debout et ressentit une violente douleur au ventre; ses jambes se dérobèrent. Irrité, il se redressa, accentuant le mal. À plat dos, il souffrait un peu moins; son bras gauche semblait paralysé, une migraine atroce enserrait sa tête.

Affolée, la brune sortit de la chambre et se heurta à Fleur.

— Tu parais bouleversée, petite... Un ennui?

— Scorpion est malade !

— Tu plaisantes ? Il est plus solide qu'un roc !

— Je t'assure, il ne parvient pas à se lever.

— Prétentieuse ! Crois-tu que tes caresses ont exténué un amant comme Scorpion ?

— Je ne dis pas ça, je…

Fleur la gifla à toute volée.

— Disparais, ou je te défigure !

— Du lait, marmonna-t-elle en sanglotant, il veut du lait frais…

— Je m'en occupe.

*

La petite voyante… Scorpion la revoyait, serrant sa poupée contre son cœur, protection dérisoire. La flèche avait transpercé le jouet et l'enfant, la tuant net.

Un crime ? Non, une précaution indispensable. Scorpion ne pouvait laisser des témoins derrière lui, fût-ce une fillette. En détruisant le clan Coquillage, il provoquait, à brève échéance, la guerre des clans qu'il appelait de ses vœux, afin d'exprimer la violence qui l'animait et d'occuper sa juste place. Ironie du sort, Narmer, le dernier survivant du clan Coquillage, était devenu son camarade de combat, son ami et frère par le sang ; Narmer, que la petite voyante avait sauvé des flèches de Scorpion ; Narmer, à qui il avait été contraint de mentir ! Pourquoi ne le comprenait-il pas, pourquoi s'acharnait-il à instaurer une paix impossible ?

Le bras gauche de Scorpion demeurait inerte, la douleur au ventre ne disparaissait pas, son front était brûlant. Et si le roi avait raison, si le temps venait de bâtir un pays différent de celui des clans ? Non, un simple rêve…

Fleur entra.

— Voici du lait frais.

Grimaçant, Scorpion se redressa.

— Je t'ai interdit d'entrer ici !

— Serais-tu vraiment souffrant ?

— Déguerpis, et que Danseuse m'apporte à boire.

À le voir, Fleur comprit qu'il était gravement malade.

— Laisse-moi te soigner, je t'en prie !

— Je t'ai donné un ordre, Fleur ; quand on me désobéit, on est châtié.

— Je suis ton épouse, Scorpion, je...

— Jamais une femme ne prendra possession de moi ! Sors immédiatement.

Il réussit à s'asseoir, sa main droite agrippa un poignard. Fleur jeta le bol et claqua la porte.

Lorsque Danseuse réapparut, Scorpion était debout.

— Je vais beaucoup mieux, déclara-t-il en lui caressant les seins, et j'ai faim. Ce matin, grandes manœuvres !

Malgré son état, Scorpion donna le change, et l'entraînement des Séthiens fut encore plus dur que d'habitude ; ne se préparaient-ils pas à envahir le Mur Blanc et à renverser le tyran ?

En s'allongeant, seul, à la limite de ses forces, Scorpion se sentit confronté à un ennemi inconnu. De nombreuses blessures lui avaient infligé des souffrances qu'il dominait, mais il ne s'imaginait pas malade, surtout à un moment crucial.

Et si Narmer subissait la même épreuve ? La fièvre monta, Scorpion crut entendre le rire de l'animal de Seth.

Alors, il comprit.

Le démon du désert utilisait sa créature contre le roi résolu à unifier le Nord et le Sud, et orientait vers Narmer la vitalité destructrice de Scorpion, ruinant ainsi leurs santés respectives.

Narmer était-il déjà mort ou la magie de Neit le sauverait-elle de cette attaque sournoise ? Le souverain décédé, son armée s'effondrerait et Scorpion n'aurait qu'à s'emparer d'une ville incapable de se défendre. Il aurait payé le prix fort, mais cette perspective lui redonna de la vigueur. Ses maux s'atténueraient, il marcherait bientôt à la tête des Séthiens et raserait le Mur Blanc.

*

Dès qu'il avait constaté le rétablissement de Narmer, Gros-Sourcils s'était empressé de combler les manques du dispositif de sécurité, assurant à la capitale une parfaite tranquillité. Bien lui en avait pris, car la première démarche du roi avait précisément consisté à vérifier que sa ville résisterait à d'éventuels raids de reptiles.

Privé de la surveillance des cigognes, le roi prévoyait le pire.

— Excellent travail, général ; les commandos de Crocodile n'ont aucune chance de pénétrer dans notre cité.

— Permettez-moi, Majesté, de vous dire combien je suis heureux de vous voir guéri ! J'ai eu le bonheur de servir Taureau, un grand chef de clan que je n'oublierai jamais ; le destin me réservait un incroyable bonheur, celui de devenir votre porte-sandales et de commander votre armée.

— Tu as participé à tous mes combats, Gros-Sourcils, et nous avons traversé nombre d'épreuves ; la dernière ne sera pas la moindre.

— La reine saura convaincre Scorpion de renoncer à une guerre meurtrière, j'en suis persuadé ; si la situation tourne mal, je garantis sa sauvegarde.

— J'ai modifié mes plans, général, et je renonce à une action diplomatique qui mettrait la reine en péril.

Consterné, Gros-Sourcils osa questionner le roi :

— Resterons-nous à l'abri de nos murailles en attendant l'offensive de l'ennemi ?

— Ce serait une erreur funeste. Au contraire, nous allons reconquérir le Sud.

*

Le Grand Blanc et le Vieux, les deux conseillers de Narmer, étaient réunis sous le sycomore de la déesse d'Occident ; un doux soleil baignait le jardin enchanteur.

— En mon absence, décréta le roi, vous veillerez sur notre capitale. Grand Blanc, si tu perçois un danger, avertis le Porteur du sceau et dicte-lui les mesures nécessaires.

En signe d'acquiescement, le babouin cligna des yeux.

La gorge sèche, le Vieux ne cacha pas ses inquiétudes.

— Majesté, cette expédition ne serait-elle pas une folie ? Scorpion est un guerrier redoutable, animé d'une fureur provenant du désert !

— L'animal de Seth guide son bras, et je ne mésestime pas sa puissance ; mais je dois suivre le chemin de l'Ancêtre, et l'heure du grand affrontement est venue. Mon frère n'admettra que ce langage-là.

— Quelle tristesse, marmonna le Vieux ; Scorpion aurait été votre meilleur serviteur !

— Il a vendu son âme.

— Vous avez raison de me le rappeler, Majesté ; par moments, j'ai la faiblesse de croire que les êtres peuvent changer, et c'est une stupidité impardonnable. Scorpion est né pour déployer la violence, combattre, et tuer ; personne, pas même vous, ne le modifiera.

Le regard du Grand Blanc confirma l'opinion de son collègue.

C'était l'ultime avis dont le roi désirait prendre connaissance ; à présent s'ouvrait la porte du Sud et d'une lutte à mort.

- 58 -

Situé à trois jours de marche au nord de Noubet, la capitale de Scorpion, le hameau des Deux-Buttes n'abritait qu'une centaine de paysans, occupés à cultiver des champs bordant le grand fleuve. Soumis au chef des Séthiens, ils lui livraient des concombres, des poireaux et des fèves.

Un gamin tapota le bras de son père.

— Tu as vu, là-bas ?

Le bonhomme se redressa et regarda.

Des bateaux… Une flottille de navires de guerre, des archers à leur proue ! Paniqué, le paysan courut prévenir les villageois, provoquant un affolement général. Déjà, des soldats débarquaient et encerclaient le hameau.

Martial, Gros-Sourcils apostropha la population :

— Votre chef !

Un bedonnant sortit de la masse.

— Es-tu un soldat de Scorpion ?

— Soldat, moi ? Sûrement pas !

— Le considères-tu comme ton maître ?

— Si nous ne lui livrons pas ce qu'il exige, il nous tuera !

— Toi et les tiens, vous avez trahi le roi Narmer.

— Nous n'avions pas le choix !

— Les traîtres ne méritent pas de vivre.

Les villageois s'agenouillèrent, les mères serrèrent leurs enfants contre elles.

— Nous sommes des otages, libérez-nous ! supplia le bedonnant.

Le général ordonna aux archers de bander leurs arcs. L'extermination de ces rebelles servirait d'exemple aux autres.

— Il suffit, décida le roi, s'avançant vers les paysans. Vous aurez la vie sauve, à condition de prêter serment de fidélité à la couronne blanche que je porte. En cas de parjure, elle deviendra un serpent qui vous brûlera de son feu.

Même Gros-Sourcils fut impressionné par la solennité de la parole royale, aussi tranchante qu'une lame de silex parfaitement affûtée.

Pas un des villageois n'hésita.

— Nous vivions dans la peur, Majesté, révéla le bedonnant. Des dizaines de bourgs subissent cette oppression. Nous en délivrerez-vous ?

— Le pays entier ne formera qu'un seul royaume, et tous ses habitants créeront ensemble leur propre destin.

Le rituel de régénération avait modifié Narmer ; à son autorité naturelle s'ajoutaient une prestance et une dignité qui imposaient sa souveraineté. Nul ne doutait qu'il tiendrait ferme le gouvernail du navire de l'État.

Afin de prouver leur bonne foi, les paysans organisèrent une fête en l'honneur des libérateurs ; acceptant de la présider, le couple royal s'attira la reconnaissance des villageois.

— Ne nous y trompons pas, dit au monarque le Maître du silex, commandant le navire-atelier où étaient entreposées les armes ; ici, il n'y avait pas de garnison.

Les prochains hameaux, eux, seront défendus, et nous devrons les conquérir un à un, avant d'arriver en vue de Noubet. À mon avis, les Séthiens tenteront de nous affaiblir en nous tendant des embuscades.

— Je partage ton avis ; des éclaireurs expérimentés nous permettront de les déjouer. Cette précaution ralentira notre progression, mais épargnera bien des existences.

Le solide barbu paraissait gêné.

— Ne dissimule pas tes pensées, recommanda Narmer ; je suis prêt à tout entendre.

— Scorpion... Il m'a accusé de saboter nos armes, moi, un Vanneau ; sans vous, Majesté, j'aurais été condamné et exécuté. Quand il a constaté son erreur, pas la moindre excuse. Pourtant, j'ai continué à respecter sa bravoure ; et je déplore cette nouvelle guerre.

— L'estimes-tu injuste ?

— Oh ! non, Majesté, c'est l'unique moyen de créer enfin un vrai royaume ; hors de l'union des Deux Terres, il ne serait pas viable. Hélas ! un mal incurable ronge le cœur de Scorpion et l'empêche de participer à cette naissance.

— Il reste un espoir : à la vue de la reine, de moi-même et de notre armée, mon frère comprendra peut-être qu'il ne tirera aucun bénéfice d'une bataille meurtrière. Face à ma détermination, négociera-t-il ?

— Je vous avoue mon pessimisme.

*

Vent du Nord et son troupeau d'ânes, les deux lionnes du roi, le colossal taureau brun-rouge et ses fils, aptes au combat : tous appréciaient le voyage. Nourris, soignés, ils se dégourdissaient les pattes à chaque escale. Geb le chacal, préposé à la sécurité de la reine, ne la quittait pas des yeux et dormait au pied de son lit.

En permanence, des archers surveillaient le fleuve, redoutant des attaques de crocodiles ; ceux qu'ils aperçurent se hâtèrent de disparaître sous l'eau ou dans les hautes herbes, comme s'ils redoutaient la flottille royale.

— Étrange, jugea la reine ; ce n'est sûrement pas la crainte qui leur dicte cette conduite !

— Crocodile aime observer longuement avant de frapper, estima Narmer ; lorsqu'il nous verra en difficulté, ses reptiles interviendront.

— Et si Scorpion avait refusé de s'allier à Crocodile ? Il fut son pire adversaire !

— J'aimerais tant que tu aies raison ! Mais un guerrier de sa trempe sait évaluer les rapports de force... Appuyé par le maître des reptiles, ne se croira-t-il pas invincible ?

— L'esprit des clans vit en toi, rappela la reine, et le rituel du double couronnement a régénéré l'être royal, capable de réunir ce qui était séparé ; grâce au mariage du Nord et du Sud, tu franchiras la sixième étape du chemin de l'Ancêtre.

Un instant, la petite voyante apparut, tenant la main de Neit ; son visage, grave et déterminé, réclamait justice.

— Les éclaireurs sont de retour, annonça Gros-Sourcils.

Un conseil de guerre fut aussitôt organisé, et Narmer écouta les rapports. Tous concordaient : aucune garnison ne défendait les cinq villages observés.

— C'est peut-être un piège, avança le général ; les Séthiens ne se cachent-ils pas dans les maisons ?

L'hypothèse méritait vérification. Prenant de multiples précautions, une escouade encercla une agglomération et, sous la couverture des archers, une avant-garde s'infiltra à l'intérieur.

Elle ne trouva que des paysans apeurés. L'arrivée du roi les rassura, ils le remercièrent de les libérer, l'acclamèrent et organisèrent un banquet. Ailleurs, des scènes identiques se reproduisirent. Le fleuve appartenait aux bateaux de Narmer, les territoires du Sud à son infanterie, la reconquête ressemblait à une promenade de santé.

— Il ne reste plus qu'un seul bourg, à la lisière des cultures, avant d'atteindre Noubet, précisa Gros-Sourcils.

Cette fois, il n'y eut pas d'accueil chaleureux; les modestes demeures étaient vides, pas un animal, pas trace de nourriture; à l'évidence, la localité avait été évacuée.

— La stratégie de Scorpion est claire, jugea la reine. Il a abandonné son territoire pour concentrer ses forces à Noubet. Il évite à la fois un combat sur le fleuve et de multiples affrontements autour des villages.

Narmer contempla le désert.

— Une lutte à mort... Voilà le désir de mon frère, assisté de l'animal de Seth. Nos adversaires ne seront pas que des humains.

— Tu portes l'œil du faucon, rappela la reine; il te donnera la vision nécessaire.

L'armée se déploya en silence; chacun percevait l'importance de la future bataille, et beaucoup redoutaient d'y perdre la vie. Lorsque la reine brandit les deux flèches croisées de la déesse Neit, les craintes s'atténuèrent; et le regard du roi traduisait sa capacité de conduire ses troupes à la victoire.

Marchant en tête, Narmer aborda la piste menant à Noubet; de nombreux souvenirs l'assaillirent, évoquant les actions d'éclat de Scorpion, comme si ce dernier tentait d'éroder sa volonté.

Jaillissant de l'est, des nuages aux formes variées envahirent le ciel bleu; poussés par un vent fort, ils grossirent à une vitesse folle.

Le maître de l'orage se battrait au côté de son disciple.

— Tu m'attendais, Scorpion, déclara Narmer. Me voici.

- 59 -

Lucide, Scorpion se savait incapable d'entraîner sa horde de Séthiens jusqu'au Mur Blanc; pour éliminer Narmer, une seule stratégie : l'attirer ici, dans son domaine. Décidé à reconquérir le Sud, le roi ne pouvait supporter l'existence de Noubet, capitale des dissidents, et ne tarderait donc pas à l'attaquer.

Certes, Narmer aurait dû mourir, victime des miasmes de Seth; mais la reine avait réussi à le guérir, et la célébration d'un rituel de régénération s'était révélée efficace. Répercutée de village en village, la nouvelle était parvenue aux oreilles de Scorpion, contraint de modifier ses plans, en raison de sa santé défaillante.

Ce handicap devenait une arme majeure. Hameaux et villages sans défense, retraite générale, confinement à Noubet... Narmer croirait à l'affaiblissement de son adversaire et engagerait la totalité de ses effectifs, certain d'assener un coup fatal.

Scorpion avait dormi seul. Au réveil, son bras gauche accepta de bouger et ses jambes de le porter. La douleur au ventre subsistait, la fièvre aussi; le feu du combat les dissiperait.

Danseuse avait dormi sur le seuil de sa chambre; d'un coup de pied, il la réveilla.

— Du pain, du lait, de la viande et des gâteaux, vite !

La gamine détala ; malgré sa stupidité, elle lui donnait du plaisir.

Fleur se prosterna.

— Je suis à ta disposition, seigneur ; ordonne et j'obéirai.

— Tu m'ennuies, ma douce.

— T'aurais-je vraiment... perdu ?

— En plus, tu m'importunes ! Puisque tu es incapable de rester à ta place, remets tes bijoux à Danseuse. Elle, au moins, ne parle pas.

— Scorpion...

— Disparais.

— Pourquoi me traites-tu ainsi ?

Suivie de deux serviteurs portant les nourritures réclamées, la brune accourait. Scorpion dévora un pain chaud et croquant.

— Eh bien, ma douce, obéis.

Fleur tâta son collier.

— Cet or m'appartient, je...

— Dépêche-toi.

Fleur ôta ses bijoux et les jeta à terre.

— Tu as eu tort de faire ça, estima Scorpion. Ne réapparais jamais devant moi, sinon je t'étrangle.

Fleur osa le dévisager, au risque de recevoir un coup fatal. Occupé à manger, Scorpion se détourna.

Danseuse ramassa les bijoux, passa les bracelets à ses poignets et à ses chevilles, puis orna son cou d'un large collier d'or. Ravie, elle gratifia sa rivale déchue d'un œil ironique.

Fleur n'avait même plus envie de pleurer. À pas lents, elle s'éloigna.

Rassasié, Scorpion ordonna à ses lieutenants de rassembler ses hommes au centre de sa capitale, près du puits principal ; la manœuvre fut exécutée avec promptitude, et le chef des Séthiens apprécia la bonne tenue de son armée.

— L'heure du combat décisif approche, annonça-t-il. Le faux roi Narmer va tenter de s'emparer de notre ville et de ses richesses. Il se croit supérieur, mais ignore nos capacités réelles. Tous, vous avez appris à vous battre, et nul adversaire ne vous effraie ; nos armes valent celles de l'ennemi, notre férocité est inégalable. Moi, Scorpion, je n'ai perdu aucune bataille ! Lorsqu'on me croyait vaincu, j'ai trouvé les ressources pour renverser la situation. Nous ne sommes pas assiégés, nous tendons un piège à l'agresseur, trop sûr de lui ; et notre protecteur, le dieu de l'Orage, animera nos bras. Narmer approche, je le sens.

Scorpion appela ses officiers.

— Maintenez une stricte discipline, exigea-t-il. Si un homme recule, abattez-le.

— Au cas où l'ennemi ouvrirait une brèche, interrogea un gradé, comment se comporter ?

— Il n'en ouvrira pas ; regarde le ciel.

De petits nuages blancs décoraient l'azur.

— Ce sont de formidables alliés, révéla Scorpion. Quand Narmer lancera l'assaut, ils deviendront noirs et énormes, chargés de la foudre que déclenchera Seth. La violence de l'orage désorganisera l'armée royale ; nous, nous serons épargnés.

Convaincus, les officiers envisagèrent un triomphe ; eux, les soldats de Seth, ne redoutaient personne.

*

En pénétrant dans les galeries creusées sous sa capitale, Scorpion fut étonné. Un étrange silence y régnait ; d'ordinaire, des bruits de pics, des conversations d'ouvriers, les pas des transporteurs de minerai... Ne subsistait qu'une seule torche, à l'entrée du boyau principal.

Intrigué, il s'en empara et, au fur et à mesure de sa progression, alluma les autres, laissées en place. Sur le sol, des couffins vides et des outils abandonnés; Scorpion se rendit à la grotte où siégeait le patron des mineurs.

Déserte.

Il examina attentivement les parois et, au bas de l'une d'elles, aperçut un orifice rebouché à la hâte. Après avoir ôté la terre et les débris de pierre, Scorpion s'y engouffra; obligé de ramper, s'écorchant les bras et les jambes aux aspérités de la roche, il négligea ses douleurs, curieux de découvrir l'issue de ce chemin.

Une longue partie plate, un couloir ascendant, une dalle à soulever, et l'air libre, à l'extérieur de la ville, du côté des montagnes.

Les nains s'étaient enfuis, regagnant leur habitat d'origine.

Scorpion se promit de les châtier. Peu importait cette défection, puisque ces créatures, incapables de combattre, n'avaient pas emporté les stocks d'or; de nouveaux mineurs leur succéderaient.

*

Assise en plein soleil, Fleur revivait tous les épisodes de son aventure avec Scorpion. Le moindre détail comptait, les coups de folie, les étreintes passionnées, les semblants de rupture, les gifles, les insultes, la douceur des caresses, le retour des combats, les maîtresses évincées, celles qu'elle avait assassinées, les mensonges, la fougue d'un amant insatiable… Et le premier regard, le premier instant, le premier baiser, l'élan d'une existence entière.

Elle se croyait capable de lui pardonner n'importe quelle violence et de toujours le reconquérir, mais Fleur était désarmée face à son mépris. Une brunette stupide qu'il oublierait dès demain… Non, ce n'était pas la cause de sa répudiation. Scorpion se désintéressait de Fleur parce qu'elle ne lui servait plus à rien. Cette première ride que les onguents ne parvenaient pas à effacer, une démarche moins aérienne, l'incapacité à le conseiller… Fleur commençait à vieillir, Scorpion ne le supportait pas.

Il n'avait pas le droit de l'abandonner ; ce pacte-là ne pouvait être rompu.

— Relève-toi, lui conseilla un officier. Ce soleil est si ardent qu'il risque de te tuer.

Fleur accepta. Ce n'était pas à elle de mourir.

*

Scorpion avait étalé des dizaines de lingots d'or, sortis des souterrains.

— Cette fortune vous appartient, annonça-t-il à ses soldats. Massacrer l'armée de Narmer vous rendra riches. Tout ce dont vous rêvez, vous le posséderez.

Un nuage blanc grisonna, gonfla et rejoignit un cumulus pour former une masse imposante, au point de masquer le soleil ; et ce n'était que l'avant-garde d'une nuée menaçante.

Scorpion sourit.

— Narmer arrive ; à vos postes !

Le chef des Séthiens regagna son palais. Au pied de l'escalier menant à la terrasse, Fleur, prosternée.

— Scorpion…

— Écarte-toi.

Maîtrisant ses souffrances, il gravit les marches. Un ultime rayon de soleil perça les nuages noirs, porteurs d'orage, de tonnerre et d'éclairs.

Scorpion leva les bras.

— Te voilà satisfait, Seth ! Mon frère et moi allons nous affronter, je le vaincrai et la violence triomphera. Nourris ma force, rends mon bras ferme et mon âme impitoyable !

- 60 -

Au-dessus de Noubet, le ciel s'était assombri, et les premiers grondements du tonnerre mirent à vif les nerfs des soldats de Narmer. À l'évidence, le dieu de l'Orage volait au secours de Scorpion.

— Déployez-vous, ordonna le roi, encadré de ses deux lionnes, prêtes à bondir.

Grattant furieusement le sol de leurs sabots, le taureau brun-rouge et ses fils pointaient leurs cornes vers la capitale des révoltés.

Un éclair déchira les nuages, la foudre tomba à quelques pas du roi, impassible. En compagnie de Geb, la reine vint à côté de Narmer et brandit les deux flèches croisées de Neit.

— Feu du ciel, soumets-toi !

Un nouvel éclair zébra le ciel et toucha de plein fouet l'emblème de la déesse, sans parvenir à le détruire.

— Soumets-toi ! répéta la reine.

Les nuées s'embrasèrent, un épouvantable vacarme déchira les oreilles des soldats ; et les Séthiens commencèrent à tirer des flèches meurtrières. Désemparé, le général Gros-Sourcils tentait de maintenir un semblant de cohésion en prenant soin de s'abriter.

— Archers, ripostez ! ordonna Narmer.

La réplique fut efficace ; en voyant tomber leurs adversaires du haut des remparts de Noubet, les hommes du corps d'élite oublièrent leur peur et retrouvèrent leur précision habituelle.

La résistance de la cité mollit, le monstre brun-rouge et sa troupe se ruèrent sur la porte fortifiée, à une vitesse qui stupéfia les Séthiens. Des cornes acérées transpercèrent le bois et renversèrent les battants dont la chute écrasa de nombreux défenseurs.

Couverts par les archers, les fantassins s'élancèrent à la suite des taureaux ; certains crurent à une victoire facile et rapide, mais des tourbillons de sable brûlant ralentirent leur progression.

Et la voix de Scorpion, debout au sommet de la tour crénelée de son palais, freina l'ardeur des assaillants.

— Tu as eu tort de me combattre, Narmer, et le nombre ne t'évitera pas la défaite ! Moi, je peux déclencher la tempête et anéantir ton armée entière !

Levant son énorme massue, sous le regard fasciné des deux camps, Scorpion en appela au maître de l'orage.

— Maintenant, montre-toi et détruis mes ennemis !

Derrière Scorpion apparut l'animal de Seth au museau menaçant, aux grandes oreilles dressées et à la queue fourchue.

De ses yeux rouges jaillirent des éclairs qui traversèrent la poitrine des premiers soldats du roi entrés dans Noubet ; leurs camarades reculèrent, et ce début de débâcle provoqua le rire de Scorpion.

— Tu vas périr, Narmer, aucun des tiens ne survivra, pas même ta reine bien-aimée !

Face aux deux démons, le maître et le disciple, la plus courageuse des armées, fût-elle assistée de deux lionnes et de taureaux, eux aussi impuissants, serait terrassée.

Le roi ne céda pas.

— Je ne te crains pas, mon frère, clama Narmer ; l'âme des clans ressuscite en moi, et l'œil du faucon dissipera les ténèbres.

La reine posa devant le monarque le vase de pierre qu'avait sculpté le Maître du silex. De l'amulette ornant le cou du souverain émana un rayon de lumière dorée qui transforma l'objet en un gigantesque faucon au plumage bigarré.

Les yeux de Seth lancèrent des flammes, destinées à brûler vif Narmer, mais le rapace étendit ses ailes immenses. Absorbant le feu, elles le renvoyèrent en direction des murailles de Noubet, et l'embrasement décima les Séthiens.

Le faucon s'envola, dispersa les nuages et fit ressurgir le soleil.

L'animal de Seth se rapetissa.

— Abandonnerais-tu le combat ? s'insurgea Scorpion.

— J'ignorais que le Lointain, le grand dieu du Ciel, dont les yeux sont le soleil et la lune, consentirait à protéger un humain ! Le faucon Horus me sera toujours supérieur, et je n'ai qu'à m'incliner en retournant au sein du désert, ma terre rouge.

Tel un reptile, l'animal de Seth disparut.

Scorpion, lui, ne s'avoua pas vaincu ; rassemblant ses derniers partisans, il organisa une féroce contre-attaque ; à un contre dix, les Séthiens ne parvinrent qu'à contenir leurs adversaires. Maniant sa lourde massue, Scorpion se retrancha à l'intérieur de son palais fortifié.

Alors qu'elle tentait de le suivre, Danseuse fut brisée net dans son élan ; agrippant le collier d'or, Fleur l'étrangla d'une poigne impitoyable et prit plaisir à la voir se trémousser en vain. Après avoir craché sur le cadavre, elle rejoignit le dernier carré de résistants.

*

Les ruines de Noubet se consumaient ; ne subsistait qu'un bastion, ultime refuge de Scorpion. Narmer constatait la justesse de la prédiction de la petite voyante, adressée au seul survivant du clan Coquillage : « Tu es plus fort que l'orage, mais tu ne le sais pas encore. »

Un superbe soleil illuminait la cité vaincue, le bleu du ciel était d'une splendeur incomparable. Vent du Nord et ses ânes avaient apporté nourriture et boisson aux soldats, pendant que l'on enterrait les morts et que l'on soignait les blessés, à l'abri d'épaisses toiles de lin soutenues par des piquets.

En dépit de la violence de l'affrontement, les pertes de l'armée royale étaient minimes ; en revanche, peu de Séthiens avaient été épargnés. Et leurs dépouilles se réduisaient à des masses noirâtres et calcinées.

Les combattants regardèrent le couple royal d'un autre œil. Narmer et Neit n'étaient pas un homme et une femme ordinaires, mais se situaient à la lisière séparant le visible et l'invisible ; à travers eux, modifiant leur nature humaine et les éloignant des Terriens, s'exprimaient les puissances de l'au-delà. Elle, la servante de Neit, aux flèches indestructibles, marquant le croisement des mondes ; lui, le protégé du Lointain, le faucon aux dimensions du ciel.

Le destin du Double Pays était entre leurs mains, et nul ne contestait leur souveraineté, à l'exception de Scorpion.

— Majesté, recommanda Gros-Sourcils, il faut en finir ; les taureaux démoliront aisément la base de ce pitoyable fortin, et nos archers exécuteront le reste de cette racaille.

— Oublierais-tu mon frère ?

— Il souhaitait nous détruire ! Personne n'admettrait une mesure de clémence.

— Conscient de sa défaite, pourquoi Scorpion ne négocierait-il pas ?

— Vous connaissez son obstination !

— Je connais sa bravoure et son intelligence ; Scorpion s'est trompé, son mauvais maître l'a abandonné.

— J'approuve le roi, dit Neit ; un guerrier de cette trempe sait apprécier les situations. À Nékhen, lors de l'invasion sumérienne, il a compris que la retraite était la seule solution. Aujourd'hui, sa capitale est calcinée, il a été vaincu et trahi. En lui accordant son pardon, Narmer renouera la fraternité brisée, et Scorpion retrouvera sa juste place auprès de nous.

— Général, ordonna le roi, tu vas proposer la paix à Scorpion.

— Moi ? Mais…

— Tu as combattu à ses côtés, ton rang de porte-sandales et de chef de l'armée prouvera le sérieux de la proposition. S'il refuse, nous serons contraints de raser le dernier bastion de révoltés.

- 61 -

Les Séthiens n'étaient plus qu'une trentaine, réunis dans une forteresse illusoire, sous la coupe d'un chef agonisant. Blessé à l'épaule, au flanc et à la jambe lors de la dernière échauffourée, Scorpion souffrait à nouveau du ventre et son bras gauche demeurait inerte.

Allongé, il peinait à respirer et ordonna à son dernier lieutenant de le redresser ; assis contre un mur, il se sentit mieux.

— La situation ?

— Désespérée ; nous sommes les seuls rescapés, l'armée du roi est presque intacte. Quand il lancera l'assaut, nous serons incapables de résister.

— J'en ai repoussé d'autres ! rappela Scorpion.

— Vous n'êtes pas en état de combattre, jugea l'officier.

Un fantassin les alerta.

— Ils arrivent !

Les Séthiens bandèrent leurs arcs et brandirent leurs pics.

— C'est moi, Gros-Sourcils ! Sur l'ordre du roi, je viens négocier. Si Scorpion s'incline et reconnaît la souveraineté de Narmer, vous aurez tous la vie sauve ; s'il refuse, nous attaquerons.

Les Séthiens regardèrent leur chef qui s'adressa à son lieutenant :

— Sors, et demande-lui si le roi a donné sa parole.

Tendu, l'officier s'exécuta.

— Narmer s'est engagé devant les dieux, confirma Gros-Sourcils. Je n'attendrai pas longtemps votre réponse !

— Je consulte mon chef.

Une pensée hantait Scorpion : « En me détachant de mon frère, je m'anéantis. » Chassant cette ineptie, il entrevit un espoir inattendu. La démarche de Gros-Sourcils lui permettait de sortir de cette nasse et de reprendre la lutte.

— La parole de Narmer est digne de foi, déclara-t-il à ses hommes ; en vous rendant, vous serez épargnés. Moi, je vais m'évader en passant par les souterrains afin de rejoindre les nains. Ils me soigneront, je recouvrerai ma vigueur, lèverai une nouvelle armée et briserai le tyran ! Dès que possible, vous vous rallierez à moi.

L'enthousiasme de Scorpion était communicatif, et la modeste troupe fut convaincue.

— Faites durer les négociations, réclamez des précisions et des garanties ; lorsque vous rendrez les armes, ils s'apercevront de mon absence. Parlez d'une seule voix et jurez que je n'étais pas parmi vous. Surtout, n'en démordez pas ! Ils rechercheront mon cadavre et finiront par se lasser. Toi, retourne discuter avec Gros-Sourcils.

Au prix d'un effort qui faillit lui arracher un cri de douleur, Scorpion se releva ; toute son énergie était mobilisée au service d'un but vital : atteindre les souterrains, parcourir le boyau qu'avaient emprunté les nains et regagner la liberté. Une fois encore, il se montrerait à la hauteur de ses ambitions.

Et la guerre recommencerait.

— Scorpion...

— Fleur ! Bel exploit d'avoir survécu.

— J'ai étranglé Danseuse.

— Tant pis pour elle.

— Tu m'emmènes, comme toujours ! Et je t'aiderai.

— Je n'ai pas besoin de toi.

— Tu ne peux pas marcher, tu…

D'une main, il lui serra la gorge.

— C'est terminé, ma douce ; tu n'as aucune place dans mon avenir.

Avec une vigueur surprenante, il la repoussa ; effondrée, Fleur resta prostrée. Scorpion quitta son palais.

*

— La discussion a assez duré, estima Gros-Sourcils, irrité. À elle seule, la parole du roi est une garantie absolue ! Maintenant, la réponse.

Le lieutenant n'insista pas.

— Nous nous rendons.

— Sage décision ! Avance, en me tournant le dos, et ordonne à tes camarades de jeter leurs armes.

Le lieutenant obtempéra. Un à un, et très lentement, les Séthiens sortirent de leur abri.

Redoutant un coup fourré, les archers du roi étaient prêts à tirer.

Mais les vaincus ne montrèrent aucun signe de résistance et se regroupèrent sans mot dire.

— Il ne manque personne ? demanda Gros-Sourcils.

Le lieutenant compta ses hommes.

— Nous sommes tous là.

— Et Scorpion ?

— Il ne se trouvait pas parmi nous. Pendant le dernier combat, il a été gravement blessé, et je l'ai perdu de vue.

Dubitatif, le général pénétra dans le palais en compagnie d'une dizaine de fantassins, lances pointées.

L'endroit paraissait désert.

Méfiant, Gros-Sourcils fit inspecter le moindre recoin ; et cette fouille ne fut pas inutile.

— Général, une femme !

Deux soldats maintenaient la prisonnière.

— Fleur ! Ainsi, tu as été fidèle à Scorpion jusqu'au bout. As-tu assisté à sa mort ?

Des pensées contradictoires agitaient l'esprit de la maîtresse répudiée.

— Il est vivant, répondit-elle d'une voix sourde.

— Où se cache-t-il ?

Fleur baissa les yeux.

— Ni lui ni toi n'avez rien à craindre ; Narmer vous accorde sa grâce. Je sais qu'il a été atteint, nous le soignerons. En te taisant, tu le condamnes à mort.

Elle, achever Scorpion... Ne le méritait-il pas, lui qui l'avait abandonnée ? Un simple mensonge et son amant agoniserait sous terre, incapable de s'échapper.

Percevant le débat intérieur de sa captive, Gros-Sourcils patienta.

— Suis-moi, général, décida-t-elle. Les Séthiens ne doivent pas me voir.

Gros-Sourcils ordonna à un officier de les éloigner ; puis Fleur l'emmena à l'entrée des mines, dissimulée à l'un des angles du palais. Comment Scorpion avait-il eu la force de déplacer la dalle ? Une tache de sang témoignait de son passage.

Le général s'engouffra dans l'ouverture.

Des torches éclairaient un réseau de galeries creusées en profondeur. Çà et là, des outils servant à travailler la roche, des couffins et des sachets contenant des pépites d'or.

Grâce aux taches de sang, pas d'hésitation sur le chemin à emprunter.

Enfin, il l'aperçut ; courbé, le blessé peinait à progresser.

— Scorpion, c'est moi, Gros-Sourcils! Tu n'as rien à craindre, le roi t'accorde la vie sauve.

Le fugitif continua ; il approchait du boyau menant à l'extérieur de la cité. Le général le rattrapa.

— Ne t'obstine pas! Tu seras soigné, Narmer t'accueillera à sa cour.

— J'ai d'autres objectifs.

— Scorpion... Je ne peux pas te laisser t'enfuir.

— Je ne m'enfuis pas, je garde ma liberté! Tu n'es pas de taille, général; préviens ton roi que nous nous reverrons.

— Sois raisonnable, je t'en prie.

— Oserais-tu me frapper dans le dos... comme Taureau?

Gros-Sourcils se figea.

— Tu... Tu m'as vu?

— Une simple intuition que tu viens de confirmer. Un colosse de cette envergure avait forcément été victime d'une trahison; seul un proche était capable de tromper sa vigilance.

Enfiévré, le général perça de son poignard les reins de Scorpion; redoutant une ultime réaction de sa victime, il la frappa dans le dos à plusieurs reprises.

— Qu'as-tu fait? interrogea une voix tremblante d'émotion.

Fleur se précipita sur le corps meurtri de son unique amour. L'ombre de la vie, de leur vie, se dissolvait; déjà, les yeux de Scorpion contemplaient l'au-delà.

— Ne meurs pas, je t'en supplie!

— Dis à Narmer... Sans mon frère, je m'anéantis.

Et le souffle du guerrier s'éteignit.

Gros-Sourcils éprouvait deux sentiments : la fierté d'avoir tué l'invincible Scorpion, et la peur d'être dénoncé.

Puisque Fleur avait vu et entendu, elle devait être éliminée.

- 62 -

Gros-Sourcils relata les événements en détail. Fleur l'avait conduit aux souterrains où se cachait Scorpion, espérant échapper à l'armée du roi; gravement blessé, il était incapable de se défendre. Avant que le général ait pu intervenir, Fleur, prise d'une crise de folie, avait poignardé son amant puis retourné l'arme contre elle. Selon les Séthiens, la jeune femme, délaissée au profit d'une rivale retrouvée étranglée, perdait l'esprit.

L'examen des cadavres confirmait le récit de Gros-Sourcils qui déplorait la fin tragique d'un grand guerrier, à la fois craint et admiré.

L'exploration des galeries avait permis d'en retirer des sacs remplis de pépites; Narmer décida que Noubet serait reconstruite et l'exploitation poursuivie.

— Nous emmenons mon frère en Abydos, annonça-t-il.

*

— La tombe de Scorpion est prête, révéla Chacal en s'inclinant devant le roi.

— Ainsi, tu savais...

— Je savais que tu accorderais une digne sépulture à ton frère... Les dieux t'ayant désigné, toi seul pouvais régner; et les manœuvres de Scorpion étaient vouées à l'échec.

La sérénité d'Abydos apaisa la douleur de Narmer. Lisière de l'au-delà, le site échappait aux vicissitudes de la condition humaine.

La vaste sépulture destinée à Scorpion comprenait une douzaine de chambres où furent déposées des jarres à huile et à vin, des céramiques et des boîtes auxquelles étaient accrochées des étiquettes couvertes de signes hiéroglyphes permettant d'identifier les produits.

Enveloppé d'un linceul de lin, le corps de Scorpion reposerait ici, sous la protection du Premier des Occidentaux.

Et Narmer la vit.

La petite voyante déposa sa poupée à l'entrée du tombeau. Souriante, les yeux grands ouverts, elle connaissait enfin la quiétude. Quand le roi s'approcha, la fillette se transforma en rayon de lumière.

— Tu as tenu ta parole, énonça une voix grave, aussi les Âmes t'aideront-elles à franchir cette étape.

Les Âmes de Nékhen, à tête de chacal, et celles de Bouto, à tête de faucon, prirent les mains de Narmer et formèrent un cercle où circula l'énergie de l'autre monde. L'Orient et l'Occident se marièrent dans le cœur du roi.

Ses deux lionnes protectrices se couchèrent dos à dos. La première contempla hier, la seconde demain; en fusionnant, elles créèrent une coiffe[1] qui épousa le crâne du monarque et donna à sa vision l'acuité de celle du faucon.

Narmer traversa l'espace et le temps, survola le monde ancien et entrevit un pays inconnu, peuplé de monuments admirables.

Face à lui, Chacal gravait une stèle relatant ces événements.

---

1. Le *némès*.

— Le soutien de ton clan fut précieux, reconnut Narmer.

— Je l'ai dissous, ses membres sont tes sujets ; mon ultime fonction consiste à célébrer les rites liant le visible à l'invisible, en mettant le coffre mystérieux hors de portée des profanateurs. Rends-toi à la chapelle, mon roi, l'Ancêtre t'y attend.

*

Que de chemin parcouru depuis la première apparition de l'Ancêtre, combien d'obstacles surmontés ! Sans tergiverser, le dernier survivant du clan Coquillage avait suivi les directives de l'éveilleur, cédant parfois au découragement, redoutant de ne pas parvenir au terme du chemin ; mais le désir de le parcourir reprenait le dessus, et l'âme des clans lui procurait l'énergie nécessaire.

Scorpion inhumé, il n'existait plus d'adversaire à l'union du Nord et du Sud, cet idéal naguère irréalisable... Erreur, car Crocodile rôdait encore ! Lui, le dernier chef de clan, n'abdiquait pas. Présents sur l'ensemble du territoire, ses reptiles disposaient d'un formidable pouvoir de nuisance !

Les gardiens de la chapelle s'inclinèrent et s'écartèrent.

Au fond du sanctuaire plongé dans les ténèbres, un halo de clarté. Vêtu d'une longue robe blanche, portant un masque triangulaire aux yeux de perles blanches, l'Ancêtre était baigné d'une lumière chaude.

— La sixième étape est franchie, déclara sa voix aux résonances infinies ; à présent, tu peux réunir le Nord et le Sud. Les Deux Terres formeront un seul royaume, et le Mur Blanc sera sa capitale.

— Il reste une septième épreuve, rappela Narmer. Ne remettra-t-elle pas tout en question ?

— Un échec réduirait tes efforts à néant, mais tu possèdes la capacité de réussir. En tant que souverain du Double Pays, il te revient de faire connaître l'ampleur de ta fonction. Ton palais peut devenir le symbole de la royauté et de l'union ; en ton être se rassembleront tous les vivants, et tu seras leur lien avec l'univers des dieux. L'heure est venue de construire.

Narmer se souvenait du chaos de blocs de la cité du pilier, ces blocs qu'il souhaitait utiliser pour bâtir des édifices à la gloire des divinités ; et la défunte Gazelle lui avait transmis le secret de son clan : trouver les bonnes pierres en plein désert.

— Faire connaître... N'est-ce pas le rôle de la façade du palais royal ?

— Révèle ton nom, inscris-le au fronton et honore les puissances créatrices en bâtissant leurs demeures. En résidant sur terre, elles bâtiront l'avenir.

— Crocodile ne s'opposera-t-il pas à cette démarche ?

— Le dernier chef de clan demeure un adversaire redoutable, ne le mésestime pas.

Narmer osa poser une question qui le taraudait :

— Qu'adviendra-t-il, au terme de cette septième étape ?

Les yeux de l'Ancêtre brillèrent.

— Remplis tes devoirs, et tu le découvriras.

*

Le monarque passa trois jours de méditation à Abydos, soit à l'intérieur de la chapelle, soit en parcourant la nécropole. Domaine de Seth, les territoires arides n'étaient pas exclus du royaume et abritaient des richesses, tels l'or et les matériaux de construction ; dominé par le faucon céleste, le maître de l'orage serait contraint de les mettre à la disposition du roi.

Néanmoins, la tâche que fixait l'Ancêtre était colossale et réclamait une profonde transformation du pays et de ses habitants.

*

De retour à son lieu de naissance, le chacal Geb entraîna la reine sur les multiples sentiers qu'il avait parcourus à belle allure pendant sa jeunesse. Désormais gardien de la personne royale, il adopta un rythme paisible, allant d'une palmeraie à un champ de blé ensoleillé.

La soirée était d'une douceur particulière; couché aux pieds de Neit, Geb digérait un repas succulent, de la volaille en sauce. Les longs rayons du couchant doraient la chapelle, chacun goûtait la paix du soir. Pourtant, la reine demeurait anxieuse; face aux exigences de l'Ancêtre, comment réagirait Narmer? La mort de Scorpion l'avait ébranlé, il songeait à se retirer ici, en renonçant à gravir une pente trop raide, menant à des paysages incertains.

Venant du désert, le roi apparut.

Geb se releva; précédant la souveraine, il alla au-devant du monarque.

Narmer n'eut pas besoin de parler, Neit déchiffra son regard. Son âme avait absorbé le meilleur de Scorpion, il continuerait à suivre le chemin de l'Ancêtre.

- 63 -

Sur la façade du palais, le Maître du silex grava les deux signes de puissance formant le nom de Narmer, le poisson-chat et le ciseau de menuisier, encadrés de deux têtes de la vache céleste, divine protectrice. À peine l'œuvre terminée, un faucon se percha au sommet du monument et contempla la capitale. Ainsi faisait-il savoir[1] à la population que le souverain, reconnu apte à gouverner par les dieux, reliait le ciel à la terre.

Narmer noua le papyrus du Nord et le lotus du Sud, accomplissant l'union des Deux Terres; la reine lâcha quatre oiseaux, un à chaque point cardinal, afin d'annoncer au monde entier l'heureuse nouvelle.

Le Maître du silex présenta au couple royal des palettes et des têtes de massue couvertes de scènes évoquant à la fois la reconquête du pays, la victoire sur les forces des ténèbres, et les rites accompagnant ce triomphe et la naissance de l'État.

Ces reliques en pierre furent déposées dans les sanctuaires qui, conformément aux exigences de l'Ancêtre, s'édifiaient à l'intérieur du Mur Blanc. Deux divinités étaient particulièrement honorées, Neit, maîtresse du Verbe créateur et de la magie liant les forces vitales, et le

---

1. La façade du palais, surmontée du faucon, est le *serekh*, « ce qui fait connaître ».

Façonneur[1], patron des artisans, devenus le corps principal de la nation, aux côtés des scribes. Tailleurs de pierre, charpentiers, menuisiers, orfèvres et autres céramistes travailleraient à la gloire des dieux, tout en améliorant la qualité de vie des humains.

Assisté de Vent du Nord et de ses nombreux ânes, le Vieux veillait au transport des matériaux et débusquait les feignants en les sommant de s'inspirer de l'exemple des quadrupèdes, courageux et opiniâtres; quantité d'aspirants tricheurs maudissaient le nonagénaire, mais évitaient de lui désobéir. N'avait-il pas été le serviteur de Scorpion? Une seule colère, colportait la rumeur, et le Vieux étripait une dizaine d'adversaires!

Gros-Sourcils remplissait des fonctions de la plus haute importance. Général à la tête de l'armée, porte-sandales et chef de la garde personnelle du roi, il dirigeait également la confrérie des ritualistes chargée de préparer le matériel nécessaire à la purification quotidienne du monarque et à la célébration du culte des divinités. Maniant un long et lourd bâton, symbole de son autorité, Gros-Sourcils souffrait d'aigreurs d'estomac. À la cour, personne ne le soupçonnait d'être un assassin, un menteur, un dissimulateur et un profiteur; restait Crocodile. Le redoutable chef de clan connaissait la vérité et, tant qu'il ne serait pas éliminé, le général serait en danger.

— Majesté, je suis très inquiet.

— Que se passe-t-il, général?

— Nous n'avons plus aucune trace de Crocodile.

— À lui seul, il s'estime incapable d'entraver notre essor.

— Pardonnez-moi de formuler une hypothèse moins optimiste: après avoir reconstitué ses forces, ce monstre causera un maximum de dégâts et sèmera la terreur.

---

1. Ptah.

— C'est pourquoi tu dois maintenir les mesures de sécurité et ne pas relâcher ta vigilance.

— Ne serait-il pas préférable de débusquer ce malfaiteur et d'anéantir enfin son clan?

— J'ai d'autres projets impliquant l'utilisation de l'armée; si Crocodile commet des déprédations, nous interviendrons.

Gros-Sourcils s'inclina; le monarque venait de lui offrir la solution.

*

Le grand conseil se tenait pour la première fois dans la nouvelle salle d'audience du palais, et le roi, à la suite d'un long entretien avec le Grand Blanc, devait communiquer des décisions qui modifieraient le visage des Deux Terres et traceraient leur avenir.

Assis sur un haut tabouret, le babouin à la crinière blanche observait, de son regard noir et intense, le proche entourage du monarque. Mal à l'aise, Gros-Sourcils l'évitait; le Vieux, au contraire, appréciait ce collaborateur aux pensées tranchantes et d'une inaltérable dignité.

— Nous allons protéger la capitale des crues successives grâce à une levée de terre, annonça le roi; elle nous permettra de dévier le cours du fleuve et d'éviter la destruction des sanctuaires et des habitations.

— Superbe projet! s'exclama le Vieux. Je vais instituer une corvée généralisée, et nous ne traînerons pas des pieds. Généralisée, ça signifie que les militaires seront concernés; pas question qu'ils paressent en ressassant leurs exploits!

— Majesté, intervint Gros-Sourcils, nos soldats ont comme priorité la sécurité du pays!

— Un seul régiment ne sera pas déplacé, trancha Narmer : celui qui restera cantonné à la frontière de la

Libye. Les autres participeront au développement des Deux Terres, notamment à la création des provinces.

Un long silence ponctua cette déclaration.

Intrigué, le Vieux ne regrettait pas de servir un monarque de cette trempe-là ; avec lui, on ne s'ennuyait pas.

— Les provinces ? s'étonna Gros-Sourcils. De quoi s'agit-il ?

— Je suis l'héritier des clans. Sans leurs âmes, nous n'aurions pas réussi à unir les Deux Terres. Aussi convient-il de leur rendre hommage et de fonder une juste administration du territoire en fonction de ses réalités géographiques. Le Mur Blanc marque le point de jonction et d'équilibre entre le Nord et le Sud, le delta et la vallée ; foyer de notre unité, il abritera l'ensemble des divinités qui se répartiront afin de protéger et d'animer chacune des provinces.

— Il y aura donc celles de l'Oryx, du Taureau, de l'Éléphant..., avança le Vieux, intrigué.

— Tu as bien perçu mes intentions, constata le roi. Ainsi, les clans auront donné le meilleur d'eux-mêmes, et nous n'oublierons pas notre passé.

— À l'emplacement du sanctuaire de la déesse, intervint la reine, sera édifiée la capitale des deux flèches de Neit. Chaque province aura sa divinité, sa ville, sa barque céleste, son arbre sacré, son serpent protecteur, ses canaux d'irrigation, son district agricole, sa zone de pêche et de chasse, ses pâturages, et son animal protégé qu'il sera interdit de tuer et de manger.

Le Vieux en aurait trépigné de joie, mais il se contenta de toucher son sceau, emblème des devoirs qu'il se réjouissait de remplir. Quel projet insensé, tellement inouï que l'âge ne comptait plus !

— J'ai demandé au Maître du silex de déposer les principales palettes à Nékhen, ajouta Narmer. Elles commémoreront la naissance de notre pays et survivront au temps. Quant au site sacré d'Abydos, domaine de Chacal, il abritera le *ka*, la puissance créatrice qui se transmettra de roi en roi.

Abasourdi, Gros-Sourcils n'était pas au bout de ses surprises.

— Notre flotte de guerre suffit à nous protéger d'un éventuel agresseur, rappela Narmer ; le temps est venu de construire des bateaux servant au commerce, au transport des matériaux et des denrées. Ils assureront la circulation des marchandises de province à province, et seront un élément fondamental de notre prospérité. Ici, on fabriquera des poteries ; là, on récoltera des céréales ; là-bas, des ateliers tisseront des vêtements ; à l'État d'assurer la répartition de ces richesses, permettant à chacun de vivre de son travail en ne manquant de rien.

— Ben ça, marmonna le Vieux, je ne l'aurais jamais cru !

— Qui n'approuverait votre vision grandiose, Majesté ! s'exclama Gros-Sourcils, feignant l'enthousiasme. Mais nos bateaux de commerce ne s'exposeront-ils pas à des attaques de reptiles ?

— Tu as raison d'évoquer ce risque, admit Narmer, et je ne l'ignore pas ; aussi l'armée aura-t-elle un rôle décisif à jouer. À bord des navires, des compagnies d'archers garantiront leur sécurité ; elles dissuaderont Crocodile d'intervenir.

— Et s'il lance quand même une attaque ?

— Au premier incident, nous éradiquerons le péril.

Cette confirmation enchanta Gros-Sourcils, et les membres du grand conseil considérèrent son sourire comme une approbation sans réserve du plan d'œuvre de Narmer.

- 64 -

Grâce à la puissance de conviction de Narmer, à la détermination de la reine et aux efforts ininterrompus du Vieux, impitoyable garde-chiourme, les décisions du roi n'étaient pas restées lettre morte. Le Maître du silex avait ouvert des ateliers pour répondre aux exigences du monarque, la gestion des provinces commençait à donner d'excellents résultats, et une trentaine de bateaux de charge sillonnaient le fleuve.

— Majesté, déclara Gros-Sourcils, atterré, Crocodile vient de frapper.

— Je t'écoute, général.

— L'agression s'est produite non loin du grand lac[1] ; une armée de reptiles s'est attaquée à un navire de commerce. Malgré leur courage, les archers n'ont pu contenir la fureur de leurs adversaires. L'unique rescapé a relaté des scènes abominables avant de mourir. Seul point positif : nous savons que Crocodile et ses lieutenants se cachent aux abords de cette contrée.

— Rassemble les effectifs dont tu as besoin, général, et ratisse la région ; après l'inauguration du temple de Neit, je te rejoindrai.

---

1. La région du Fayoum.

Gros-Sourcils était ravi. Il disposait d'un temps suffisant pour supprimer le chef de clan et faire taire le dernier témoin dangereux.

Mêlant habilement mensonge et vérité, le général avait obtenu ce qu'il souhaitait ; nul bateau n'avait été coulé mais, en revanche, des paysans signalaient la présence de nombreux reptiles dans cette zone marécageuse à l'abondante végétation. Et l'un d'eux avait formellement identifié Crocodile.

*

Le déploiement de forces était impressionnant. Navires de guerre, barques légères, régiments d'archers, manieurs de fronde, chasseurs expérimentés connaissant le labyrinthe végétal… Gros-Sourcils employait les grands moyens et obtenait des résultats. De féroces combats avaient abouti à l'élimination d'une belle quantité de reptiles et à la capture d'un officier.

Gravement blessé, il gardait la tête haute.

— Procure-moi un renseignement, exigea le général, et nous te soignerons ; sinon, tu seras torturé. Où se cache le chef de ton clan ?

— Je l'ignore.

— Invraisemblable !

— Crocodile ne dort jamais deux soirs de suite au même endroit.

— Je sais, mon brave, je sais… Aujourd'hui, la situation est particulière. Encerclé, Crocodile n'a d'autre solution que de se dissimuler en espérant notre échec. Mais nous sommes ici pour l'abattre et nous y parviendrons. Je répète donc ma question : où se cache-t-il ?

— Toi, trahirais-tu ton chef ?

— Réponds, et vite !

L'officier cracha au visage du général.
— Tu vas beaucoup souffrir.

*

Le supplicié avait fini par indiquer le repaire de Crocodile, au milieu des marais. Vu son état, un tortionnaire, écœuré, s'était permis de lui donner le coup de grâce. N'éprouvant aucune émotion devant la mort de ses victimes, Gros-Sourcils avait englouti un canard rôti, des oignons frits et un gâteau nappé de jus de caroube.

Il passerait une nuit excellente en songeant à sa brillante carrière, dépourvue de faux pas ; lorsqu'il présenterait le cadavre de Crocodile à Narmer, il deviendrait un héros encore plus fameux que Scorpion.

Installée au bord du grand lac, sa hutte était confortable. En s'allongeant, il imaginait l'expédition du lendemain et l'étonnement du prédateur. Lui, le rusé Gros-Sourcils, aurait tué deux guerriers d'exception, Scorpion et Crocodile !

Quelque chose griffa son épaule.
— Surtout, ne bouge pas.
Cette voix rauque et sourde... Crocodile !
— Nous avons à parler, ne crois-tu pas ?
— Oui, oui, bien sûr !
La pression de la griffe se relâcha, le maître des reptiles contourna le général qui se redressa, conservant un semblant de sang-froid.
— Je comprends mal ton attitude, Gros-Sourcils, et j'aimerais des explications.
— La ville de Noubet est tombée, Scorpion a été tué !
— Scorpion l'invincible... L'aurais-tu frappé dans le dos, comme Taureau ?
— J'y étais obligé, il avait pressenti la vérité

— Il devait être mourant, incapable de combattre.

— Qu'importe !

— Tu as assassiné mon allié, Gros-Sourcils.

— Les Séthiens étaient vaincus, Narmer triomphait ! Je n'avais pas le choix. Abandonné par l'animal de Seth, Scorpion agonisait et ne t'aurait été d'aucune utilité.

Crocodile hocha la tête.

— Triste fin... Narmer, lui, affermit son royaume. Et toi, le chef de son armée, le sers avec efficacité.

— J'y suis obligé !

— Depuis le début de ton offensive autour du grand lac, tu as tué nombre de mes reptiles et de mes soldats.

— On a signalé ta présence, Narmer m'a ordonné de t'éliminer ! La moindre mollesse aurait attiré ses soupçons. J'ai même été contraint de torturer l'un de tes officiers afin qu'il indique ta cachette.

— Il aura menti, les membres de mon clan ne me trahissent pas.

— Demain, il me faudra pourtant attaquer ton repaire !

— Je le comprends, Gros-Sourcils. Tu veux garder la confiance de ton roi, et c'est nécessaire pour appliquer notre stratégie.

— Qu'envisages-tu ?

— Je sais tout de toi et de ton passé, général, ne l'oublie pas ; tu dois donc m'obéir sans discuter.

Gros-Sourcils fulminait. En tendant la main, il agripperait son poignard et, d'un geste prompt, le planterait dans le ventre de Crocodile. Mais serait-il assez rapide ? Le général n'avait pas coutume de tuer un ennemi de face, et le maître des reptiles, en dépit de ses yeux mi-clos et de son apparente passivité, le terrifiait.

— Narmer pense avoir triomphé, poursuivit-il, et c'est son erreur ; puisqu'il ne se méfie pas de toi, tu seras l'instrument de notre victoire.

Gros-Sourcils redoutait d'entendre ces paroles-là.

— Tu me demandes...

— D'assassiner Narmer, confirma Crocodile.

— C'est... C'est impossible !

— Allons général ! N'es-tu pas le chef de sa garde personnelle ?

— En effet, mais...

— Obéissance absolue, mon ami ; sinon, je te dénoncerai.

Gros-Sourcils renonça à combattre Crocodile. En se pliant à ses exigences, il sauverait sa tête.

— Narmer éliminé, mon clan gouvernera ce pays à sa manière ; et tu seras l'un de mes dignitaires.

— N'omets pas la reine ! C'est une magicienne redoutable et...

— Je ne l'omettais pas, général ; tu l'élimineras, elle aussi. Supprimer une femme t'effraierait-il ?

— Non, certes non, mais subsiste un problème délicat : comment agir sans être soupçonné, avec la certitude de réussir et d'échapper à des représailles avant ta prise de pouvoir ?

— Jusqu'à présent, ta façon d'opérer s'est révélée parfaite.

— Cette fois, l'entreprise s'annonce particulièrement difficile !

Crocodile gratta la peau calleuse de son front.

— Tu as raison, et cette prudence prouve ton sérieux. Voilà longtemps que je désire me débarrasser de mes principaux ennemis, et j'ai échafaudé quantité de plans qui ne m'ont pas procuré satisfaction. La nuit dernière. j'ai beaucoup réfléchi et trouvé la solution ; considère le problème comme résolu, général.

Gros-Sourcils n'avait plus qu'à écouter Crocodile et à suivre ses directives.

- 65 -

Arrivé au bord du grand lac, Narmer était stupéfait.

— Comment, disparu ?

— Nous avons cherché partout le général Gros-Sourcils, confirma un officier supérieur.

— Montrez-moi ses quartiers.

La vaste hutte, confortable, était vide. Ni désordre ni traces de lutte.

— Aurait-il conduit une opération spéciale en compagnie de quelques hommes ?

— Nous en aurions été avertis, Majesté, et personne ne manque à l'appel.

— Récemment, un incident s'est-il produit ?

— Nous avons capturé un lieutenant de Crocodile qui nous a révélé l'emplacement du repaire de son maître ; le général comptait exploiter ce renseignement au plus vite.

— Amenez-moi ce prisonnier.

— Il n'a pas survécu à l'interrogatoire.

Narmer contempla le lac.

À l'évidence, Gros-Sourcils avait voulu surprendre, seul, le chef de clan, et accomplir un exploit digne de Scorpion !

— Où se trouve ce repaire ?

L'officier fournit les indications.

— Nous ne l'atteindrons qu'en utilisant des barques légères, conclut le monarque ; il me faut une vingtaine de volontaires aguerris, et nous mettrons enfin un terme aux nuisances de Crocodile.

L'expédition fut rapidement organisée, et les barques s'élancèrent à bonne distance de la rive afin de rejoindre un îlot herbeux.

C'est alors que surgirent des dizaines de reptiles, encerclant les embarcations et les séparant les unes des autres ; sortant de la végétation, Crocodile apparut.

— Inutile de vous défendre, déclara-t-il, nous sommes trop nombreux, et les piqûres de vos flèches rendraient mes guerriers encore plus féroces. Accoste, Narmer, j'ai à te parler.

Tétanisés, croyant leur dernière heure arrivée, les soldats attendaient les ordres du souverain.

Gardant son calme, Narmer posa le pied sur l'îlot. La taille et la puissance physique du chef de clan étaient impressionnantes, et le roi n'avait aucune chance de le terrasser. Néanmoins, il mourrait en combattant, avec l'infime espoir de déceler une faille.

À son immense surprise, Crocodile s'inclina.

— Le temps des clans est révolu, affirma-t-il, et je te reconnais comme roi. Puisque tu crées des provinces, accorde-moi celle-ci ; il sera interdit d'y tuer l'un de mes sujets, désormais les tiens, et nous te suivrons fidèlement.

Un genou en terre, le maître des reptiles se prosterna devant le monarque.

— Relève-toi, ton vœu sera exaucé ; puisse ta parole être aussi solide que le granit.

— Elle le sera, Majesté, et l'âme de mon clan te procurera sa force ; ainsi, tu gouverneras vraiment le pays entier. Nous aménagerons les rives du lac, édifierons une cité accueillante [1], préserverons un vaste territoire de pêche et de chasse. Après tant d'années de rudes conflits, vieillir en paix me séduit. Une paix que toi seul as rendue possible, grâce à ta persévérance et à ton autorité. Une paix qui était gravement menacée par la pire des vermines, le général Gros-Sourcils.

Narmer frémit.

— Qu'en as-tu fait?

— Depuis le début de ta Quête, Gros-Sourcils n'a cessé de tromper son monde, de mentir et d'assassiner. Il a frappé dans le dos Taureau et Scorpion, et n'aurait pas hésité à vous supprimer, toi et la reine.

Ces révélations stupéfièrent le roi, mais il ne douta pas de la parole de Crocodile. Ainsi, il avait nourri une vipère en son sein, et ce reptile-là aurait pu ruiner l'immense construction en cours!

— Les traîtres et les parjures ne méritent pas la moindre clémence, estima Crocodile. Voilà pourquoi j'ai appliqué une juste sentence.

À la surface du lac apparurent les gueules entrouvertes de plusieurs reptiles; elles contenaient la tête tranchée de Gros-Sourcils, son torse, son bassin, ses jambes, ses pieds, ses bras et ses mains.

— Maintenant, jugea Crocodile, vous pouvez manger.

Les mâchoires claquèrent, les rangées de dents perforèrent les chairs démembrées.

— La mort est passée, la vie renaîtra.

Il plongea, Narmer demeura immobile; bras ballants, redoutant d'être exterminés, les soldats retenaient leur souffle. Qui prêtait un quelconque crédit à un prédateur impitoyable?

Les reptiles s'éloignèrent, la surface du grand lac s'apaisa.

---

1. Elle portera le nom de Crocodilopolis.

La disparition de Crocodile intriguait le roi; quelle nouvelle surprise préparait-il?

De l'eau jaillit un pilier que son vassal éleva vers le ciel.

— Voici le symbole de la stabilité, proclama Crocodile. Il assurera la durée de ton règne. Ce signe de puissance t'offre la capacité de formuler ta pensée, de faire monter la sève et de rassembler les énergies dispersées, afin de ressusciter ce qui semblait éteint. Le trésor caché de mon clan t'appartient; longue vie au seigneur des Deux Terres et à son royaume!

*

Narmer avait érigé le pilier dans le temple du Façonneur, en présence de la reine, des membres de la cour et de Crocodile. À l'occasion de ce rituel, Chacal était venu d'Abydos pour conférer à cet emblème l'efficacité du coffre mystérieux. Le Mur Blanc devenait un foyer de création dont la lumière nourrirait les provinces.

Observant Crocodile du coin de l'œil, le Vieux ne fut rassuré qu'à la fin des festivités; ce gaillard-là, avec sa drôle de tête et son allure de reptile, ne lui inspirait qu'une confiance limitée. Mais ni le Grand Blanc ni le chacal Geb ne paraissaient inquiets, et l'installation du pilier se termina par une fête bien arrosée à laquelle participèrent les habitants de la capitale.

Crocodile et Chacal regagnèrent leurs provinces respectives, et la construction du pays reprit son cours, sous l'impulsion du couple royal, exigeant et attentif.

— C'est curieux, confia le Vieux au Grand Blanc, la mort de cette ordure de Gros-Sourcils nous donne un dynamisme supplémentaire; cette espèce de chancre nous affaiblissait à notre insu.

Dégustant une figue, le babouin approuva.

— À mon avis, estima le Porteur du sceau royal en vidant une coupe de vin de fête, tant que les criminels seront châtiés, on aura un avenir et le royaume sera solide.

D'un hochement de tête, le Grand Blanc confirma.

*

Chaque jour, la vision de Narmer se concrétisait. L'instauration des provinces était un franc succès, les échanges commerciaux garantissaient une prospérité croissante, partout s'érigeaient des sanctuaires à la gloire des divinités.

Cependant, le roi devenait morose.

Et Neit ne manqua pas de s'en inquiéter.

— Que redoutes-tu ?

— Le silence de l'Ancêtre ; n'ai-je pas franchi la septième et dernière étape du chemin ? C'est à lui de juger, mais quelle autre tâche entreprendre afin de le satisfaire ?

Les soucis de son époux étant fondés, la reine ne prononça pas de paroles lénifiantes. De fait, l'approbation de l'Ancêtre était indispensable ; en dehors d'elle, le gouvernement des Deux Terres n'aurait pas de réelle légitimité, et l'œuvre accomplie risquait de s'effondrer.

Neit chercha en vain une réponse, la grande déesse demeura muette. Surmontant son anxiété, le roi maintint son rythme de travail, visita ses provinces et, par sa présence, consolida la paix.

Interrogé, le Grand Blanc fut catégorique : nul ne pouvait influencer l'Ancêtre, et sa décision serait irrévocable.

- 66 -

Tables basses, fauteuils, sièges pliants, nattes, lit, coussins, draps de lin, paniers, coffres de rangement, four à pain, cellier, cave, salle d'eau, savon, parfums… Le Vieux savourait le confort qu'il devait au roi. Se remémorant ses dures années de jeunesse, consacrées à survivre, il se forgea une maxime : dans le malheur, on se souvient des bons moments ; dans le bonheur, on les oublie. Si, dans le bonheur, on s'en souvenait, quel besoin y aurait-il de malheur ?

Le petit blanc du matin absorbé avec délectation, le Porteur du sceau trottina jusqu'au palais afin de participer à une séance exceptionnelle du grand conseil. En chemin, il rencontra le Maître du silex.

— D'après les rumeurs, Narmer serait souffrant.

— Seulement préoccupé, rectifia le Vieux.

— Crocodile ?

— Pas du tout ! Il a tenu sa parole, sa capitale régio·nale devient une petite merveille où il fait bon vivre. Au sud comme au nord, les chefs de province nommés par le roi se targuent d'une administration rigoureuse et, crois-moi, j'ai l'œil !

— Alors, pourquoi notre souverain se tourmente-t-il ?

— Il attend le jugement de l'Ancêtre ; a-t-il vraiment franchi la septième et dernière étape ?

Le Maître du silex blêmit.

— Le roi pourrait-il être désapprouvé ?

Le Vieux ne répondit pas, les deux dignitaires accédèrent à la salle d'audience, s'inclinèrent devant le couple royal et furent invités à prendre place de part et d'autre du Grand Blanc.

Revenu de tout, le Vieux n'en revenait quand même pas ; comment le rescapé du misérable clan Coquillage avait-il réussi à parcourir le chemin de l'Ancêtre, interdit aux humains ? Décidément, il ne comprendrait jamais rien à rien, et mieux valait l'accepter. Puisque les dieux avaient élu un être digne et capable de créer un monde, le servir était un privilège.

Les réunions du grand conseil le régalaient ! Ne se contentant pas de gérer les affaires courantes, le roi ouvrait des voies nouvelles, indispensables à l'épanouissement des Deux Terres ; et le Vieux mettait aussitôt au travail ses équipes de scribes, réservant un sort particulier aux râleurs et aux tire-au-flanc.

Cette fois encore, le Porteur du sceau ne fut pas déçu.

— En délimitant les provinces, déclara Narmer, nous avons maîtrisé l'espace ; reste à réguler le temps. Les clans ne se référaient qu'à la lune ; sur le conseil du Grand Blanc, j'instaure un calendrier dépendant de la course du soleil : trois saisons de quatre mois de trente jours, et cinq journées additionnelles célébrant la naissance des divinités. Des fêtes rythmeront l'année, et je vénérerai la présence de la lumière, à la fois secrète et révélée, à l'aube, au midi et au couchant.

Le Grand Blanc approuva ; le monarque traduisait correctement sa pensée.

— Les formules de puissance doivent être préservées et transmises, continua le roi. Aussi rédigerons-nous des Annales qui garderont la mémoire du règne.

— Que faudra-t-il retenir, Majesté ? interrogea le Porteur du sceau.

— La fondation des temples, la création des statues divines, le calendrier des fêtes, le rituel du taureau sacré, le recensement des animaux et des humains, la hauteur de la crue. Ce texte servira de modèle à mes successeurs.

*

En se rendant à Abydos, Narmer espérait y rencontrer l'Ancêtre; mais la chapelle principale resta désespérément vide, et Chacal silencieux. Le roi subit une déception identique en explorant le chaos de blocs de la cité du soleil, écrin du pilier primordial, à présent disparu.

Disparu... ou transformé?

L'offrande de Crocodile était peut-être la clé de l'énigme.

Le roi pénétra dans le sanctuaire du Façonneur; là avait été dressé le pilier sorti des eaux du grand lac. Enfin, Narmer ressentit la présence de l'Ancêtre!

Et la voix grave aux résonances infinies emplit le temple.

— Te voici parvenu au terme d'un chemin qu'aucun humain n'avait parcouru; la septième et dernière étape a été franchie, tu as affronté victorieusement les épreuves.

Deux yeux brillaient au sommet du pilier, pourvu de bras tenant des sceptres.

— Ton ultime adversaire était Crocodile; en le soumettant, tu as mis fin à la guerre des clans, tout en préservant leur âme. C'est pourquoi le maître des reptiles est descendu au fond de l'océan primordial et en a rapporté le pilier Stabilité, expression de la vie ressuscitée. Tu voulais savoir ce qui se produirait au-delà de la septième étape; l'heure est venue de vivre un miracle, la naissance du premier pharaon, « le grand domaine[1] ». Aussi dois-tu changer de nom; Narmer s'efface, Ménès apparaît. Ton signe de puissance, *men*, est une table de jeu divisée en cases destinées au déplacement des pions; tu seras le garant de sa règle immuable, et tu joueras avec l'invisible d'où proviennent les forces créatrices. Règle immuable, jeu toujours changeant : au pharaon de concilier ces contraires, de maintenir ferme le gouvernail de l'État en s'adaptant aux vicissitudes de son époque. Ménès signifie « Fondateur », et l'un de tes premiers devoirs consistera à fonder des monuments[2] qui révéleront l'amplitude et la richesse du jeu cosmique. L'univers se meut au rythme de longues périodes, et l'ère du Taureau marque ton avènement. Voici ta vêture rituelle, Ménès.

L'Ancêtre remit au pharaon des sceptres, un collier large, des bracelets et la barbe postiche, évocation de l'âge d'or que le monarque prolongerait.

— Ménès, tu ne t'appartiens plus; ton humanité s'estompe, ta fonction devient ton être.

L'Ancêtre offrit au pharaon une coudée en or.

— Elle se nomme Maât, règle, rectitude, justesse, vérité, ordre harmonieux, capacité de gouverner, socle sur lequel seront bâtis des monuments d'éternité. Maât est la vision qui te permettra de lutter contre le mal, l'injustice et la violence.

Ménès s'agenouilla et déposa la coudée au pied du pilier.

— Désormais, ton Ancêtre sera Narmer; toi, Ménès, tu fondes la première des dynasties. Puisse la reine parachever ce Grand Œuvre.

L'Ancêtre avait prononcé ses dernières paroles.

---

1. *Per-âa*, terme formé de deux hiéroglyphes représentant le plan d'un bâtiment et une colonne; on peut aussi traduire « le grand temple, la grande demeure ».
2. *Menou*.

Le pilier s'immobilisa; lentement, Ménès sortit du sanctuaire.

La reine lui présenta un pagne de lin blanc, formé du tissu de la déesse; lorsque Pharaon le revêtit, des traits de lumière y gravèrent la sagesse des étoiles.

Venant du sud, la Mère vautour apporta la couronne blanche; surgissant du nord, le cobra femelle, la couronne rouge. Le regard des deux déesses dicta à Neit le geste juste; pour la première fois, la reine emboîta la rouge et la blanche, les deux yeux emplis de magie.

Quand elle en couronna Ménès, l'Horus céleste se posa sur la nuque du premier pharaon. Doté de l'œil du faucon, le Maître des Deux Terres illumina son pays.

Et l'Égypte s'éveilla.

ŒUVRES DE CHRISTIAN JACQ

Romans

L'Affaire Toutankhamon, Grasset (prix des Maisons de la presse)
Barrage sur le Nil, Robert Laffont.
Champollion l'Égyptien, XO Éditions.
L'Empire du pape blanc (épuisé).
Le Juge d'Égypte, Plon :
    * *La Pyramide assassinée.*
    ** *La Loi du désert.*
    *** *La Justice du vizir.*
Maître Hiram et le roi Salomon, XO Éditions.
Le Moine et le Vénérable, Robert Laffont.
Mozart, XO Éditions :
    * *Le Grand Magicien*
    ** *Le Fils de la Lumière.*
    *** *Le Frère du Feu.*
    **** *L'Aimé d'Isis.*
Les Mystères d'Osiris, XO Éditions :
    * *L'Arbre de vie.*
    ** *La Conspiration du Mal.*
    *** *Le Chemin de feu.*
    **** *Le Grand Secret.*
Le Pharaon noir, Robert Laffont.
La Pierre de Lumière, XO Éditions :
    * *Néfer le Silencieux.*
    ** *La Femme sage.*
    *** *Paneb l'Ardent.*

**** *La Place de Vérité.*
Pour l'amour de Philae, Grasset.
Le Procès de la momie, XO Éditions.
La Prodigieuse Aventure du Lama Dancing (épuisé).
Que la vie est douce à l'ombre des palmes (nouvelles), XO Éditions.
Ramsès, Robert Laffont :
    * *Le Fils de la Lumière.*
    ** *Le Temple des millions d'années.*
    *** *La Bataille de Kadesh.*
    **** *La Dame d'Abou Simbel.*
    ***** *Sous l'acacia d'Occident.*
La Reine Liberté, XO Éditions :
    * *L'Empire des Ténèbres.*
    ** *La Guerre des couronnes.*
    *** *L'Épée flamboyante.*
La Reine Soleil, Julliard (prix Jeand'heurs du roman historique).
La Vengeance des dieux, XO Éditions :
    * *Chasse à l'homme.*
    ** *La Divine Adoratrice.*
Toutankhamon, l'ultime secret, XO Éditions.
Le Procès de la momie, XO Éditions.
Imhotep, l'inventeur de l'éternité, XO Éditions.

Ouvrages pour la jeunesse

Contes et légendes du temps des pyramides, Nathan.
La Fiancée du Nil, Magnard (prix Saint-Affrique).
Les Pharaons racontés par…, Perrin.

Essais sur l'Égypte ancienne

L'Égypte ancienne au jour le jour, Perrin.
L'Égypte des grands pharaons, Perrin (couronné par l'Académie française).
Les Égyptiennes, portraits de femmes de l'Égypte pharaonique, Perrin.
Les Grands Sages de l'Égypte ancienne, Perrin.
Initiation à l'Égypte ancienne, MdV Éditeur.
La Légende d'Isis et Osiris, ou la Victoire de l'amour sur la mort, MdV Éditeur.
Les Maximes de Ptah-Hotep. L'enseignement d'un sage du temps des pyramides, MdV Éditeur.

Le Monde magique de l'Égypte ancienne, XO Éditions.

Néfertiti et Akhénaton, le couple solaire, Perrin.

Le Petit Champollion illustré, Robert Laffont.

Pouvoir et sagesse selon l'Égypte ancienne, XO Éditions.

Préface à : *Champollion, grammaire égyptienne*, Actes sud.

Préface et commentaires à : *Champollion, textes fondamentaux sur l'Égypte ancienne*, MdV Éditeur.

Rubriques « Archéologie égyptienne », dans le *Grand Dictionnaire encyclopédique*, Larousse.

Rubriques « L'Égypte pharaonique », dans le *Dictionnaire critique de l'ésotérisme*, Presses universitaires de France.

La Sagesse vivante de l'Égypte ancienne, Robert Laffont.

La Tradition primordiale de l'Égypte ancienne selon les Textes des Pyramides, Grasset.

La Vallée des rois, histoire et découverte d'une demeure d'éternité, Perrin.

Voyage dans l'Égypte des pharaons, Perrin.

Autres essais

La Franc-maçonnerie, histoire et initiation, Robert Laffont.

Le Livre des Deux Chemins, symbolique du Puy-en-Velay (épuisé).

Le Message initiatique des cathédrales, MdV Éditeur.

Saint-Bertrand de Comminges (épuisé).

Saint-Just de Valcabrère (épuisé).

Trois Voyages initiatiques, XO Éditions :

  * *La Confrérie des sages du Nord.*

  ** *Le Message des constructeurs de cathédrales.*

  *** *Le Voyage initiatique ou les Trente-Trois Degrés de la* sagesse.

Albums illustrés

L'Égypte vue du ciel (photographies de Philip Plisson), XO/La Martinière.

Karnak et Louxor, Pygmalion.

La Vallée des rois, images et mystères, Perrin.

Le Voyage aux pyramides (épuisé).

Le Voyage sur le Nil (épuisé).

Le Mystère des hiéroglyphes, la clé de l'Égypte ancienne, Favre.

Sur les pas de Champollion, l'Égypte des hiéroglyphes (épuisé).

ET L'ÉGYPTE S'ÉVEILLA

Bandes dessinées

Les Mystères d'Osiris (scénario : Maryse, J.-F. Charles ; dessin : Benoît Roels), Glénat-XO, trois volumes parus.
* *L'Arbre de Vie (I).*
** *L'Arbre de Vie (II).*
*** *La Conspiration du Mal.*

Composition Firmin-Didot
à Mesnil-sur-l'Estrée

Cet ouvrage a été imprimé en France par

BUSSIÈRE

à Saint-Amand-Montrond (Cher)
en décembre 2010

N° d'édition : 1841/01 – N° d'impression : 103495/4
Dépôt légal : janvier 2011